Esther Mujawayo
Souâd Belhaddad

SurVivantes
Rwanda, dix ans après le génocide

suivi de

Entretien croisé entre
Sımone Veil et Esther Mujawayo

éditions de l'aube

*Il n'est ni facile ni agréable de sonder cet abîme de noirceur,
et je pense cependant qu'on doit le faire car ce qu'il a été possible
de commettre hier pourra être tenté à nouveau demain, pourra
nous concerner nous-mêmes ou nos enfants.*

Primo Levi
Les naufragés et les rescapés, 1986
soit huit ans avant le génocide rwandais

Rescapé(e), on essaie de rester en vie plus que de tendre vers la mort parce qu'on vit encore avec ceux qui nous ont voulus morts.

Celui que me voulait exterminée, il ne me verra pas finie. Au contraire, je voudrais bien que me voir bien seyante le ronge et qu'il se dise : « J'ai fait tout ça pour rien, elle vit. » Je ne sais pas si cette réaction chez moi relève de la fierté ou d'un instinct à tenir le coup. Je sais seulement qu'être vivante-vivante, plutôt que survivante, est une façon de les punir. C'est ma seule vengeance possible.

Esther
dernier soir d'entretien,
décembre 2003.

À mes princesses vivantes, Anna, Amélia, Amanda,
À Innocent, mon mari et leur père, tué pendant le génocide.

À la mémoire de tous les miens,
Et à celle de tous les nôtres exterminés.

À la mémoire de Dafroza, violée à 14 ans, morte à 19 ans.
Dafroza, qui avait réussi à survivre au génocide mais pas
au sida inoculé par ses génocidaires.

À Najiaragasage, notre voisine et amie de toujours, qui
nous a cachés avec courage et générosité chaque fois qu'il le
fallait depuis 1959 et qui, à son grand désespoir, n'a pas pu
le faire durant le génocide.

À Madyl, par qui ce livre est né,
et dédié pour tant d'autres raisons.

À nos sœurs, Stéphanie et Nadia.

Prologues

Souâd Belhaddad

Dès l'adolescence – c'est-à-dire plus précisément, à partir de la découverte du *Journal* d'Anne Frank – j'ai très vite pressenti qu'un génocide était « quelque chose » à part. Plus tard, je l'ai su. Par la lecture, à nouveau, et de bouleversants témoignages essentiels au capital de l'Humanité, ne serait-ce que pour nous prévenir de son inépuisable in-Humanité.

Ensuite, j'en ai eu la confirmation définitive au travers de ma profession de reporter qui, confrontée aux drames, aux massacres, aux morts, à la barbarie, m'a permis de bien évaluer la différence fondamentale entre une guerre, un conflit armé et un génocide – mot que notre époque galvaude de plus en plus, et dangereusement.

Ce principe de base – la spécificité d'un génocide – a été un lien essentiel dans notre rencontre, Esther et moi, et dans notre travail. Rescapée du génocide des Tutsi au Rwanda en 1994, Esther voulait, d'abord, témoigner pour l'Histoire et pour transmettre à ses trois filles, rescapées comme elles, la mémoire d'une ascendance qu'elles n'ont désormais plus. Mais elle voulait également poser une réflexion, fût-elle vaine, sur le

9

génocide, ses conséquences et sur l'impossibilité de la parole des rescapés. Esther tenait à ce que cet ouvrage dépasse sa propre histoire, qu'une pudeur la retenait de trop dévoiler. Ensemble, nous voulions nous interroger sur la désespérante universalité d'un génocide.

Voici comment nous avons procédé : le livre est divisé en trois parties. La première partie est essentiellement axée sur la parole des rescapés et son impossibilité à être entendue, dès la fin du génocide jusqu'à aujourd'hui. Cette séquence s'est faite à partir d'entretiens retravaillés mais auxquels, volontairement, j'ai laissé le ton de l'oral, non pas par effet de style mais afin de traduire au plus près les tremblements, les hésitations, les nœuds et la sidération de cette parole. Une parole associative qui tente de dire l'indicible : le génocide, et le chaos qu'il a imprimé à l'intérieur de tout rescapé. La forme qu'elle revêt, teintée aussi de rires insolites, voire d'humour noir, et le choix de la retranscrire dans son apparent chaos malmènent parfois les règles habituelles de syntaxe et de style. Mais le lecteur, qui peut s'étonner des nombreuses répétitions de ce texte, doit y voir un parti pris. De même, des réflexes de journaliste auraient dû me pousser à condenser et polir le propos d'Esther. Cette tentation aurait été un piège, à l'encontre même du but de notre travail : restituer la parole des rescapés qui trouve si peu d'espace pour s'exprimer, surtout lorsqu'elle dit et interroge l'a-sensé. Peu d'espace car elle indispose ; c'est une parole qui peut être brutale, insistante, lourde, voire redondante. Tout cela est absolument vrai : la parole d'Esther a été brutale, insistante, lourde, voire redondante. Et, pour toutes ces raisons, extrêmement instructive sur l'état d'un rescapé. Ainsi que sur sa cruelle bataille intérieure entre le fantasme d'une impossible vengeance et le fantasme d'un impossible pardon.

Le rendu de cette parole n'aurait donc pu être, à mon sens, un exposé lissé et lisse, ou corrigé selon les codes de relecture habituels.

Au cours de nos entretiens et surtout au cours de l'écriture de cet ouvrage, je me suis justement servi de ce mode répétitif comme d'une méthode : lui seul m'a permis d'effleurer l'inouï qu'a traversé chaque rescapé, et l'obsession folle que porte cette interrogation qui restera toujours sans écho : *comment cela a-t-il été possible ?*

La pensée d'Esther n'en demeure pas moins très claire, et structurée. La boucle est, chaque fois, bouclée, au cours de son récit : Esther sait toujours où elle veut en venir. On le vérifiera dans la deuxième partie, qui retrace son parcours de femme Tutsi du Rwanda et raconte aussi l'histoire des discriminations des Tutsi de son pays ; écrite de façon beaucoup plus linéaire, toute une partie en a été directement rédigée par Esther elle-même, avec une poésie et une ironie qui lui sont bien propres. Enfin, la dernière partie établit une sorte d'état des lieux sur le Rwanda, dix ans après le génocide des Tutsi et s'est faite, à nouveau, autour d'entretiens. Contre toute attente, elle a été le plus difficile à rédiger. Le constat est si accablant, dix ans après, que l'écriture a parfois touché au paroxysme de l'impuissance.

Enfin, tout au long de ce livre, le lecteur observera régulièrement un fréquent glissement du temps de l'imparfait à celui du présent, bousculant toute convention des concordances de temps. J'ai tenu à laisser ces sauts de langage tels quels : comme l'explique Marie-Odile Godard, psychanalyste à l'initiative de notre rencontre, Esther et moi, le présent est le temps du traumatisme. Presque chaque fois que la période du génocide est évoquée, Esther passe inconsciemment de l'imparfait en début de phrase puis, sous la force du souvenir et surtout celle du traumatisme, au présent. Comme si cette période de l'horreur était, pour tout rescapé, un temps suspendu.

J'ai mesuré au cours de ce travail que pour Esther, il le sera éternellement.

Une amie, Denise, fille de rescapés d'Auschwitz, m'a dit, à ce propos: «De toute façon, toute leur vie, ils seront toujours seuls avec "ça". »

Esther Mujawayo

Ça y est, je commence.

Pour toi, pour vous tous, je dois le dire, je dois l'écrire.

Pour vos bourreaux, vous êtes morts. Ils vous ont tués. Atrocement.

Mais pour moi, pour mes enfants, pour tous les orphelins abandonnés à eux-mêmes, pour les mères meurtries dans leurs cœurs et leurs corps, pour les quelques rescapés de ce génocide qui sont restés sans voix devant l'indicible, vous continuez à vivre, dans nos cœurs.

Je vais le dire pour qu'on ne dise plus jamais qu'on n'a pas su. Je vais témoigner, je veux raconter.

J'accuse aussi.

Un million de personnes a été exterminé en moins de cent jours dans un silence assourdissant et une indifférence totale.

En Afrique du Sud, on fêtait la victoire de Mandela.

En Europe, c'était exactement cinquante ans après le débarquement de Normandie, début de la défaite des nazis et début d'un espoir que plus jamais « ça » ne se repasserait.

Le « plus jamais ça » s'est reproduit. L'Onu qui était là s'en est allée. Boutros-Ghali, secrétaire général des Nations unies, nous a donnés ; Kofi Annan, chef de maintien, a exécuté l'ordre de ne rien faire.

Bill Clinton s'est tu.

Le mot de génocide a été évité dans les ambassades, sur recommandation de l'Onu, ainsi dans la presse internationale parce que, dans le cas contraire, son utilisation signifiait l'obligation d'intervenir. Mais le génocide, lui, s'est bel et bien passé.

Les Tutsi ont été rayés de la carte du Rwanda.

Il y a quelques survivants et, pour eux, je vais me battre jusqu'au bout.

Il y a eu quelques Hutu qui se sont exposés et même, certaines fois, sacrifiés pour nous aider à échapper. Ce ne sont pas des héros comme on voudrait le dire actuellement. Ce sont des humains, et la preuve vivante que même dans la pire des situations, il y aura un grain d'humanité qui brûle toujours.

Et c'est pour ce grain que je vais écrire. Pour qu'il vive chez toi qui liras ce livre. Tu es un être humain : ne permets à personne ni à aucune situation de te retirer ce petit grain d'humanité, parce que la vraie mort, c'est quand ce dernier grain est mort en toi.

Préambule
Je m'appelle Esther

Tu sais, je me suis identifiée souvent à Esther dans la Bible, et j'ai souvent identifié les juifs de la Bible aux Tutsi. Tout cela se mélangeait en moi, depuis mon enfance, parce que tout coïncidait:

« Tout est écrit au nom du roi Xerxès et signé du sceau royal. Dans toutes les provinces du royaume, des courriers portent des lettres qui disent:
"Exterminer, tuer, anéantir tous les juifs.
Du jeune homme au vieillard, les enfants, les femmes.
En un seul jour, le treize du douzième mois, adar.
Piller." » (Le livre d'Esther, la Bible)

Les Tutsi ont vécu les mêmes discriminations et j'ai moi-même vu les miens exterminés, tués, anéantis sans pouvoir les sauver. Dans la Bible, Esther, elle, y était parvenue. C'est mon père qui m'avait choisi ce même prénom. Mon père, pasteur, était très bon. Il était très religieux, mais d'une manière qui te fait aimer Dieu. Il nous a appris la lecture très tôt, dès l'âge de cinq ans et chaque soir, à la maison, on lisait la Bible à tour de rôle, avec mes sœurs. C'est comme cela qu'on connaît les prénoms qui y figurent: Esther, son histoire, son courage, comment elle a sauvé son peuple qu'on voulait exterminer. Esther est une juive qui a été mariée à un roi – oh, je dois retrouver de quelle tribu… –, un roi qui avait conquis son peuple juif. À un moment donné, il y a eu un complot pour éliminer tous les juifs, et la seule personne qui pouvait faire quelque chose pour les sauver, c'était Esther. Son oncle est allé la voir et lui a dit: « Tu dois parler à ton homme. » Or vous ne pouviez pas voir le roi à l'époque sans être convoqué. Sinon, vous pouviez vous exposer à mourir. Mais Esther a quand même pris le risque, consciente que soit le roi la sauvait, soit il la tuait. Et l'histoire se poursuit pour raconter comment elle est allée au-devant de son époux, s'est mise à genoux, comment il lui a montré son bâton et dit: « Quelle est ta demande? Même si c'est la moitié de mon royaume, tu l'auras. » Elle répond que ce n'est pas la moitié de son royaume qu'elle veut, mais qu'un complot menace les juifs et qu'on veut tous les éliminer. Alors, le roi l'écoute et évite le pire – et c'est ainsi que le peuple juif a été sauvé à cette époque.

Pendant le génocide, l'histoire de mon prénom m'est revenue et je me disais: « Qu'est-ce que je peux faire pour mon peuple? » Durant ces trois mois de folie, quand nous avons tous été éliminés, j'en voulais un peu à Dieu parce que je lui disais, vainement: « Allez, tu as bien fait un miracle du temps d'Esther et de son empereur… » Avec l'approche de la mort, vous vous accrochez un peu au miracle. Sauf que moi, je n'avais plus mon empereur, on l'avait déjà tué. On a tué presque toute ma famille.

Et puis après – après le génocide – j'ai essayé de me dire, de me convaincre: « Mais Esther, tu rêvais pendant le génocide, tu n'aurais jamais pu faire quoi que ce soit! »

Alors, je fais maintenant. Ou, du moins, j'essaie. Aujourd'hui, plus de la moitié des femmes qui ont survécu sont atteintes du sida et meurent de cette maladie. D'autres meurent encore de faim. Je me dis : vous survivez à un truc comme ça, un génocide, pour après mourir tout bêtement, parce que vous n'avez rien pour vivre, parce que vous n'avez pas où loger, parce que vous êtes complètement traumatisée, puis déprimée et sans personne pour vous écouter, ou parce que vous avez été violée, que vous avez le sida et pas de médicaments... Alors, je me fâche : « Non, il ne faut pas se taire, il ne faut pas s'arrêter, il ne faut pas que ceux qui ont survécu continuent à mourir ! » C'est pour ça que je me bats, parce que ce que je voudrais, c'est que les gens vivent après ce qui s'est passé. Je trouve que ce n'est pas la peine de survivre en 1994 pour mourir bêtement après, ou être complètement affaibli ou complètement à plat.

Je n'éprouve pas de besoin profond de raconter mon histoire. Je suis une pragmatique, tu sais : si témoigner de mon parcours, ça peut être utile, alors oui. Mais à titre personnel, je ne sais pas... De toute façon, au Rwanda, chaque histoire personnelle est devenue de l'Histoire. À part mes amies rwandaises veuves comme moi, il n'y a que deux personnes avec qui je peux vraiment me laisser aller à la raconter, comme ça, pour rien. Une de mes amies, Françoise, rencontrée en Belgique et que je considère comme ma sœur, et ma cousine Beata. Avec chacune d'elles, je peux vraiment me lâcher et parfois, quand je suis fatiguée, je me dis, sans scrupules : « Là, je les appelle et je leur raconte juste pour leur raconter, et cette fois, c'est pour moi-même. Pas par engagement... », et je sais qu'elles seront là pour moi, qu'elles vont me prendre quand je me dis: «Allez, Esther, laisse-toi aller… Toi aussi, tu as envie de crier, de pleurer… » Tu sais, à certains moments, tu es fatiguée d'écouter les autres, fatiguée de faire la brave, de te battre, de… Mais ça n'arrive pas souvent. J'ai toujours été la brave, à la maison. C'est à cause de mon prénom. Peut-être que mon père avait choisi de m'appeler Esther exprès.

Mon père, qui a été exterminé. Tout comme ma mère, tout comme plus d'une vingtaine de mes tantes, de mes oncles, tout comme mon mari Innocent, mon beau-père, ma belle-mère, mes deux belles-sœurs, mes quatre beaux-frères, tout comme ma sœur Stéphanie, son mari, leurs trois enfants, tout comme mon autre sœur Rachel, son mari, tout comme… J'arrête de compter. Avril 1994 a été le mois de l'extermination, c'est tout.

1
« Et, à part le génocide,
ça va ?... »

Au Rwanda, on nous dit aujourd'hui : « On en a assez parlé. » On est coincés, nous les rescapés, entre les Hutu, nos voisins de toujours qui nous ont tués, et les Tutsi, nos frères qui sont rentrés d'exil après plus de trente ans, après les vagues de massacres de 1959 et de 1973[1], qui ont toujours rêvé de rentrer au Rwanda mais ne s'attendaient pas à y revenir marchant sur les cadavres.

Les Hutu ont majoritairement participé au génocide et ceux qui n'ont rien à se reprocher sont quand même mouillés, d'une certaine façon, car des membres de leur famille ont tué. Tout comme il n'y a pas une seule famille de Tutsi qui n'ait pas perdu au moins un de ses membres, il n'existe pas une seule famille de Hutu sans, au moins, qu'un des leurs ait participé au génocide, et celui-là entache toute la famille. De là à dire que tous les Hutu sont génocidaires, il n'y a qu'un pas que beaucoup de

---

1. Voir « Dates clés », page 300.

gens, au Rwanda, franchissent de façon erronée. Alors, pour les Hutu, coupables ou pas, c'est mieux de ne pas parler de ce qui s'est passé, et d'effacer, comme on l'a fait déjà dans le passé, en 1959 et en 1973. Quant aux Tutsi réfugiés dans les pays voisins depuis trente ans, en vivant en exil, ils ont fait un mythe de ce pays, et maintenant ils y sont enfin. Mais ils y sont après un génocide; ça les aurait arrangés qu'on ne soit pas là, nous les rescapés, pour raconter, et ils nous disent: « On en a assez parlé. »

Je sais que je généralise. Je connais des réfugiés Tutsi, surtout de 1973, et je connais des collègues Hutu qui sont solidaires de notre souffrance et ne me diront jamais ça. Mais, de façon plus collective, au Rwanda, on a senti qu'il ne fallait pas raconter. Personne ne nous a explicitement demandé de nous taire, on a tout de suite senti qu'il fallait se taire. Et dès la fin du génocide, en juillet 1994, on s'est tus.

Je pourrais dire, en une phrase, pourquoi, rescapé, on s'est tu après le génocide: on sentait qu'on dérangeait.

Les gens ne pouvaient pas supporter d'entendre, c'était trop pour eux. Trop quoi, je ne sais pas. Tu commences à raconter, raconter, et ils n'acceptent pas d'écouter, et c'est terrible. Ils disent: « C'est trop horrible. » Ils disent: « C'est trop, trop... » C'est trop pour qui? C'est trop pour moi ou pour toi qui écoutes?... Mais je peux comprendre que parfois, c'est trop pour celui qui écoute, peut-être plus que pour celui qui a vécu. Il y a des Rwandais qui étaient à l'étranger et qui ont suivi le génocide à la télévision, de loin, alors que leur famille y était massacrée. Au moins, moi, j'étais occupée à courir, essayer de me cacher. Moi, je l'ai vécu, et je l'ai survécu, j'ai fait un voyage là-dedans. Et quand on fait un voyage là-dedans, dans l'horreur, on n'a pas le luxe de s'en retirer : on est dedans, on est dedans. Tandis que l'Autre, lui, celui qui écoute, il reçoit seulement l'horreur comme ça et il a le luxe, lui, ou le choix d'être en dehors, de ne pas supporter et de dire : «On stoppe l'horreur.» Moi, je n'ai pas ce choix de ne pas supporter, puisque je *devais* supporter. Lui, il peut cesser d'écouter l'horreur quand je la lui raconte, mais moi, je ne peux pas stopper puisque c'est cette horreur que je vivais… *(silence)* Mais, en fait, on est fous, nous aussi, d'essayer d'accepter l'horreur. D'accepter le truc qui s'est passé, et de vivre après ce truc qui s'est passé… Mais… qu'est-ce que tu veux faire d'autre ? Qu'est-ce qu'on peut faire d'autre ? Parfois, tu te demandes pourquoi ça s'est passé, tu te demandes comment c'est possible que ça se soit passé, comme ça, de façon aussi folle, parfois, tu te demandes même si ça s'est *vraiment* passé, tellement ça te dépasse… Et tu ne trouves jamais de réponse. Tu peux chercher les éléments qui ont favorisé ça, mais pas la cause. Parce qu'il n'y en a pas. Il n'y a pas de cause à un génocide. Alors, qu'est-ce que tu peux faire d'autre que d'accepter que ça s'est passé ? *(soudain véhémente)* Mais je me dis : «Je ne vais quand même pas me tuer aujourd'hui parce que ça s'est passé. C'est le truc sur lequel je ne me tuerai pas.» Voilà ce que je me dis.

Il y a parfois des histoires que personne ne veut ou ne peut écouter jusqu'au bout, comme, par exemple, celle d'Alice. J'ai une amie, Alice, c'était tout au début que je l'ai su, c'est horrible, elle avait été jetée dans un trou avec d'autres cadavres et elle était dans le trou… Oh, c'est toujours les mêmes histoires ! Elle était avec son mari à la maison et un jour, ils sont arrivés pour les prendre tous, les tuer tous, avec ses deux enfants, Grâce et Denis. Les deux gamins ont dit aux tueurs : « Nous, on vous promet qu'on fera jamais ce que papa et maman ont fait », parce qu'ils croyaient qu'être Tutsi, c'était quelque chose qu'on « faisait ». Ils croyaient qu'ils avaient fait un péché quelque part, pour lequel on est tué. Et les tueurs, ils ont ri de ça et ils ont dit aux gamins : « Allez-vous-en. Vous, on ne vous tue pas pour les erreurs de vos parents. » C'était vraiment « erreur », le mot qu'ils ont prononcé… Les enfants sont partis. Alice, elle, me dit qu'elle voit toujours ses enfants partir, comme ça, tous deux, des gamins sur la route, et elle reste là, avec toute la troupe et on commence à les tuer. On donne un coup d'épée à son mari là dans le côté, sous le cœur, et le sang gicle mais Alice n'arrive pas à voir toute l'image parce qu'elle tombe évanouie et son mari lui tombe dessus. C'est ça qui l'a sauvée, en fait, parce qu'elle a été couverte de tout le sang de son mari et, évanouie, elle était comme morte. Quand les bulldozers sont venus ramasser tous les cadavres, juste au moment de la soulever pour la mettre sur les camions qui allaient déverser les cadavres dans des trous, il y a un des veilleurs de nuit qui a dit : « Celle-ci, elle est encore chaude, vous êtes sûrs qu'elle est morte ? » C'est là que Alice a décidé qu'elle était vivante, quand il a dit : « Elle est chaude, elle n'est pas morte » alors que, elle, oui, elle se vivait comme morte. Alors, elle a vraiment fait le mort et on l'a amenée pour la déverser sur des cadavres jetés dans un trou. Chaque fois que le camion revenait pour en décharger de nouveau, Alice essayait de tenir le coup. « Esther, m'a-t-elle dit, c'est fou l'instinct de vie, parce que c'est là que j'ai réalisé que

je suis vivante, que je ne veux pas me laisser enterrer. »
Elle a commencé à grimper sur les cadavres et chaque
fois qu'un nouveau chargement lui tombait dessus, elle
remontait à la surface, et se remettait toujours au-dessus
des autres cadavres ; enfin, la nuit, elle est sortie. Cette
même nuit, elle a pu sortir de ça. Mais jusqu'à maintenant, elle vit toujours dedans. Elle me dit: « Les enfants
que j'ai laissés dedans… » parce qu'il y avait beaucoup
de mamans mortes avec leurs bébés encore vivants
attachés sur leur dos et qui pleuraient, et elle savait que
si elle arrivait à se sauver, elle se sauverait seule et elle
ne pourrait pas libérer les bébés. Et ça, ça l'a tourmentée
pendant longtemps, longtemps…

Quand Alice racontait son histoire, on l'arrêtait
toujours quand elle arrivait au moment des bébés qui
pleuraient et qu'elle ne pouvait pas prendre avec elle,
dans le trou où elle avait été jetée vivante parmi les
cadavres. Ce moment, c'était trop horrible pour les gens
et on l'arrêtait au milieu parce que c'était trop dur.
« C'est trop horrible, arrête ! » Mais c'était encore plus
horrible pour elle de ne pas terminer. Alice, son histoire,
elle a jamais pu la raconter jusqu'au bout. Un jour,
quand je l'ai retrouvée à Kigali en août 1994, après le
génocide, ça a été la première fois qu'elle pouvait la
raconter jusqu'au bout. Elle était contente quand elle
a pu la raconter jusqu'au bout.

Je ne sais pas comment j'ai pu écouter son histoire
tout entière. Est-ce que c'est parce que je suis rescapée,
moi aussi ? Je crois que cela dépend d'une prédispo-
sition qu'on avait ou pas, en soi, avant le génocide.
Comment tu es déjà au début, avant le génocide. Moi,
je me suis toujours prise pour le garçon de la famille
que mes parents n'ont pas eu. Donc, dès qu'il y avait

quelqu'un ou quelque chose qui frappait à la porte, quand papa n'était pas là, je disais aux autres: «Ne vous effrayez pas, je vais y aller.» En fait, aujourd'hui, je me retrouve avec le même rôle que j'avais endossé avant le génocide, celui que je m'étais donné depuis la maison, avant le génocide. Être forte. Pour les autres. Je n'ai pas le choix, j'ai un sens plein d'obligation, je crois. Mon nom, Mujawayo, signifie «la servante de Dieu». On n'a pas de nom de famille au Rwanda; traditionnellement, cela n'existe pas. On a juste un nom à soi, individualisé. Quand je me suis installée en Allemagne il y a quatre ans, ça a été très compliqué de faire comprendre à l'école de mes trois filles qu'elles sont bien du même père alors qu'elles ont un nom différent! Chez nous, le nom signifie toujours quelque chose de précis sur les conditions de votre naissance, sur ce que les parents voulaient exprimer à ce moment de leur vie, sur cette naissance; avec un nom, vous pouvez tout de suite savoir si c'est un homme ou une femme. Je vous donne l'exemple de ma famille, ça va être plus clair. Ma sœur aînée Joséphine s'appelle Nyiransengiyumva parce que nous sommes d'une famille où papa est très chrétien, catéchiste; *Nyiransengiyumva* signifie donc «Je prie un dieu qui écoute», parce que mes parents priaient Dieu pour avoir un enfant. Après Joséphine, mes parents n'ont plus eu d'enfants pendant quatorze ans, ce qui était un drame. Une partie de la famille a voulu que papa chasse maman, en disant qu'elle était stérile. Mais papa a tenu bon, il a dit: «Non, c'est la volonté de Dieu.» Et quand ils ont eu leur deuxième fille, Marie-Josée, ils l'ont donc appelée Ibyishaka, «ce que Dieu veut». Puis, quatre ans après, Stéphanie est née; pour eux, c'était donc une

24

suite heureuse et ils l'appellent Nibyobyiza, «ce qui est bon». Puis, je viens trois ans plus tard et c'est comme ça que je m'appelle Mujawayo, qui veut dire «sa servante», c'est-à-dire «la servante de Dieu» car dans la logique de mon père, il prie un Dieu qui écoute – ma sœur aînée Joséphine –, dont la volonté se fait – ma sœur Marie-Josée –, avec bienveillance – ma sœur Stéphanie – puis, enfin, dont la volonté est également de le servir et de le servir toujours.

Être la servante toujours au service de Dieu! *(rires)* Ma sœur Stéphanie, qu'on a tuée, elle blaguait toujours à la maison: quand elle ne voulait pas faire quelque chose, elle me chargeait de le faire et elle disait: «Ce n'est pas moi qui t'ai donné le nom de servante, c'est ton père et ta mère, alors tu dois. Tu dois faire!» Sacrée Stéphanie!… C'est avec elle, justement, que plus jeunes (en 1973), on s'était imposé d'être fortes toutes les deux et de se révolter en ne parlant plus aux Hutu qui nous maltraitaient. Mais elle a été tuée. Donc, au lendemain du génocide, je ne l'avais plus pour tenir ensemble, pour être fortes ensemble; donc, là, je devais maintenant faire… faire toute seule. À cause de mon nom, justement: Mujawayo, «la servante de Dieu». Et doublé de celui d'Esther, en plus, qui devait sauver son peuple!…Quand papa m'a donné ce prénom d'Esther, je croyais vraiment que je pourrais faire quelque chose pour sauver les gens. Ça m'a fait mal d'y penser pendant le génocide parce que je me disais: «Allez, allez! essaie de… », mais je n'y suis pas arrivée.

Pouvoir être forte, après le génocide, ça a aussi été possible grâce à la position dans laquelle je me trouvais: je gagnais bien ma vie, j'avais un emploi, une maison,

25

j'étais capable de soutenir d'autres et de subvenir à leurs besoins. Du coup, j'ai pris le rôle du papa ou du chef de la famille. Et ça marchait. Fallait que ça continue de marcher. Il fallait tenir pour les autres. Tenir pour ma sœur Marie-Josée, rescapée elle aussi mais qui a dû, elle, survivre dans des conditions terriblement atroces : après avoir perdu son fils aîné et son mari, fusillés devant elle, elle s'est réfugiée à la paroisse de Kabgaye, la première ville catholique du pays. Là, elle a assisté au pire : les *Interahamwe*[1] venaient régulièrement, par cars, « à la pêche » – *kuroba*, comme ils disaient. Ils sélectionnaient d'abord les hommes les plus forts et valides et disaient aux autres, plus faibles et mal portants, pour les humilier : « De toute façon, ceux qui restent, vous deviendrez la proie de vos propres poux ! » parce que c'est vrai que les plus maigres et mal portants ne se lavaient plus et étaient dévorés par les poux. Marie-Josée a passé tout le génocide à attendre sa mort, sans pouvoir s'enfuir. Et puis, le 2 juin, le miracle : le FPR[2] a pu prendre Kabgayi et sauver les quelques survivants. Mais ils ont dû marcher pendant deux semaines pour arriver dans la zone de sécurité, à l'est du pays. Alors, Marie-Josée, c'était trop, trop dur pour elle, tellement dur que lorsque tout a été fini, elle ne pouvait plus le prendre, le génocide ; je devais donc le prendre à sa place. Je me disais : « Si j'ai la chance d'avoir un courage là où les autres ne l'ont pas, la chance de

---

1. *Interahamwe* : milices extrémistes Hutu formées avant le génocide par le président Habyarimana, entraînées par l'armée rwandaise et, également, française ; elles ont été les principales exécutantes du génocide de 1994.
2. Le Front patriotique rwandais est une armée composée essentiellement de Tutsi en exil qui tentent de régler la question de leur retour au Rwanda. En 1990, il pénètre le pays par l'Ouganda, ce qui sera le début d'une guerre qui se poursuit encore au moment du génocide. Voir *Les réfugiés, de l'exil au retour armé*, article de José Kagabo et Théo Karabayinga, *in* « Les temps modernes », juillet-août 1995.

ne pas craquer, je dois. » Et puis, je me suis toujours dit aussi que mes enfants avaient pu survivre. Pourquoi eux, et pas… ? En tout cas, cette pensée – mes filles sont *vivantes* – m'a aidée, parce que si je pensais à ce que j'avais perdu, ça allait trop m'écraser.

Je ne peux pas te dire quand c'est arrivé mais à un moment précis, j'ai pensé : « Si tu veux survivre, Esther, tu dois réaliser et regarder ce que tu as gardé plutôt que ce que tu as perdu. » Je me souviens que j'avais fait la liste de tout le monde, des très proches, et j'écrivais, j'écrivais le nom des absents, exterminés… Et là, quand tu dépasses la centaine de personnes – je n'allais pas chercher loin dans mes connaissances, j'incluais des proches pour qui, en temps normal, j'aurais pris un jour de congé pour me rendre à leur enterrement – là, quand tu dépasses la centaine de personnes…, tu, tu… je devenais dingue. Et c'est à ce moment que je me suis dit : « Allez, je commence maintenant à faire un parallèle : combien j'ai de personnes autour de moi, aujourd'hui, qui seraient malheureuses si je devenais folle ? », parce que la folie, ça, oui, j'en avais peur. Alors, je me suis mise à compter ceux que je n'avais pas perdus, et qui seraient malheureux de me voir devenir folle : et c'était mes enfants, et mes sœurs Marie-Josée et Joséphine que j'avais retrouvées, et ma cousine Christine que j'avais retrouvée, et mes neveux que j'avais retrouvés, et mon amie Alice que j'avais retrouvée, et une tante que j'avais retrouvée, et une… C'est donc là que je me suis clairement dit : « Si tu veux survivre, Esther, tu dois réaliser et regarder ce que tu as gardé plutôt que ce que tu as perdu. »
Tout ça, tu le penses après le génocide. Pendant, c'est comment survivre, survivre, survivre. Et jusqu'à

27

la fin, on ne croyait pas qu'on survivrait. Je me souviens, à un moment donné, j'ai fait faire le baptême de Babiche, notre dernière fille. Elle n'était pas baptisée, et je me suis dit que nous allions tous mourir et quand tu vois la mort en face, tu commences à penser à tout ce que tu n'as pas rempli comme devoirs... Et tout à coup, j'ai dit: «Et ma gamine qui n'est pas baptisée!» En plein génocide... Ce matin-là, un prêtre a accepté de lui donner le baptême, ainsi qu'à deux autres petits enfants, c'était complètement surréel. Innocent, mon mari, a été tué en avril et Babiche, née six mois avant, a été baptisée en mai 1994. Babiche est la dernière de nos trois filles; elle s'appelle Mukasonga, «celle qui est au sommet», «la top». Avec Innocent, mon mari, quand nous avons eu notre première fille, Anna, nous l'avons appelée Dushime, qui veut dire «Merci» pour ce cadeau, parce qu'elle était notre plus beau cadeau. Notre deuxième fille, Amélia, c'est Umuhire, le bonheur donc la bienheureuse, parce que c'est vrai que nous sommes heureux alors, et que tout continue si bien dans notre famille. Et notre troisième et dernière enfant, Amanda surnommée Babiche, elle s'appelle Mukasonga, «celle qui est au sommet». Le sommet de notre bonheur. Mais on l'avait aussi appelée Mahoro, «la paix», car c'était au moment des accords d'Arusha[1]. On avait dans l'esprit que tout se remettrait en place; nous espérions que tout allait bien aller désormais. On s'est trompés. Six mois après, c'était le génocide.

Depuis la mort d'Innocent, j'ai rayé le nom Mahoro; jamais plus je n'ai appelé ma dernière fille ainsi.

---

1. Les accords d'Arusha, signés en 1993, ont permis l'instauration du multipartisme et organisaient le retour des exilés Tutsi au Rwanda, leur terre natale.

2
Aujourd'hui

Avril 2004, dix ans après. Dix ans après, et enfin le début. Oui, mais le début de quoi ? Le début de la re-vie ? Enfin ? Passer de la condamnation à vivre – qu'on a fort éprouvée, quand on avait survécu au génocide – au *choix* de vivre, c'est le chemin que j'ai moi-même fais pendant ces dix ans. Je peux dire cela maintenant : je n'ai pas choisi de survivre au génocide d'avril 1994, tout comme les miens n'ont pas choisi d'y mourir exterminés, et l'horreur de les avoir perdus était telle que j'aurais voulu être emportée aussi. Mais j'ai survécu. Il se trouve que j'ai survécu. Aujourd'hui, je vis. Ce ne sont pas eux, mes tueurs, qui m'ont laissée en vie, c'est moi qui, désormais, ai choisi de vivre.

Aujourd'hui, dix ans après, remariée à Helmut, ami de longue date de ma famille et qui a vécu au Rwanda, j'habite dans une petite ville d'Allemagne avec mes enfants Anna, Amélia et Amanda, alias Babiche. J'exerce comme thérapeute, et travaille plus particulièrement sur le traumatisme de guerre à Düsseldorf, dans un centre psycho-social pour réfugiés. Parallèlement, je donne régulièrement des conférences internationales sur le traumatisme des rescapés du génocide rwandais et, surtout, sur leur situation actuelle – dont celles des femmes abusées et contaminées par le sida. Il a été courant qu'un génocidaire dise à sa victime après l'avoir violée : « Je ne te tue pas, ce que je te laisse est pire que la mort. » Pendant cinq ans, au Rwanda, j'ai travaillé au sein d'Avega, une association de veuves rescapées du génocide qu'on avait nous-mêmes fondée, et on a bataillé pour se trouver des raisons de tenir. Il n'y en avait pas, on en a rebâti. Les deux dernières années, j'ai suivi des femmes et des enfants en thérapie et je sais que, d'abord condamnés à vivre, aujourd'hui ils ont *décidé* de vivre. Encore faut-il qu'ils en aient les moyens. Encore faut-il leur en donner.

Mon Dieu, qu'est-ce que j'ai couru depuis lors... Depuis lors, c'est avril 1994, depuis ce chambardement total de ma vie. Mais je dis chambardement comme s'il ne s'agissait que de quelques changements dans ma vie... Non, c'est l'horreur, c'est la fin, c'est l'inimaginable, l'indicible, l'insupportable. Mais insupportable pour qui ? Pour moi ? Mais non, moi je n'ai pas le choix de me poser une telle question. Pas le choix de trouver cela insupportable puisque je dois le supporter, pour mes filles qui, elles, doivent vivre. Mes filles, ce sont mes princesses.

Nous sommes en vacances, en ce moment, au bord de la mer. C'est tellement beau, les fleurs fleurissent d'une façon fantastique, surtout les bougainvillées. Je suis presque en paix, maintenant, avec les bougainvillées. J'ai été fâchée longtemps avec elles parce qu'après le génocide d'avril, elles poussaient partout comme si de rien n'était, et je leur en voulais. Quel toupet de refleurir encore ! Après un génocide, toi, tu crois que les fleurs ne s'ouvriront plus, que limpide le lac ne sera plus, que joyeuses les cigales ne redeviendront jamais. Tu penses que la beauté ne devrait plus exister. Alors, je m'en prenais aux bougainvillées, et à toutes les autres fleurs parce que je ne pouvais me fâcher sur rien d'autre ; je ne les supportais plus. Pour la première fois, depuis dix ans, je les ai trouvées à nouveau jolies, les hibiscus aussi, et pleins d'autres dont je ne connais pas le nom. Je n'ai jamais connu les noms des fleurs. Chez nous, elles poussent, tout simplement. Les fleurs n'ont pas de nom. On ne les mange pas, pourquoi est-ce qu'elles auraient un nom ? Avant que les gens dits civilisés ne commencent à offrir des fleurs, au Rwanda, personne n'aurait jamais compris qu'on en apporte à une maman qui vient d'accoucher : ce ne sont que des herbes, et elles ne se mangent pas. Les vaches oui, elles ont un nom et elles sont importantes : elles donnent du lait. Et le lait, c'est essentiel pour les enfants. Pour les veaux aussi. Les veaux sont beaux chez nous. Ne dit-on pas à une belle fille aux beaux yeux qu'elle a les yeux d'un veau ? C'est un si beau compliment ! Va-t-en le dire à une Européenne.

Aujourd'hui, dix ans après, tout cela me manque. Toute ma vie passée me manque, tous les miens me manquent, le Rwanda me manque… Mais je tiens, pour mes filles. Elles sont ma vie. Elles ont survécu au génocide. À quinze, douze et dix ans, elles parlent quatre langues – dont parfaitement le kinyarwanda – suivent une excellente scolarité au Gymnasium, le lycée allemand, et dansent très bien le folklore rwandais. Qu'on ne se trompe pas : ce n'est pas pour me vanter que je les décris ainsi, c'est juste pour dire à quel point elles sont vivantes, et même *très* vivantes. Quand on était condamné à mourir, c'est une revanche. Je souhaiterais tant qu'il en soit de même pour les autres orphelins. Je les emmène régulièrement avec moi, lors de conférences internationales sur la dramatique situation des rescapées atteintes du sida après le viol de leurs génocidaires. Elles ont même rencontré des stars de la chanson ou du cinéma en Angleterre, alors que Toi, Innocent, leur plus grande star, leur idole, toi, leur père aimant, elles ne te connaîtront pas.

Tu es parti trop tôt, Innocent... Nous étions amoureux, fous amoureux. Et elles, Anna, Amélia, Amanda, étaient nos princesses – les princesses de Shyorongi, parce qu'elles descendent bel et bien de la sixième génération du roi Gahindiro. Nous étions la famille modèle. Le modèle de tous les jeunes qui rêvent d'un foyer – un foyer moderne mais modeste. Nous ne sommes pas riches, loin de là. Nous n'avons pas de voiture et nous ne rêvons pas d'en avoir dans un futur proche. Toi, Innocent, tu as ton vélo. Et c'est un exploit que de conduire un deux-roues en plein centre de Kigali. Moi, c'était toujours ma grande peur : que tu finisses écrasé par un taxi-bus fou, ou tout autre chauffard, parce qu'on ne respecte pas du tout les vélos à Kigali. Les deux roues, c'est pour les pauvres : on attrape la poussière, on transpire. Alors celui qui se trouve confortablement assis dans une voiture a le droit de te crier dessus lorsque tu ne roules qu'à vélo. C'est dire ton genre, Innocent : tu défies tout le monde et toutes les lois du beau monde. Je me souviens aussi, oh, oui !, que tu te fais également remarquer par ton manque d'entrain à accompagner tes amis au cabaret – cet endroit où l'on est sûr d'apprendre les dernières nouvelles du quartier, mais aussi ce qui se trame en politique. Mais ni l'un ni l'autre ne t'intéresse. Passe en premier ta relation avec tes enfants, grands et petits : leur offrir un toit, leur offrir une éducation. À l'époque, les petits, ce sont les nôtres, nos trois filles – de sang, comme on dit ici, en Europe. Chez nous, au Rwanda, c'est différent, nous avons d'autres liens. Les enfants sont, bien sûr, ceux que nous avons faits, mais nous appelons aussi nos enfants les jeunes frères et sœurs que nous accueillons à la maison, tout le temps de leurs études. C'est-à-dire tes petits frères et sœurs, puisque tu es l'aîné de ta famille, et des cousines à moi, vu que je suis la dernière de la mienne. Il y a aussi nos trois belles princesses, Anna, Amélia et Amanda – qui ont chacune un prénom qui commence et finit par un « A ». C'est beau, facile à prononcer dans toutes les cultures, puisque nous sommes ouverts et en contact avec beaucoup de différences.

Parmi nos grands enfants qui, eux, s'appellent Nganeri, Cyemayire, Umutesi, il y a aussi ta sœur Umudeli, Marie-Claire, celle qui a toujours vécu avec nous depuis le premier jour de notre mariage. Vivre avec nous à Kigali, c'est sa seule chance, à elle Tutsi, d'accéder à un enseignement secondaire puisque les quotas sont très stricts : quatorze pour cent seulement de Tutsi peuvent y accéder. Les écoles ne doivent pas dépasser ce pourcentage officiel. Ainsi, au compte-gouttes, ne passent que de rares Tutsi dans l'enseignement secondaire officiel ou subsidié. Sauf si, bien sûr, on est capable de soudoyer les agents des ministères qui établissent les listes des heureux gagnants, et ce avec des sommes énormes. Mais, quitte à payer cher, nous avons préféré choisir une école privée au lieu de céder au chantage des vendeurs de places à l'école secondaire. Ainsi, notre Marie-Claire ira au collège Apacope, comme tous les enfants Tutsi ou Hutu non favoris du régime. Malgré les discriminations qu'elle vit, Umudeli est super.

Elle est très ouverte et, avec elle, tout ce qu'elle pense et ressent se dit dans la clarté. Nous sommes parents, mais aussi amis. Nous pouvons jouer et courir ensemble comme des gamins mais aussi nous fâcher lorsque ses bulletins sont mauvais. Et dire que maintenant, je n'ai même pas pu retrouver ton corps, Umudeli. Tu étais devenue une très belle fille, sportive, responsable, aimante. Non, Umudeli, tu ne mérites pas de finir le cou coupé par une sale machette des gens de Shyorongi. J'essaie toujours de découvrir ce que fut ta fin tragique ; je le saurai, et je l'écrirai pour mes filles – tes nièces qui commencent très fort à te ressembler, dix ans après. Et puis peut-être, j'arriverai à te retrouver, à t'enterrer, convenablement...

Tu es parti trop tôt, Innocent. Parti est cet euphémisme que nous utilisons pour ne pas dire mort. Mais tu es bel et bien mort. Ce samedi 30 avril 1994.

« Ils » sont venus là où nous étions cachés, ont séparé les femmes et enfants d'un côté, les hommes de l'autre. Ils t'ont emmené avec les seconds. Le plus jeune, Mao, avait douze ans : ils ne lui ont pas permis de se joindre à notre groupe de femmes et d'enfants. Douze ans pour un Tutsi, c'était déjà beaucoup. C'était l'âge d'un ennemi – un ennemi dangereux. Il devait donc mourir. Lui, toi, et tous les autres. Nos parents, nos enfants, nos amis. Ce fut trop, Innocent. Le vide est immense. Un trou béant s'est ouvert. J'ai cru qu'il allait nous avaler tous. J'ai espéré que pas un seul de nous ne survive à cela. Mais non, ça n'a pas marché. La mort n'a pas voulu de nous, comme l'a écrit Yolande[1]. Nous avons été – oui – condamnés à vivre.

---

1. Yolande Mukagasana, *La mort ne veut pas de moi*, Fixot, 1997.

Vivre sans toi, vivre sans papa et maman, vivre sans Stéphanie et Rachel, mes sœurs, sans Marcel, Buhinjori, Tika, Kinini et Babu, mes neveux et nièces.

Vivre sans Charles, Richard, Jonas et Ildéphonse, mes beaux-frères.

Vivre sans les oncles et les tantes, Maria, Daniel avec presque tous ses enfants, Sakumi et Immaculée, Épiphanie, Mugabo, Migambi, Sarah et tous les enfants… Innocent, ils sont tous partis.

Vivre sans personne de ta famille. Je ne sais pas si tu l'as su. Mais est-ce qu'on sait quelque chose de là où tu es ? Ton papa et ta maman, ton frère Ngabo, sa femme et leurs deux enfants, tes sœurs Umutesi et Umudeli.

Et votre petit dernier Cyemayire, tous, Innocent, tous sont morts.

Donata, ta tante, et Kanamugire avec leurs huit enfants, aucun n'a survécu. C'est fini là-bas, à Mbizi. Oui, c'est l'Extermination, comme ils l'avaient si bien chantée, les Interahamwe, quand ils faisaient leurs rondes. Oui, ils nous avaient promis qu'ils nous extermineraient, et ils l'ont fait.

Muragwa, ton grand-oncle, n'est plus. Imagines-tu que, lui aussi, ils ont osé le tuer, toujours si élégant dans ses pagnes blancs ? Ton grand-oncle de quatre-vingt-dix ans qu'on aimait tant, toujours droit comme un « i » et qui fut grand danseur, jadis, à la cour royale. Il y a deux ans, dans un trou, on a trouvé des pagnes blancs – c'étaient les siens. Ils n'étaient plus blancs. Même lui, ils ont osé.

Une fois, j'ai commencé à dresser la liste de tous ceux qui ont été exterminés, j'ai dû m'arrêter. C'est impossible. Rien que dans la tombe commune à Mwirute, chez mes parents, ils sont quarante-sept, Innocent. Quelle ironie du sort, Innocent… : le jour où on les a tués, ces quarante-sept – parents, amis, voisins –, ils se sont d'abord tous rassemblés dans notre église de Mwirute ; ils voulaient se remettre entre les mains de Dieu. Quelqu'un les avait avertis que cette fois-ci, c'était fini, que c'était leur dernier jour. Ce quelqu'un, c'est Rutuku. Le fils de Ndorayabo et Nsekanabo, le boucher, le tueur du village. Pendant le génocide, les Tutsi et les vaches des Tutsi ne pouvaient pas échapper à sa machette. Rutuku était notre voisin avant 1973 quand, fuyant les massacres contre les Tutsi, nous avons dû déménager après que notre maison a été brûlée, nos vaches mangées et le tout pillé. Rutuku était déjà de la partie, à l'époque. En fait, il était de toutes les parties, sans jamais être inquiété. Sauf une fois, je m'en souviens bien. Il a failli mourir sous les coups qu'on lui avait donnés parce qu'on l'avait attrapé avec une vache volée. Or c'était la vache d'un Hutu. Et les Hutu ont leurs droits, on ne vole pas leurs vaches. Ou, si on le fait, on est puni. Pas si on vole celles des Tutsi.

Être Tutsi au Rwanda de 1959 à 1994, c'est être un citoyen de seconde classe. Moi, je suis née en septembre 1958, et Innocent en août 1957.

Tu es parti top tôt, Innocent. Nos princesses ne te connaîtront pas, Toi, leur star. Alors qu'elles ont rencontré Hugh Grant, un jour, en Angleterre. C'est fou, cette histoire de nos filles voyageant partout dans le monde et qui rencontrent parfois des célébrités, lors de galas de soutien… J'y pense souvent. Je me dis : « C'est sur le dos de la mort d'Innocent qu'elles vivent tout ça… », je me sens coupable.

3
Pour une fois,
raconter l'histoire d'Alice jusqu'au bout...

Je voudrais te finir l'histoire d'Alice.

Alice, c'est un livre ! Ses enfants étaient donc partis comme ça, ne sachant où aller ; ils se sont finalement rendus chez un ami Hutu qui les a cachés et – tu ne peux pas croire au miracle ! – la nuit, quand Alice est sortie de son trou, ne sachant pas où aller elle non plus, elle s'est rendue chez le même voisin ! Le veilleur de nuit, employé dans cette maison, était celui-là même qui avait soulevé les corps pour les jeter dans le trou et vu Alice morte. En la voyant apparaître ce soir-là, recouverte de sang partout – tu imagines comment tu es quand tu reviens de la mort –, il a cru voir un fantôme revenu pour se venger et il a levé les bras au ciel en criant : « Au secours ! Au secours ! » Alice lui a dit : « Chut ! Tais-toi, ! Tais-toi ! Je ne suis pas un fantôme ! » Le type s'est tu tandis que les voisins, alertés par les cris, sont sortis. Ils ont caché Alice avec les enfants, mais quand les bombardements se sont intensifiés sur Kigali, ils sont partis dans leur famille à Butare, dans le Sud. À ce moment, Alice les a suppliés : « Je vous en prie, ne me chassez pas, je ne prendrai rien, laissez une seule pièce ouverte, nous ne toucherons à rien mais ne me mettez pas à la rue, parce qu'ils vont me tuer. » Et la famille lui a dit: «Restez», et elle est restée avec ses enfants. Ces gens ont été braves. Mais, comme ils se sont exilés, Alice ne sait pas où ils vivent désormais. Chez vous, on les appelle des justes.

Dès que la famille est partie, le veilleur de nuit est allé livrer Alice et ses enfants. Tu sais, les veilleurs de nuit, les boys, les cuisiniers, sont des gens au plus bas de l'échelle sociale; le génocide leur a permis une certaine revanche sociale: ils sont devenus chefs de la rue, de la barrière[1] et donc les chefs de la vie et de la mort de quiconque était Tutsi. Leurs employeurs d'hier, bien seyants comme l'était Alice auparavant, ainsi que leur entourage, devenaient leur proie. Alors, la première chose que ce veilleur a faite, c'est d'aller voir les miliciens et de leur dire: «La bonne femme, elle est pas morte», et ces derniers sont arrivés en hurlant pour chercher Alice qui a eu juste eu le temps d'un réflexe: cacher ses enfants sous un tonneau et monter au plafond. On se demande aujourd'hui comment on trouvait l'agilité de monter ainsi dans ces plafonds!... Chez nous, les toits sont souvent en tôle; aussi, à cause de la chaleur, on met des faux plafonds avec des plaques faites d'une matière qui diminue la température. Et nous, on s'y cachait. La blague de tous les rescapés, aujourd'hui, c'est de te dire: «Maintenant, je ne saurais plus monter dedans!»; mais à l'époque, ils y montaient comme des possédés. Beaucoup de gens ont survécu grâce à ces faux plafonds; mais il y a aussi des gens qui y sont morts, parce qu'ils ne pouvaient se nourrir.

---

1. Le pays tout entier était semé de barrières tenues par des militaires et surtout des miliciens, qui contrôlaient l'identité ethnique de chaque Rwandais inscrite sur ses papiers. Les Tutsi, comme tous ceux qui ne pouvaient montrer de papiers et qui leur ressemblaient, étaient immédiatement tués.

Et puis les tueurs ayant eu connaissance de cette cachette cherchaient là aussi, ou bien tiraient des balles dans cette direction.

Alice, donc, se cache dans le plafond et quand les miliciens arrivent, ils disent: «On va brûler toute la maison, on sait que tu es dedans»; alors par loyauté pour ses voisins qui l'ont hébergée, Alice est descendue et a dit: «Je ne veux pas que vous brûliez la maison.» À l'époque, on n'avait pas encore réalisé que presque tout allait être détruit, de toute façon. Elle s'est rendue. Mais ses enfants, eux, sont restés cachés sous le tonneau. Alice a été emmenée sur la place du marché. C'était là qu'on faisait les grandes tueries et qu'on achevait tous ceux qui avaient échappé à la mort. On l'a déshabillée, on l'a vraiment humiliée. Elle, elle attendait le dernier coup et là – non Alice, c'est vraiment une histoire incroyable! Tu sais, le miracle?... Là, à un moment donné, un grand camion arrive avec des miliciens vraiment bien armés, et Alice se dit: «Peut-être que là, au moins, ils vont me tuer et que ça finira.» Il y en a un qui sort et – non, non, tu ne peux pas y croire! – il lui jette un pagne, parce que les miliciens avaient toujours des pagnes sur la tête, et lui dit: «Couvre-toi!» Puis, il ajoute: «Qu'est-ce que je peux faire pour toi?» Alice croyait toujours qu'il voulait la tuer, lui personnellement, ou bien l'emmener à côté pour la violer; aussi, elle ne savait pas quoi répondre. Alors, elle lui a simplement dit: «Ramène-moi là où on m'a trouvée.» Le type a demandé: «C'est où?» et quand elle a précisé: «C'est là, à côté», il lui a répondu: «Mais là, je ne pourrai pas te protéger.» Protéger? Protéger?... Elle ne comprenait pas pourquoi il voulait la protéger. Mais comme ses enfants étaient là-bas, cachés chez ce voisin Hutu, elle a insisté : « Ramenez-moi là-bas, je ne peux pas aller ailleurs. » Alors, il l'a escortée avec ses fusils et il a prévenu les autres miliciens : « Vous tuez, je tue. Si vous touchez à cette femme, vous verrez ce que je ferai ! » Les autres étaient convaincus qu'il la prenait pour femme et qu'il allait la... Il a donc emmené Alice où elle voulait et il lui a donné d'autres habits, du riz, du sucre qu'ils avaient pillés, et lui a dit : « Si tu ne veux pas sortir d'ici, je ne pourrai rien faire d'autre pour toi. J'aurais bien voulu t'aider. » Alors Alice a osé lui demander : « Pourquoi tu fais ça ? », parce qu'elle n'arrivait pas à comprendre. « Je ne te connais pas, tu ne me connais pas, pourquoi tu fais ça ? » Et là, le type lui a dit : « Tu ne me connais pas, mais moi, je te connais. Tu es la fille de Untel. » Et il lui a donné le nom de son père. Puis il est parti, sans autre explication.

C'est après le génocide, parce que son père a survécu, qu'Alice a eu l'explication de l'histoire. Quand son père était infirmier, ils habitaient à Nyanza où ce milicien était un bandit depuis longtemps. Un jour, il a volé et on l'a attrapé. Chez nous, quand on arrête un voleur, on le frappe et tout le monde y participe, comme à un amusement ; les gens étaient donc tous en train de le battre à mort dans la rue quand le père d'Alice est passé par là et, révolté de voir quelqu'un battu ainsi, il est intervenu. Mais c'était il y a longtemps, longtemps... Il a demandé à la foule : « Mais qu'est-ce que vous faites ? Pourquoi vous le frappez comme ça ? S'il a volé, la gendarmerie est là », et il a tiré le brigand de la foule qui le maltraitait et l'a emmené à la prison. Bien sûr, il a été libéré quelques mois plus tard et il a continué d'être bandit. Et tu peux t'imaginer qu'un jour, à Kigali, il tombe sur la fille de celui qui l'a sauvé ? Et qu'il la trouve, assise au milieu des tueurs, dans les mêmes conditions que le jour où on l'a arrêté et battu à mort, lui-même !… Ces histoires ne peuvent arriver qu'à Alice ! Et ce n'est pas fini ! Ce type l'a donc laissée là, bien protégée parce que les gens pensaient que c'était la femme du grand milicien : aussi, personne ne la touchait. Même le veilleur de nuit devenait respectueux avec elle. Elle est donc restée là, dans cette maison, avec ses enfants. Mais, à la suite de bombardements entre l'armée gouvernementale et le FPR – le Front patriotique rwandais, une armée composée essentiellement de Tutsi en exil et qui, depuis 1990, tentait de pénétrer dans le pays – qui se disputent la prise de l'aéroport, Alice quitte son abri ; à un certain moment, prise entre deux feux, elle se couche sur sa fille pour la protéger mais perd Denis. À la fin de cette bataille finalement gagnée par les soldats du FPR, appelée la bataille de Kicukiro, ces derniers sont venus récupérer les blessés ; Alice, avec sa petite fille, n'avait pas une égratignure mais comme les soldats ne trouvaient pas Denis, elle devenait presque folle : « Cherchez d'abord mon fils, cherchez d'abord mon fils, je veux le voir même si ce n'est que son cadavre… » Mais les soldats ont dit : « Arrête ! Son cadavre, c'est son cadavre ! Nous, on sauve les vivants », et ils l'ont emmenée de force dans un camp pour blessés, à Ndera. Et elle part sans son fils, le croyant mort. Mais en fait, il n'est pas mort ! Il a pu courir et a survécu tant bien que mal. Au cours de sa fuite, partout où il allait pour tenter de se réfugier, il ne trouvait que de la mort. Il est passé chez ma sœur, qui est de sa famille, et là, tout était vide, tout était fini ; il est allé chez des amis de sa mère, les corps étaient tous entassés dans la cour ; il est passé chez nous, et il n'y avait plus âme qui vive… Alors l'enfant s'est dit : « J'ai déjà perdu mon père, ma mère, ma sœur, tous les amis, ça ne sert plus à rien de vivre », et il est allé à une barrière, à Onatracom, pour mourir. Les barrières étaient tenues par des adultes, mais aussi par des adolescents et des enfants. Quand Denis est arrivé à la barrière, les Hutu étaient partis car ils venaient de découvrir un soi-disant complice du FPR qui, en réalité, n'était qu'un Tutsi parvenu à se cacher jusque-là sans être découvert. Il ne restait qu'un gamin à cette barrière qui lui a demandé : « Qu'est-ce que tu viens faire ici ? Ils vont te tuer ! » et Denis a répondu : « Je veux qu'ils me tuent » ; alors, le gamin lui a dit : « Non, tu ne vas pas te faire tuer ! » et il est allé le cacher dans le plafond d'une maison où les miliciens se retrouvaient quand ils quittaient la barrière. Le gamin lui donnait à manger dès qu'il pouvait ; les deux enfants sont restés là long-temps, ensemble.

Quand Kigali a été prise par le FPR le 4 juillet, les miliciens ont fui – c'était la grande vague vers le Zaïre – et les enfants ont décidé de rester. Le gamin qui protégeait Denis ne pouvait pas le laisser seul, donc il s'est caché avec lui ; les deux gamins ont été parmi les premiers à être dans les rues de Kigali quand la ville a été libérée et ils se sont tout de suite fait amis avec les soldats du FPR. Voilà comment il a pu être sauvé. Mais les retrouvailles avec sa mère ont été une sacrée histoire ! Alors que Denis était du côté de Nyamirambo, à l'autre extrémité de Kigali, Alice, elle, revenait du camp du FPR de Ndera pour se réinstaller à Remera ; elle avait raconté à tout le monde la mort de son mari et de son fils. En fait, mère et fils étaient dans la même ville, mais sans le savoir. Un jour, une des filles à qui Alice avait relaté son histoire rentrait chez elle, de l'autre côté de la ville, et tombe sur Denis. Elle lui dit: « Tu es mort! » *(rires)* Ça, c'était vraiment les blagues après le génocide! Tu voyais quelqu'un que tu croyais disparu et ta stupeur faisait que tu ne lui disais pas, de façon interrogative: « Tu n'es pas mort? » mais directement à l'affirmatif: « Tu es mort! » Alors Denis répond *(Esther rit)*: « Non, ce n'est pas moi qui suis mort, c'est ma mère et ma sœur qui sont mortes dans la bataille de Kicukiro. » Et la fille lui répond: « Non, toi tu es mort mais ta mère et ta sœur vivent. » Ils ont fini par se comprendre et la fille l'a emmené chez sa mère: Alice et Denis ont pu se retrouver.

Le jour où Alice m'a raconté son histoire, ça a duré plus d'une après-midi; je crois que, cette fois-là, elle a dormi à la maison. Je l'écoutais volontiers. Mais, encore aujourd'hui, quand je sens qu'elle souffre trop et que je lui dis: « Alice, prends quand même un thérapeute », elle refuse toujours, elle me répond – et ça me fait mal: « Non, non, je peux parler à toi mais je veux pas parler à quelqu'un d'autre. » Et tu te sens un peu coincée. C'est un gros problème que celui de la thérapie chez nous, car les gens te disent souvent: « Je veux te parler parce que tu es mon amie, et je ne veux pas te parler parce que tu es thérapeute. » J'accepte toujours qu'on me dise une chose pareille, je me suis trop disputée avec les thérapeutes qui déclaraient, à propos de la relation entre patient et thérapeute, qu'on devait clairement établir une distance! Je sais bien qu'il faut une distance, et je veux bien en mettre mais, avant tout, ce que je veux, c'est que la personne qui se dévoile se sente bien.

C'est vrai que comme praticien, tu dois évidemment poser vraiment des limites et savoir te protéger. Mais je me dis que dans des cas de folie comme la nôtre, tu ne peux pas... En tout cas, moi, je ne peux pas *ne pas* être son amie pendant que nous partageons un tel truc. Du coup, je me fous royalement qu'on me dise: « Je te raconte tout ça parce que tu es mon amie. » Je ne veux pas abîmer la relation avec l'autre personne sous prétexte de me protéger; c'est à moi seule de trouver comment me protéger mais, en tout cas, pas au prix d'une distance qui empêcherait le patient de se décharger. Donc Alice peut aussi me parler comme telle... La question des limites est essentielle, mais elle ne devient que théorie si on ne sait pas l'adapter à certaines situations. Or la nôtre est exceptionnelle. C'est pour cela que j'ai décidé de devenir thérapeute, à peine un an après le génocide.

4
Comment, de rescapée, on devient thérapeute...

« Excusez-moi, madame, comme vous n'êtes pas professionnelle, vous ne pouvez pas comprendre. » Je suis pourtant sûre d'avoir raison : un enfant rescapé qui a faim est, à ce moment précis, plus obsédé par son estomac que par son traumatisme. Mais le responsable humanitaire qui me parle ce jour-là, en pleine réunion professionnelle, a lui aussi raison de souligner que je n'ai pas le diplôme nécessaire pour défendre ma position. Je ne peux donc pas répliquer. Mais silencieusement, je me dis : « Je veux pouvoir vous dire la même chose dans quelques années et que, cette fois, vous m'entendiez. » Et c'est à ce moment précis, ce matin-là exactement, à peine un an après le génocide, que je décide de devenir thérapeute.

Je suis à une réunion de coordination de l'Unicef. Durant cet après-génocide, les ONG s'étaient partagé les différents domaines d'intervention. L'Unicef avait pris en charge le domaine de la réhabilitation psychologique et devait former des instituteurs et des agents de préfecture pour écouter et aider les personnes traumatisées. Diplômée de sociologie à l'université de Louvain, en Belgique, j'étais déjà moi-même, quatre ans avant le génocide, employée à Oxfam, une organisation

45

humanitaire britannique très importante, et j'avais repris mon poste aussitôt après; je participais donc à plusieurs de ces réunions. Le responsable du volet psychologique à l'Unicef nous explique son programme; la méthode consiste à écouter les enfants, les faire dessiner, repérer leur traumatisme puis traiter ce traumatisme par des entretiens psychologiques. Mais sans prendre en compte leur condition sociale, alors qu'ils étaient totalement sans ressources. Or la plupart des enfants qu'on allait faire dessiner étaient absolument orphelins, sans toit ni riz. Je me suis donc permis d'intervenir et dire que, sur ce point, je n'étais pas d'accord: selon moi, c'était utopique de penser qu'un enfant qui a faim n'allait parler que de ce qu'il avait vécu de traumatisant. Il fallait qu'il mange d'abord. J'étais pragmatique: « Je crois que vous devriez prendre les deux composantes en même temps: la faim et le traumatisme. » Là, l'homme me demande quelle est ma profession. Je lui réponds que je suis sociologue de formation et actuellement travailleur social pour Oxfam. C'est alors qu'il me dit: « Excusez-moi, madame, comme vous n'êtes pas professionnelle, vous ne pouvez pas comprendre. »

Il pouvait tout à fait me le dire autrement, mais il était arrogant. Il pouvait, par exemple, m'expliquer que l'Unicef avait son propre programme et ne collaborait pas avec des travailleurs sociaux – même si je reste persuadée que ma position était juste: le psy ne va pas sans le social. Mais non, il m'a répondu que j'étais à côté de la plaque. Qu'est-ce qu'il était déjà? Psychanalyste ou psychologue?... Oh, je ne me rappelle plus... en tout cas, il était expert, expatrié. Et arrogant. Mais c'est ça qui a été bénéfique, en fait, parce que, face à lui, je me suis promis: « Je veux vous dire la même chose dans

quelques années et que, cette fois, vous m'entendiez. »
C'est de là que m'est venue l'envie de mon actuel
métier de thérapeute. Après cette réunion, je me suis
dit : « Je veux faire ça. » Pour avoir droit à la parole mais,
surtout, pour aider concrètement les gens. Des patients
traumatisés par le génocide, mais surtout par ses conséquences – la perte des liens familiaux et celle des
ressources des champs, – j'en ai beaucoup vu par la suite.
Un jour, finalement devenue thérapeute au Rwanda,
j'ai suivi un enfant, Jean-Pierre, âgé de onze ans ; il était
fort traumatisé car il avait perdu tous les siens et avait
assisté à leur torture. Dans les premières séances, nous
avions parlé du choc qu'il avait subi mais, assez vite, il
a osé me dire, dans ces termes : « Ce qui m'empêche
de dormir, en ce moment, c'est que je me demande ce
que je vais donner à manger à mes frères. » J'exerçais
au sein d'Avega, notre association de veuves rescapées,
et nous étions toutes d'accord sur ce point : suivre un
patient sans chercher des solutions à ses problèmes
matériels ne pouvait sûrement pas le guérir. Ma formation ultérieure, en Grande-Bretagne, m'a confortée sur
ce point ; tous les professionnels n'ont pas les mêmes
convictions, heureusement. *(rires)* Mais pourquoi a-t-
il tenu à me le dire si rudement, ce responsable
d'Unicef ?... Ah, là, là ! Qu'est-ce qu'on a en a vu, des
spécimens, après le génocide !

Avant de partir me former comme psychothérapeute
à l'université britannique d'East Anglia, j'ai continué
à travailler pour Oxfam encore toute une année.
Durant le génocide, mes collègues avaient déployé tous
les moyens possibles pour me rechercher. Une fois
retrouvée, j'ai aussitôt repris mon travail. J'avais eu la

chance, tout au début des massacres, de ne pas assister à une réunion d'équipe qui se tenait à Gisenyi. Des miliciens l'ont interrompue et ont abattu tous les Tutsi présents dans l'établissement. Ce jour-là, exceptionnellement, je n'étais pas là. C'est Babiche, ma dernière fille, qui m'a sauvée: je venais de l'avoir, j'avais accouché en novembre 1993 et je n'avais pas voulu reprendre le travail aussitôt. J'avais donc pris, pour la première fois, un congé de maternité de six mois. Gisenyi, dans le nord du pays, c'était la région extrémiste par excellence. Si j'avais été là-bas, je n'en aurais pas réchappé.

À Oxfam, pendant le génocide, mes collègues ont donc fait tous les efforts pour me localiser, obtenir de mes nouvelles quand j'étais cachée, faire une chaîne de solidarité en prévenant tous les amis de Belgique et d'ailleurs. Ils ont très vite appris que mon mari avait été tué, mais ils ont su, grâce à la Croix-Rouge qui nous avait repérées, que les filles et moi étions encore vivantes. Ils ont essayé de nous faire évacuer par l'intermédiaire des Nations unies mais ça n'a pas marché; puis, fin des fins, quand au mois de juin j'ai pu arriver à l'hôtel des Mille Collines de Kigali, qui assurait une relative sécurité, on a perdu le contact! J'ai finalement été évacuée dans un camp à Kabuga par le FPR, et j'ai pu faire passer un message à mes collègues par un journaliste. Deux semaines après, un collègue est venu me chercher; je suis arrivée en Ouganda le 1er juillet. Trois jours plus tard, c'était la fin du génocide: le 4 juillet, Kigali était prise par le FPR, dont l'arrivée a fait fuir les génocidaires. Et quatre jours après, le 8 juillet, je suis revenue au Rwanda. Alors là, à Oxfam, ils se sont fâchés, ils m'ont dit: «Tu retournes au Rwanda à tes risques et périls. On vient à peine de te sortir de là et maintenant, tu dis que tu y retournes!» J'ai dit: «J'y retourne.» C'est comme ça qu'au mois d'août, quand l'organisation a rénové ses bureaux, j'étais déjà sur place, et je me suis remise immédiatement à travailler.

C'était vital de retravailler tout de suite, après le génocide. C'était vital, vital. Ça faisait un semblant de vie normale, ça recommençait, tu étais occupée, tu ne réfléchissais pas – surtout s'interdire de réfléchir – tu rentrais crevée, crevée… Je ne rêvais pas beaucoup. Je dormais comme une masse. D'autres rescapés travaillaient avec la même frénésie. À Oxfam, nos responsables étaient complètement effarés; alors ils nous ont envoyé un psychologue, en croyant certainement bien faire… Habituellement, quand des journalistes rentrent de reportage de guerre et, surtout, quand des expatriés reviennent de mission dans des zones de conflit à l'étranger, ils ont droit à ce qu'on appelle un «débriefing»: c'est-à-dire, dès le retour dans leur pays d'origine, à un psychothérapeute dont les frais sont pris en charge par leur employeur, pour apaiser d'éventuels traumatismes. De même, chaque fois que ces expatriés travaillaient plusieurs mois de suite au Rwanda, ils avaient droit, de façon régulière, à une semaine de pause à Nairobi – ou quelque part ailleurs où ça respirait mieux. Nous, Rwandais, on n'avait jamais droit ni au psychologue, ni à cette fameuse semaine d'aération après des périodes chargées et dangereuses, alors qu'on avait travaillé, et tout autant, dans les urgences aux côtés de nos collègues expatriés, même avant le génocide. Mais enfin, comme le génocide, c'était quand même le génocide, ils se sont dit, mais vraiment de bon cœur: «Mais les nationaux *(ndlr: nous)* viennent de vivre la même chose! Il faut leur envoyer des gens pour faire des débriefings. Eux aussi, ils en ont besoin.» Ils ont pensé que, pour une fois, les nationaux y avaient droit. Donc, ils nous ont envoyé un psychologue.

La rencontre avec ce praticien s'est faite dans les locaux d'Oxfam où l'on nous a d'abord expliqué qu'on avait de la chance de suivre ce programme. Le problème, c'est que ces psychologues, eux, venaient en nous imaginant complètement paumés – ce qui était vrai – mais ils ne voulaient écouter notre traumatisme que sous la forme qu'ils en attendaient. C'est ainsi qu'un jour, ils m'ont demandé si je dormais bien, la nuit… et *(rires)* j'ai eu honte de leur répondre: «Oui, je dors très bien la nuit, ça va.» Pas de rêves, ni de cauchemars. J'ai quand même eu le courage de le leur dire; *(rires à nouveau)* mais il a fallu que je me trouve tout de suite des excuses! Dire que j'étais trop crevée, que je travaillais beaucoup, que c'est pour ça que je dormais quand même… Je crois qu'ils ont été assez paumés par cette situation… Mais enfin, je ne voulais quand même pas m'inventer des rêves que je n'avais pas! Après, ils ont été mal à l'aise et ils ont commencé à dire que nous ne prenions pas leur travail de débriefing au sérieux. Surtout quand, avec ces mêmes collègues, nous avons commencé à dire: «Arrêtez, ce n'est pas de ça dont nous avons besoin: nous avons besoin d'une Jeep…» Une… une… quoi? Une Jeep? Si tu voyais la tête qu'ils nous ont faite! Comme si nous étions devenus fous! Mais nous avons expliqué: «Une Jeep pour aller rechercher les nôtres! Voilà ce dont nous avons besoin. Nous avons aussi besoin d'un petit fonds pour remettre les fenêtres et les vitres qui ont été cassées, nous avons aussi besoin d'aider celles dont les maisons ont été détruites…»

(après un long silence, dans un murmure) Comment ils n'ont pas pu comprendre que la première chose que nous voulions faire, c'était de chercher qui avait survécu?… Ils étaient prêts à envoyer des psychologues, à mener toutes ces sessions pour nous écouter, mais quand nous leur disions: «Tout ce qu'on vous demande, c'est de nous prêter une Jeep, et avec ça, on va aller dans tous les camps pour voir s'il n'y a pas quelqu'un qui a survécu dans nos familles. C'est ça qui va nous guérir!», alors là, non!… *(elle rit)* Eux sont venus avec des aides psychologiques; nous, nous avions des besoins complètement concrets, et qui auraient aidé le psy à se stabiliser dans notre tête. Alors, ils nous ont répondu: «Ce n'est pas dans le programme.» *(elle ne cesse plus de rire)* Ce n'est pas dans leur programme! Tu es en train de demander à la personne si elle dort bien, si elle ne dort pas ou je ne sais quoi, et cette personne, elle, a une proposition concrète à te faire: «Prête-moi une Jeep, que j'aille chercher mes survivants!» Mais non, ce n'est pas prévu dans le programme! On t'envoie un psychologue qui n'a rien d'autre à faire que voir comment tu vas et dont ce fameux programme n'est conçu que sur la base d'entretiens. Et toi, tu as envie de leur dire: «Merde, je vais très bien! Et j'irais encore mieux si tu me prêtes une Land Rover parce que ça, je n'en ai pas!» Ah, là, là, quelles sottises! Pour les recherches des rescapés, c'était la même chose, les organisations humanitaires avaient des méthodes très classiques! Comme pour les recherches des enfants séparés de leur famille, par exemple. Voilà comment tu devais faire: tu donnais les noms de tous tes enfants disparus à la Croix-Rouge, une photo si tu en avais encore, et la Croix-Rouge les cherchait à travers des fichiers d'enfants où ces derniers

avaient été déclarés par des gens qui les avaient recueillis. Alors que chez nous, au Rwanda, ça ne marche pas du tout comme ça! Ça marche sur les on-dit: les gens ont erré partout pendant le génocide et revenaient donc de partout, puis parfois, certains s'étaient croisés; alors, quelqu'un te dit: «J'ai l'impression que j'ai rencontré Untel.» Et toi, tu lui demandes: «Où tu l'as rencontré?» et le lendemain, tu y vas. Mais comme après le génocide, il n'y avait pas encore de bus ni de taxis, une Jeep c'était très important, et c'est pour cette raison qu'on insistait autant!

Je me souviens très bien qu'à partir de ce moment, j'ai commencé à me fâcher avec les gens à chacune de ces réunions. Mais le problème, c'est que si tu te fâchais et disais que oui, tu dormais bien, merci et que, non, tu n'avais pas envie de leur débriefing, alors on te disait: «Là, tu vois, Esther, tu es vraiment traumatisée.» Ah, moi, vraiment, ils m'avaient cataloguée! Ils n'entendaient pas ce que je demandais et ils mettaient ça sur le compte de mon traumatisme. Parce que, pour eux, cette Esther violente comme je l'étais alors, c'était du jamais vu avant le génocide. Auparavant, j'étais souvent très gentille, je ne criais sur personne. Mais comme j'avais changé, c'était forcément parce que j'étais traumatisée. Et c'est vrai que je l'étais! Mais ce n'est pas pour cela que je devenais de plus en plus agressive; c'était parce qu'avec tout collègue rwandais ayant une bonne connaissance du terrain et de la clairvoyance, on se rendait bien compte que le pays devenait un champ d'expérience de toute une bande d'aventuriers dont avant tout, des apprentis psychologues, ingénieurs, médecins… Qu'est-ce qu'on a n'en a pas vu, comme énergumènes! *(rires)* Non, mais qu'est-ce qu'on en a pas vu après le génocide!

C'est pour ça qu'aujourd'hui, bien que thérapeute moi-même, je me méfie toujours des entretiens. Je me dis systématiquement, lors de la première rencontre avec un patient: «Esther, sois d'abord sûre que c'est vraiment un entretien que la personne veut avant tout!»

Durant toute cette période, j'ai eu de plus en plus de tensions avec mes collègues, surtout ceux qui arrivaient des camps de réfugiés où les Hutu ont été regroupés lorsqu'ils ont fui le pays après le génocide. Quand le FPR est arrivé à Kigali, les génocidaires, Interahamwe et civils, ont eu peur et ont quitté le pays. Ils ont fui par milliers et ils ont échoué dans des camps de réfugiés, à la frontière du Congo. Oxfam recrutait donc des humanitaires qui avaient déjà une expérience dans ce domaine; les nouveaux collègues – mes propres collègues – s'y étaient rendus et y avaient rencontré des génocidaires, dont certains emprisonnés parce qu'accusés de crimes. Ils les avaient écoutés et, de retour à notre bureau, complètement bouleversés par la misère dont ils avaient été témoins, ils te tenaient des discours sur «les-inacceptables-conditions-de-vie…» de ces tueurs inacceptables. Je suis d'accord, bien sûr, je refuse la misère pour qui que ce soit. Mais ces collègues, eux, dès leur arrivée, c'est de la misère des tueurs dont ils parlaient, pas de celle des rescapés. Une fois, je me suis fort bagarrée avec une de mes chefs, une Anglaise qui a commencé à dénoncer la situation des réfugiés: et c'était injuste, et Oxfam ne se rendait vraiment pas compte, et, et… Et d'ailleurs, pourquoi Oxfam n'embauchait-elle que des Tutsi? Cela voulait bien dire qu'au Rwanda, il n'y avait plus de Hutu qui cherchaient du travail, non? Et pourquoi donc? Eh bien, parce que les Hutu étaient tous en prison. Et ce n'était pas scandaleux, ça?… Là, j'ai éclaté. Là, j'ai beaucoup, beaucoup éclaté, je me suis mise à pleurer et cela ne m'était encore jamais arrivé au bureau. Je ne pouvais pas en entendre plus, et j'ai hurlé : « Si tu veux savoir où sont les autres Tutsi, alors, va les chercher sous terre !… parce qu'à présent, les nôtres ne sont pas en prison, mais dans des trous ! » La pauvre… Plus tard – enfin quatre ans après – elle m'a comprise, on s'est réconciliées…

Ah, ça ! Ça a vraiment été une période assez trouble… Assez trouble et assez dure, surtout, parce que tout de suite, dès la fin du génocide, toi, rescapée tu attendais de la compassion, et, en fait, tu te retrouvais à te défendre de nouveau. Très rapidement, la situation s'est retournée, les victimes sont devenues bourreaux, et les bourreaux, victimes. Et cette inversion s'est faite à une vitesse extrême : à peine ils finissent d'exterminer que toute une vague de tueurs s'en va… et, tandis que tu te tais, le monde entier compatit pour eux parce que leur douleur, elle, était plus visible : leurs familles étaient en exil, pourrissaient de choléra dans les camps, ou bien étaient arrêtées, emprisonnées tandis que, côté réelles victimes, tu ne vois rien : les grands blessés ne se traînent pas sur la route, les survivants ne parlent pas, ni ne sont en masse dans des camps… Ce sont des blessures intérieures et souvent invisibles que celles des rescapés. Combien d'années a-t-il fallu, par exemple, pour que les femmes violées puissent en parler ?… Quant à être écoutées…

Au cours des mois, mes problèmes au travail commençaient à empirer, tout le monde trouvait que je devenais agressive. *(rires)* C'est vrai que je devenais traumatisée aussi ! Mais, surtout, je ne supportais plus de laisser passer l'injustice. Je me disais : « Quoi, on est mort à force d'injustice!» Je m'emportais souvent pendant des discussions sur notre devenir, et il y avait en moi, aussi, une certaine hargne contre l'Occident qui nous avait laissés tomber et s'occupait maintenant de nos traumatismes sans nous comprendre. J'ai quand même tenu pendant deux ans; j'étais fort impliquée dans Avega, seules ces rencontres entre rescapées me soutenaient. La décision de me former comme thérapeute est urgente. Oxfam m'a alors proposé une année sabbatique. Mais où me former? J'étais consciente que je ne pourrais plus refaire autant d'années d'études que celles j'avais suivies en Belgique, plus de quinze ans auparavant. Grâce à la lecture d'un livre, j'ai finalement trouvé une formation d'un an, en Grande-Bretagne, d'une thérapie appelée *Person Centered Therapy*: c'était vraiment ce qu'il me fallait. Le principe de cette thérapie, c'est de souligner tout ce que la personne humaine a comme force en soi et d'expliquer comment cette force, à travers ton éducation et à travers les événements, peut être complètement détruite mais qu'en même temps, elle ne l'est jamais complètement… Il y a des restes en toi, il y a encore du potentiel de vie. Et tout ce qu'il faut pour que tu remontes la surface, c'est qu'on t'aide à retrouver ce qui est fort en toi. Retrouver ce qui a été écrasé, comment ça a été écrasé et puis *(dans un souffle de voix)*… et puis reconstruire là-dessus.

Je suis donc partie en Angleterre en 1996 avec mes trois filles et une amie, veuve comme moi. Elle était très jeune, avait un petit bébé né le jour où on a tué le père, elle ne voulait plus rester au Rwanda; je lui ai proposé de m'accompagner pendant cette année de formation intensive. Oxfam a même accepté de prendre en charge son visa et son voyage – des choses jamais acceptées pour qui que ce soit, auparavant. I!s m'ont finalement payé mon année sabbatique et donné la certitude d'un contrat de travail à mon retour, en détachement auprès d'Avega. De cela, mais surtout de leur énergie à me chercher pendant le génocide – et me trouver –, je leur serai toujours reconnaissante. Même s'ils ne m'ont pas donné ma Land Rover pour chercher les survivants… *(rires)* D'ailleurs, jusqu'à présent, mon rêve est encore d'avoir une Jeep! Et tu verras, j'achèterai une Jeep un jour.

On a sans aucun doute pensé nous aider, et bien faire… Mais, aujourd'hui, par exemple, quels efforts sont réellement faits pour ces femmes rwandaises qui, après le viol, la contamination par le sida, veulent quand même se reconstruire? L'énergie qu'elles gardent encore, il suffirait d'un peu d'accompagnement pour que ça tienne bon. Comme il suffit d'un tout petit peu pour que ça s'écroule… Le peu, pour reconstruire, qu'est-ce que ce serait pour une femme Tutsi aujourd'hui? Tout, en fait. Re-posséder quelque chose parce que, depuis toujours, on lui détruit sa famille, sa maison, son champ, sa vache. Donc, re-posséder une maison, un champ, une vache… Dernièrement, j'étais contente car une association où travaille une amie française a acheté une vache pour une veuve. Avec une vache qui rentre chez toi, tu redeviens quelqu'un! En Europe, tu évalues ton prestige à ton compte en banque; au Rwanda, c'est au nombre de vaches. C'est ton investissement et ton épargne. Et un immense symbole d'engagement aussi: les hommes l'offrent en dot à l'occasion d'un mariage, et lorsqu'ils en donnent une à quelqu'un, ils signent avec cette personne une alliance à vie. Pendant le génocide, certains ont tué des gens qui leur avaient donné une vache. C'est un acte vraiment tabou, que l'on n'aurait pas pu concevoir avant. Mais cet animal te sert aussi pour faire du fumier et enrichir la qualité de ton champ : parfois, des voisins acceptent de te la garder gratuitement pendant des mois, uniquement en échange de sa production de fumier. Et puis, je sais que ça va faire rire les non Rwandais, mais une vache, c'est aussi une présence dans la nuit. Quand tu l'entends ruminer, tu éprouves de la satisfaction. Ah, si je pouvais donner une vache à toutes les veuves rescapées du génocide !... Une veuve qui en ramène une dans son enclos trouve sa façon de signifier à ses voisins : « Je suis vivante, et bien vivante puisqu'une vache est entrée chez moi ! » Et qu'est-ce que c'est une vache pour les gens de l'Onu qui nous ont laissés tomber ? Et les médicaments ? La trithérapie qu'ils prétendent si chère, à Kigali elle coûte cent euros par mois et par femme, et grâce à cela, la femme peut survivre et faire vivre ses enfants ! C'est le minimum à fournir, non, quand on a abandonné quelqu'un ? Au Tribunal pénal international du Rwanda (TPIR)[1], l'Onu est bien en train de la payer actuellement, cette trithérapie, aux violeurs eux-mêmes... Et puis, toutes ces femmes rescapées, ce qu'il leur faudrait aussi, c'est un peu plus de temps pour les écouter.

Mais on leur dit, on nous dit : « On en a assez parlé »...

---

1. Créé en novembre 1994 sur la résolution 955 de l'Onu, le Tribunal pénal international du Rwanda, basé à Arusha, en Tanzanie, a le droit de poursuivre à travers le monde des criminels de guerre, avec un mandat d'arrêt international soumis, ensuite, au conseil de sécurité de l'Onu. Le pays dans lequel est arrêté le suspect se doit de le livrer à la justice internationale. Pour sa part, le Rwanda n'a pas voté la résolution 955 car, entre autres raisons, il n'excluait pas la peine de mort comme condamnation, contrairement au TPIR ; et, d'autre part, il aurait souhaité que ce tribunal siège sur le sol rwandais. Les rapports entre TPIR et gouvernement rwandais sont plutôt tendus.

5
Douter de Dieu.
Mais jamais de mon père...

J'ai douté pendant le génocide. Parce que quand les Blancs, dès le début des événements, ont précipitamment été évacués avec leurs animaux domestiques, on s'est dit: «Bon, les Blancs sont partis mais ça va aller, il y a encore de l'espoir...» Même si on a bien réalisé que pour eux, un chat belge vaut plus qu'un enfant Tutsi. Puis, nos collègues ou voisins Hutu du lycée où l'on était cachés sont partis de Kigali eux aussi vers le sud du pays, pour fuir la guerre entre les Interahamwe et l'armée de libération. Mais nous, on ne pouvait pas fuir les bombardements ni se déplacer où que ce soit parce que le pays était parsemé de barrages de miliciens particulièrement violents contre les Tutsi et qui contrôlaient les identités ethniques inscrites sur nos papiers. Alors, on s'est dit: «Bon, les Blancs sont partis, les Hutu nous abandonnent. Mais maintenant, on reste au moins avec Dieu.» Et puis le 30 avril, quand ils ont commencé à tuer systématiquement et quand j'ai perdu Innocent, on s'est dit: «Ça y est, Dieu est parti aussi. Ça y est, les dés sont lancés.» Et là, non, vraiment, je ne comprenais plus rien... Parce que, tu sais, dans ton imaginaire, tu te dis quand même qu'Il est tout puissant. Tu te dis: «Il peut quand même faire des choses, Il peut quand même arrêter des choses et pourquoi pour le génocide, Il ne le fait pas du tout ? »

J'ai pensé à Dieu pendant le génocide, beaucoup. On ne faisait que ça : prier, prier... À la fois, c'est la résignation qui te fait prier et puis, quand même, c'est toujours l'espoir qu'Il sera quand même là, qu'Il ne nous abandonnera pas. Et puis chaque fois que l'un de nous partait... Tu sais, quand Innocent est parti, après, j'ai quand même prié à nouveau, j'ai demandé à Dieu de nous garder en vie. J'avais encore ma sœur Stéphanie, on était encore en contact et un soldat avait même accepté de la récupérer et de l'amener dans notre cachette du lycée où des bonnes sœurs nous accueillaient. Mais ces mêmes bonnes sœurs ont refusé ; le soldat n'a jamais pu la récupérer, et j'ai appris plus tard qu'elle avait été tuée, elle aussi, avec ses trois enfants. Alors, tu vois, chaque fois que tu espérais – « Au moins, Il va faire ça comme effort, au moins pour Stéphanie ou un autre... » – Il ne le faisait pas. Il partait.

J'ai douté pendant le génocide. J'ai douté après le génocide. Mais surtout, j'ai douté après avoir perdu mon père. Parce qu'au moins, dans l'adolescence, quand je doutais de Dieu, il me remettait vite dans le droit chemin. Il me rapportait tous ses exemples pour me démontrer qu'on se sort toujours des difficultés. Au Rwanda, entrer en secondaire à la sortie de l'école primaire est un grand événement car c'est la seule chance de faire des études, et la possibilité de ramener des sous à la maison. Une grande partie de la population vit de l'agriculture qui n'est pas du tout rentable. À la fin de la sixième année de primaire, on a un examen national et pour le passer, on doit remplir des fiches signalétiques. Je ne me rappelle même plus comment était cette fiche, mais c'était assez traumatisant parce que tu devais y inscrire si tu étais Tutsi ou Hutu. Tu devais marquer ton ethnie, et quand tu marquais Tutsi, c'était beaucoup de chance de ne pas avoir de place ; or, cette fiche te suivait tout le long de ta scolarité. Et je me souviens que, en sixième, j'avais un instituteur Hutu qui m'avait dit de marquer : « Hutu ». J'avais alors douze ans. Quand je suis rentrée, j'ai raconté ça à mon père et il m'a dit : « Jamais. » Parce que pour lui, il ne fallait jamais mentir. Je ne sais pas pourquoi l'instituteur m'a donné ce conseil, si c'était un piège pour que j'inscrive bien « Hutu » et qu'on m'attrape ou bien s'il me trouvait vraiment intelligente et voulait que je puisse ainsi étudier. Je n'ai jamais su. J'ai écrit « Tutsi » et j'ai quand même pu passer à travers le filet. Je reconnais que j'ai été tentée de mettre « Hutu » parce que je me disais : « Si c'est la seule chance de passer, je pourrai étudier. » Mais ce que j'avais dans ma tête, c'était comment réagirait mon père si j'acceptais de mentir, parce que je n'ai jamais imaginé de ne pas lui en parler. Ah, oui, ça, j'étais bien tentée de mentir ! Mais pas sans son aval. Or, il a tout de suite refusé. Il m'a dit : « Tu as ce que Dieu veut te donner. » *(elle rit)* Et j'ai réussi à passer ! Et là, il a ajouté : « Tu vois, la vérité triomphe toujours. » Mais après le génocide, chez moi, ils étaient tous morts, cette fois.

On avait tout détruit. Ce n'était pas seulement les vaches qu'on avait mangées ou la maison qu'on avait brûlée. Mais c'était tout. Il y avait tous… Tous, ils étaient morts. Tous, ils étaient tués, alors où est-ce qu'il était, Dieu ? C'était ça ma révolte.

Papa, lui, nous disait : « Je prie un Dieu qui écoute », et il nous a toujours donné pleins d'exemples concrets de comment il avait été écouté dans telle ou telle circonstance. Une fois, lors de massacres en 1959, il a dû nous cacher ; maman et moi, ça allait, on se rendait chez une voisine qui nous cachait de tout temps ; elle habitait près de chez nous, et ça me fait mal de repenser à... Un soir, elle a pris maman et moi, parce que j'étais bébé sur le dos, et elle a dit à papa : « Je ne peux pas en prendre plus car ça va se savoir... » C'était une voisine Hutu, vraiment super. Elle s'appelait Nyiragasage, qui veut dire « petite mèche de cheveux », elle n'a jamais été baptisée, elle n'est pas chrétienne, elle n'a jamais eu d'autre nom. Elle nous cache donc, mais pas mes sœurs ni mes cousines. Alors papa va chez un ami à lui, Hutu aussi, Mwalimu, catéchiste chez les adventistes, qui était très bon. Mais comme les autres Hutu savaient qu'il était très bon et contre le massacre des Tutsi, ceux qui voulaient tuer venaient chez lui pour l'impliquer. Quand papa est arrivé chez Mwalimu, avant de pénétrer dans l'enclos, il a entendu beaucoup de bruit de discussions et il a compris que se tenait un conseil. Il ne pouvait plus nous cacher là-bas, il allait se faire tuer. Il était vraiment devant un dilemme ; il se disait : « Si je les laisse chez Mwalimu, elles vont être coupées à la machette ; si je les mets dans un buisson, elles vont être mordues par les serpents qui y grouillent. » Alors, parce qu'il fallait qu'il choisisse l'une des deux solutions, il a fait un marchandage avec Dieu : « Dis-moi si tu vas suspendre la main des Hutu avec leur machette chez Mwalimu, ou si tu vas fermer la bouche du serpent, dans les buissons. » Dieu lui a dit qu'il fermerait la bouche du serpent. Alors, il a caché mes sœurs dans les roseaux jusqu'au matin et, effectivement, elles n'ont pas été mordues. Tu vois, c'était des histoires comme ça qu'il nous racontait et qui nous convainquaient.

Je crois que c'est ce qui m'a beaucoup aidée à trouver le courage « après ». Lui, mon père. On vivait en permanence dans une atmosphère positive à la maison, car il a toujours essayé de tout tourner au bon, même quand tu ne trouvais rien de lumineux. Ses inévitables fuites, lors des divers massacres en 1959, en 1963 et en 1973, son accablement, chaque fois, devant sa maison brûlée, ses biens pillés, ses vaches massacrées ainsi que le miracle des buissons qui nous ont protégés, nous ses enfants encore en bas âge, malgré la dangereuse présence des serpents, il ne nous les a révélés que tard, en 1974, lorsqu'il a été si malade qu'il a cru sa mort venue. Sinon, il ne nous en aurait peut-être jamais rien dit. J'avais déjà seize ans. Ne me demandez pas de quelle maladie il était atteint : chez nous, les maladies sont souvent aussi secrètes que les histoires d'ethnie, par secret ou par ignorance. Il était allongé sur son lit, et nous assises à son chevet ; on avait toutes peur, on a vraiment cru qu'il allait mourir. Cette scène reste un souvenir essentiel. Il avait fait son testament parce que, comme nous n'étions que des filles, il ne voulait pas que nous soyons spoliées par nos familles comme le veut la tradition. Puis il nous a dit : « Je suis très malade, je risque de mourir. Mais, en plus des terres et des vaches que je vous lègue, je veux que vous connaissiez mon grand ami, à qui vous pourrez demander conseil en toute occasion, pour tout problème. » Avec Stéphanie, on s'est mises à spéculer sur le nom de ce confident. Mwalimu, son ami d'enfance Hutu ? Ou l'oncle Daniel ? Mon père nous a dit : « C'est Dieu. » Et là, il a commencé à nous donner les exemples concrets de sa vie, où il devait prendre une décision terrible et où, consulté, Dieu l'a assisté. Et puis, il y avait cette histoire de notre mère qui n'a pas eu d'enfant pendant presque quinze ans, alors que mon père était si confiant. Il l'a tellement aimée… Quand il a voulu l'épouser, il était allé demander sa main à ses futurs beaux-parents qui lui ont alors proposé leur fille aînée, Mélia, encore célibataire et plus âgée que notre mère. Mais mon père désirait notre mère. Toujours, c'est resté une plaisanterie dans notre famille. Ma tante Mélia nous rendait visite et provoquait gentiment mon père : « Ah, tu n'as pas voulu de moi, hein… » À leur façon, mes parents ont vécu un coup de foudre. À la fin de leur vie, ils se ressemblaient tellement physiquement que tous pensaient qu'ils étaient frère et sœur.

La théorie de mon père sur tous les massacres subis, ceux de 1959, 1963, 1973, c'était toujours que le plus à plaindre est celui qui nous attaque. Et quand notre colère grondait, chez ma sœur Stéphanie et moi, il disait toujours qu'on jouait le jeu de notre adversaire. Nous deux, on éprouvait vraiment de la colère. Mais surtout, on se demandait : jusqu'où ça peut aller ? Jusqu'où, et jusqu'à quand peut-on tendre notre joue ? Et c'était intéressant parce qu'on pouvait quand même en discuter avec notre père. Avec lui, ce n'était jamais : « Assez ! J'ai dit ça et vous ne répliquez pas ! » On discutait et il finissait par nous convaincre que la colère ne convainc pas. C'est en partie vrai parce que chaque fois qu'on recommençait – tu sais, après les massacres, on recommençait toujours tout : on recommençait à construire la maison qui était détruite, on recommençait les cultures, on recommençait de nouveau à élever des vaches… –, quelque temps après, nous, on était beaucoup mieux que ceux qui nous avaient pillés et tout détruit. Et là, mon père nous disait: «Vous voyez ce que je vous ai dit? Le mal n'aide jamais», et il expliquait que les gens qui nous pillaient le sorgho ou les haricots les mangeaient vite, car c'était le fruit du mal, et qu'en tout cas, cela ne les aidera jamais à améliorer leur vie. Une fois qu'ils ont épuisé ces réserves, ils redeviennent aussi pauvres qu'avant, concluait-il. Tandis que nous, on avait le courage et la chance d'être propres face à eux, de n'avoir fait de tort à personne; il y a donc des chances que Dieu t'aide, ainsi. Ça, c'était son raisonnement. Et les faits m'en convainquaient! Parce que, souvent, il suffisait de trois ou quatre mois pour que tout reprenne alors que ceux qui nous avaient chassés, une fois qu'ils avaient épuisé les fruits du pillage, revenaient vers mon père lui demander de l'aide, à nouveau. Après ce qu'ils lui avaient fait! Ils croyaient devenir bien seyants après nous avoir pillés mais, en fait, est-ce qu'ils étaient bien seyants? Ils brûlaient la maison, ils mangeaient les vaches, les pauvres vaches puis, au bout du compte, rien... Les vaches m'ont toujours fait mal parce qu'on les tuait vraiment comme on tuait les Tutsi, on leur coupait les pattes comme on coupait les pieds des gens... Pendant les événements, c'est toujours l'image que je garde: tu as le feu partout et les vaches qui bêlent, qui bêlent, tu as toujours les vaches qui bêlent dans la brousse, qui ont perdu leur maître et qui sont, elles aussi, poursuivies... Une fois, avec Stéphanie, avant de fuir, avant d'être chassées une fois de plus, on s'était dit: «Et si on empoisonnait les réserves, comme ça, quand ils viennent pour voler nos biens...» On l'aurait fait bien volontiers! Pour les punir. Mais ça, on n'avait pas le droit, mon père ne voulait pas. Papa, lui, nous disait qu'ils auraient leur punition plus tard. *(silence)* Dans nos familles, on produisait de la bière de banane ou de la bière de sorgho. Quand la récolte était finie, il remerciait Dieu et après avoir remercié Dieu, il faisait circuler la calebasse. Lui ne buvait pas parce qu'il avait des maux d'estomac... alors que les autres, protestants engagés, ne buvaient pas par conviction. Pour lui, le produit de la terre et le produit des hommes étaient tous deux bons. Ce n'était pas un croyant borné.

...Tu sais, il paraît qu'avant de le tuer, ils ont quand même discuté entre eux. Ils n'étaient pas tous convaincus. Certains voulaient le tuer, et d'autres disaient : «Mais pourquoi?» puisqu'il était vieux et respecté par toute la colline, et au-delà de la colline. Il était très connu, le vieil instituteur. Qui de chez nous n'est pas passé par sa classe? Finalement, ceux qui voulaient la mort de mon père parce qu'il était Tutsi et que «tous les Tutsi doivent mourir» ont gagné : ils ont décidé de le tuer. Beaucoup de voisins Tutsi étaient venus se réfugier chez nous. Parce que son autorité était reconnue par tous, autant par les Hutu que les Tutsi ; il était l'un des piliers de notre église protestante, le prédicateur de l'EPR (Église presbytérienne du Rwanda). Donc, beaucoup sont venus se cacher à la maison et sont restés avec mes parents les quelque temps avant qu'ils ne soient tués. Depuis des jours, les tueurs devaient aller attaquer leur maison, mais cela n'arrivait pas. Mais un jour, ils ont enfin décidé : «Cette fois-ci, on le fait chez lui aussi.» Et quand les gens ont été avertis par un ami Hutu qui avait toujours des informations sur les tueries que c'est fini, ils se sont dit : «Maintenant il faut aller se remettre dans les mains du Seigneur», et ils sont tous allés à l'église, pas très loin de chez nous. C'est le dernier jour de mon père, le 17 avril, je crois. Bébés et grands-mères, jeunes et vieux. Rien que dans la tombe commune à Mwirute, chez mes parents, ils sont quarante-sept. Tous ceux-là avaient cru qu'ils seraient en sécurité chez mon père. Des amis, des voisins... On avait une grande maison, et puis, il y avait aussi les étables.

Ce qui me fait mal, c'est qu'au début, certains Hutu ont résisté face aux événements. Le premier homme qui a été condamné à Arusha, au Tribunal pénal international du Rwanda, le tout premier, c'était le bourg-mestre qui s'appelait Akayesu, et il s'entendait très bien avec mes parents. Les premiers jours, il s'était opposé aux tueries. Il était Hutu mais très contesté par les Hutu car c'était un enfant naturel et, contrairement à la tradition, un enfant naturel hérite de l'ethnie de la mère et non pas celle du père. Celle-ci était Hutu, il a donc toujours été Hutu mais tout le monde soupçonnait que son père, inconnu, était Tutsi. Tout simplement parce qu'en fait, ce père inconnu était, de toute façon, connu; tous savaient qu'il était Tutsi. Et puis cet Akayesu avait la stature et le stéréotype Tutsi – c'est-à-dire très grand, mince, le nez effilé, proche du type éthiopien. Dans les livres d'histoire, qu'on veut rectifier aujourd'hui, on nous expliquait que les Twa étaient les premiers habitants du Rwanda, chasseurs et potiers de race pygmoïde; ensuite seraient venus les Hutu, agriculteurs du Cameroun et d'Afrique de l'Ouest – généralement petits, forts, le nez épaté; les derniers habitants arrivés dans le pays auraient été les Tutsi, fins et élancés, originaires d'Abyssinie. Les usurpateurs. D'ailleurs, déjà en 1992, certaines campagnes d'extermination disaient justement: «Renvoyez les Tutsi chez eux par le plus court chemin », et le plus court chemin, ça voulait dire la rivière Nyabarongo, source du Nil qui traverse tout le Rwanda et va jusqu'en Éthiopie. « Renvoyez-les chez eux par le plus court chemin ! », c'est exactement le discours qu'a eu un professeur d'université, Léon Mugesera[1], aujourd'hui réfugié au Canada, lors d'un meeting à Kabaya, dans la région de Gisenyi, en 1992. Et c'est exactement ce qui s'est passé, avant même le génocide. C'est exactement ce qui s'est passé pendant les « génocides-tests » qu'ils ont toujours faits, comme cette année-là où, aussitôt après cette conférence, les gens sont rentrés sur leur colline et ont tué, tué, tué les Tutsi de là-bas, puis les ont jetés dans la rivière Nyabarongo.

Akayesu, le bourgmestre de notre colline, était donc Hutu mais avec des caractéristiques physiques qui le rapprochaient plus d'un Tutsi. Alors, au moment des troubles, quand il a commencé à s'opposer aux tueries, les extrémistes lui ont dit : « Maintenant, on sait ! Maintenant, tu montres ton vrai visage, tu es en train de protéger tes frères. » Alors là, il a changé du tout au tout, surtout qu'il avait une femme Hutu très dure. C'est comme ça qu'il l'est devenu à son tour. Quand je pense à lui, premier détenu condamné à Arusha, je me dis toujours : « Il me fait mal, mais il doit payer pour sa lâcheté. » Quand on ne paie pas pour les crimes, on paie pour la lâcheté qui mène à ces crimes.

Mon père avait un vélo. Ça aussi, c'est une histoire incroyable ! *(elle rit)* À quatre-vingts ans, mon père ne

---

1. Intellectuel rwandais proche du président Habyarimana, Léon Mugesera était conseiller ministériel et également membre du comité central et vice-président du MRNd, pour la préfecture de Gisenyi (Mouvement révolutionnaire national pour le développement, parti unique jusqu'en 1991).

prenait pas la canne pour marcher mais il prenait toujours son vélo et il s'appuyait dessus quand il s'arrêtait pour parler avec les gens. Il se mettait en discussion et je me demandais toujours ce qu'il avait à leur dire. Lui n'économisait jamais son temps. Ce jour-là, il est parti à l'église avec son vélo, suivi de tous les Tutsi rassemblés chez nous. Arrivés là-bas, ils ont prié, ils ont chanté, ils s'en sont remis à Dieu avant de mourir. Puis, les tueurs sont venus les prendre. Comme ma mère était très âgée et invalide, elle était restée à la maison. Alors, papa a demandé aux tueurs de le laisser au moins dire au revoir à ma mère. Ils ont accepté mais quand il a voulu prendre son vélo, ils lui ont dit : « Eh, tu n'as plus le droit de le prendre ! » Alors, mon père a demandé à un garçon voisin : « Garde-le pour moi. » Ce jeune voisin, Munyarukundo, c'est le seul qui est resté correct dans le village ; c'est pour ça que, après le génocide, mes sœurs et moi, on lui a finalement laissé le vélo de notre père.

Les tueurs ont donc escorté mon père et ses amis. Mais sans encore les battre, ni les tuer. « Tu veux dire au revoir à ta femme ? » Ils ont ricané : « Oui, allez, vas-y ! » Alors, tout le groupe est de nouveau descendu de l'église vers la maison, encadré par leurs tueurs. Lui, mon père, ne croyait pas du tout qu'on allait tuer ma mère à la maison. Il pensait encore, comme dans les précédents massacres, qu'on ne tuait que les hommes, mais pas les femmes ni les enfants. Il a dit au revoir à ma mère qui ne comprenait presque pas ce qui était en train de se passer, car depuis des années, elle gardait le lit. C'est à ce moment-là, quand il a dit au revoir à ma mère, qu'il y a eu cette discussion à la maison entre les uns qui disaient : « Mais pourquoi le tuer ? Qu'est-ce qu'il nous a fait ? » et les autres qui répondaient : « Si, si, il faut le tuer », et qui, finalement, ont gagné. L'un d'entre eux lui a alors donné le coup de hache mortel comme signal d'envoi. Ensuite, tout le monde a été atrocement tué. Oh, non, encore ça… : lorsqu'ils ont décidé de le tuer, mon père a demandé : « Maintenant, laissez-nous prier », et il a fait la prière finale pour se remettre entre les mains de Dieu et prier pour eux. « Mon Dieu, pardonne-leur, ils ne savent pas ce qu'ils font. » Il est vraiment allé jusqu'au bout de sa logique… Et il avait raison parce que, eux, ils ne savent pas ce qu'ils font… *(silence ; puis, entre sourire et irritation)* C'est pour ça que quand je suis fâchée et que je n'ai pas envie de pardonner à qui que ce soit, j'ai peur de lui ! *(rires)* Je me dis : « Ça y est, tu vas encore te fâcher sur moi parce que, moi, papa, je n'ai envie que de les mitrailler ! » Mon père n'a jamais encouragé mes révoltes. Je n'oublierai jamais, jamais l'épisode de ses chaussures volées. C'était en 1973 ; une fois de plus, le vent avait soufflé : maison brûlée, vaches tuées, biens pillés, et nous pourchassés et cachés. Puis le vent se calme : on sort de nos cachettes, on retrouve notre lopin de terre, on reconstruit, on acquiert peu à peu de nouveaux ustensiles… Et surtout, on fait comme si de rien n'était avec le voisinage, alors qu'on sait très bien chez qui sont nos tables, nos chaises, nos portes… Mais sans aucun droit de les réclamer. Un jour, après « le vent », je revenais de la source avec ma sœur Stéphanie, je portais mon jerrycan d'eau sur la tête quand Kanyamanza, un de nos voisins Hutu, nous a dépassées, en habit du dimanche. On n'était pas dimanche pourtant, mais il partait en visite et s'était paré d'un pantalon long, d'une belle chemise ainsi que d'une fort belle paire de chauss… Oh ! Oh ! Tout à coup, là, je bouillonne ! Là,

69

là, juste devant moi, qu'est-ce que je vois ? Qu'est-ce que je reconnais ? Les semelles des chaussures de mon père ! Ah, ça, j'aurais pu les reconnaître les yeux fermés rien qu'au toucher, ces chaussures, tellement je les ai cirées, cirées ! Pointure 44, le talon refait, les semelles lisses, les lacets fins et leur couleur noire et brillante. Et pourquoi brillante ? Parce que je les cire ! Alors ça, jamais personne ne pourra me battre en cirage de chaussures ! Je le fais depuis que j'ai su marcher, que mes bras ont pu s'agiter et chaque fois que mon père doit sortir ! Et ce n'est sûrement pas pour que mon voisin les récupère, non… Je n'ai pas réfléchi : sans poser mon jerrycan, je me suis précipitée sur notre voisin, l'ai pris par le bras et je lui ai ordonné de me rendre ces chaussures. Les chaussures de mon père. Pourtant j'avais quand même peur, il aurait pu nier, me repousser et personne ne m'aurait défendue. Mais c'était instinctif ; je ne serais jamais allée réclamer une porte ou une table, mais voir ces chaussures aux pieds d'un autre, pour moi, c'était la pire des injustices… Par chance, l'effet de surprise a joué, il me les a aussitôt données sans un mot puis a filé. Je suis rentrée à la maison, très fière, exhibant les souliers à la main : j'allais être noyée sous les compliments, j'en étais sûre. Mais quand j'ai raconté l'histoire à mon père, il m'a répondu : « Ne recommence plus. » Il a eu peur pour moi, peur que ma rébellion tourne mal. Il avait raison, en un sens : se révolter dans un océan d'indifférence, et te faire mal pour rien… Mais je préférais avoir mal et me révolter quand même. Stéphanie me soutenait complètement, d'ailleurs. Mais maintenant, depuis qu'elle est partie, je n'ai plus de soutien pour me fâcher contre quiconque. Et ce n'est pas mon père qui m'approuverait… *(silence)* Parfois, je me dis pourtant qu'il pourrait comprendre mon envie de vengeance après tout ce qu'on a subi durant le génocide. Oui, oui, il pourrait… Mais il me dira – et il aura toujours raison sur ce point – il me dira que je ne gagnerai pas. Oui, il aura raison : je ne gagnerai pas. Gagner, c'est pouvoir vivre, encore. Et libre.

…Moi, ce que je voudrais, c'est ne pas vivre dans le réel. Je voudrais bien les laisser dans leurs histoires, qu'eux me laissent dans la mienne, et me foutent la paix. Mais je n'y arrive pas. Je doute. Je ne suis pas en paix. Alors que, lui, mon père, il était plus calme. Papa, il était toujours calme, malgré l'adversité. C'est là qu'il m'arrive de penser que, peut-être, pardonner, ça aide. Quelquefois, je me dis : « D'accord, je vais leur pardonner. » Mais c'est purement égoïste. C'est pour avoir la paix. Et après que j'ai essayé de pardonner, en sachant que c'est juste pour avoir la paix, je demeure abattue… Car au fond, au fond, je ne peux pas pardonner, je veux que les exterminateurs de ma famille soient punis, bien punis. Mais pour tenir, pour gagner et, je le répète, par pur égoïsme, pour ma paix mentale, je me dis qu'il faut que je pardonne. *(silence)* En tout cas, eux n'ont pas gagné. Je crois que la nature les punit eux-mêmes. C'est drôle, moi, je n'investis pas du tout la justice, par exemple. Nous avions de grandes discussions à Avega sur ce sujet ; j'avais une copine qui m'engueulait parce que ce n'était pas du tout mon point fort. J'avais une position précise : « Moi, je vais me battre pour la survie des rescapés, mais la justice, je m'y engage le moins possible. » Elle me répondait : « Toi, tu es lâche. » Aujourd'hui, elle vit aux États-Unis et quand on se téléphone, on en discute encore. On n'est toujours pas d'accord sur ce point… Ce que je crois, de mon côté, c'est qu'eux, les génocidaires, sont aussi troublés. Le voisin de mon père, celui qui lui a donné le premier coup de hache, eh bien, il est mort quelque temps après ; je ne l'ai même pas revu. Et comment est-il mort ? Parce qu'entre tueurs, ils se sont entre-tués ! Au moment de piller, ils se sont bagarrés et le voisin est mort tout de suite. La famille qui habitait en face, qui a été vraiment virulente avec ma mère et si contente de récupérer nos terres et nos biens, elle aussi a été fort troublée. Le père est mort en prison, sa femme est devenue folle. Cette femme, Uzanyizoga, elle avait été horrible dans la mort de maman et de ma tante. Toutes les deux, on ne les a pas tuées sur le coup, on les a d'abord humiliées comme pas possible. Après avoir massacré mon père et ses amis, les tueurs se sont rendu compte que les vieilles étaient encore à la maison, puisque maman ne pouvait pas se lever. Alors, avant de piller la maison et de la détruire, ils les ont sorties de leur lit et ils les ont jetées sur les cadavres, mais sans les tuer. Et là, les deux vieilles sont devenues la risée de tout le monde ; les femmes venaient se moquer d'elles et cette voisine d'en face, Uzanyizoga, a commencé à les déshabiller… C'est comme ça que maman et ma grand-tante Maria sont mortes nues – mortes de soleil, de soif, de pluie, de faim. Eh bien, quelque temps plus tard, Uzanyizoga est devenue folle. Un jour, on l'a trouvée sur la tombe commune, en train d'attendre que mon père lui donne un régime de bananes, car il avait l'habitude de toujours partager ce qu'il possédait. Elle avait perdu la raison. Elle avait perdu ses voisins, elle avait perdu la raison. Elle errait sur les chemins, en se déshabillant elle-même comme elle avait dénudé ma mère et Maria, et elle est morte dans cette folie. Ce que je veux dire, c'est qu'en tout cas, elle n'est pas morte heureuse.

Alors, Dieu, dans tout ça... Dieu, après le génocide, ça m'était devenu complètement égal. Si les gens me demandaient si je croyais ou pas, je répondais: « Je voudrais bien croire en Lui parce qu'au moins, s'Il n'a pas pu faire quelque chose pour nous, peut-être, Il punira les génocidaires... » Au moins, une petite consolation. Mais à la fin, je m'en foutais, je me disais: « Qu'Il existe, tant mieux, ou qu'Il n'existe pas, tant pis, ça m'est complètement égal. » C'est seulement après, bien après que j'ai recommencé à avoir un peu la foi. C'est étrange... C'est à cause d'une de mes amies, Joséphine qui, elle, a tout perdu. Elle a perdu ses enfants, a été elle-même coupée à la tête, laissée pour morte sur les cadavres de ses enfants qui venaient tous d'être tués et... elle a survécu. On avait fait nos études ensemble et comme elle n'avait pas pu les poursuivre, elle s'était mariée très tôt. Quand le génocide est arrivé, elle avait déjà sept enfants. Elle croyait être orpheline parce que lors des massacres de 1959, elle avait fui avec ses parents pour aller au Burundi, et arrivés dans les marais, ils ont été attrapés. Ses parents sont passés de l'autre côté de la frontière mais elle ne l'a pas su, elle les pensait morts puisqu'elle les avait perdus durant leur fuite dans les marais. Puis, elle a été prise par les tueurs mais ils ne l'ont pas tuée ; elle a été récupérée par une famille de Hutu qui l'ont élevée. C'est seulement vers l'âge de dix-sept ans qu'elle a su que ses parents existaient quelque part. Donc, en 1994, son mari est tué, ses sept enfants sont tués, Joséphine elle-même est coupée partout, laissée pour morte. Et quand elle me retrouve, c'est justement le moment où je suis si révoltée contre Dieu, où je suis dans cet état d'esprit de « vengeance, vengeance ! » Je la rencontre donc et elle me dit : « Écoute, Esther, arrête ! Tu es en train de jouer le jeu du diable ! » Et elle continue : « Esther, tu me connais, nous avons étudié ensemble. Tu sais combien d'enfants j'avais, tu sais ce que j'ai vécu, tu sais. Mais j'ai décidé de ne pas me laisser tuer une deuxième fois par le diable. C'est le diable qui a fait, c'est le diable qui les a armés, qui leur a donné la machette, et ils ont tué, tué, tué. Ils ont presque réussi l'extermination, la solution finale. Mais Dieu est plus fort que le diable. C'est pour ça que tu as survécu et que j'ai survécu. Et toi, maintenant, tu es en train de mourir à l'intérieur parce que ça, c'est le plan numéro deux du programme du diable : tous ceux qu'il n'a pas eus par la machette, il veut les avoir à l'intérieur. Et ils vont être des morts vivants. Esther, regarde maintenant, tu as la chance d'avoir tes enfants, tu as la chance d'avoir un boulot et d'être en bonne santé, mais tu ne penses pas cela, toi, tu n'es pas contente, tu n'es pas heureuse. » C'était sa philosophie, ou sa croyance. Je l'ai aussitôt invitée à rejoindre Avega et aujourd'hui, elle en est même la présidente pour la région de Kigali.

Joséphine m'a vraiment secouée. Elle était vraiment bien placée pour me le dire et elle me l'a dit. Elle n'a pas ménagé ses mots : « Tu sais ce que j'ai vécu, ce que j'ai perdu. Qu'est-ce que j'ai encore maintenant ? Je n'ai plus de santé, plus de maison, plus mes enfants, plus de famille. » Là, ça m'a fait quand même quelque chose. C'est d'elle, en fait, que j'ai pris cette chose dont je t'ai parlé, cette décision de me dire : « Esther, regarde ce que tu as, au lieu de voir seulement ce que tu as perdu », et d'être moins fâchée avec Dieu.

6
Parler de « ça »
uniquement entre rescapés

Tu sais, après le génocide, dans ma famille, presque
tout le monde est massacré. Il ne reste personne, ni rien
chez moi. Innocent, mon mari, est tué, ses frères et la
plupart de ses sœurs sont tués avec ses parents. Seules
deux sœurs ont survécu, dont l'une succombera six ans
plus tard. Mon père et ma mère sont tués, Stéphanie
ma sœur est tuée, avec son mari et ses trois enfants. Il ne
reste rien chez moi, il ne reste rien chez Innocent, il ne
reste rien chez Stéphanie. Même les arbres sont coupés
cette fois. Les vaches aussi, bien sûr, n'en parlons pas.
Tout s'effondre, la folie me guette, elle guette des
milliers de veuves et d'orphelins, de veuves et de filles
qui ont été atrocement violées et infectées par le sida qui
ravageait déjà le pays. Et ce qui nous a sauvés de la folie,
ça a été Avega, l'association des veuves du génocide
d'avril. *Agahozo*, le nom d'Avega en kinyarwanda, est
celui d'une parole de consolation ou d'un poème qu'on
chante pour sécher les larmes d'un enfant qui pleure.

Ce n'est certes pas la première fois qu'une femme
devient veuve, au Rwanda. On nous le dit assez souvent,
d'ailleurs, à cette époque: «Vous n'êtes pas les premières
veuves que connaît le pays.» On le sait bien nous-
mêmes; certaines de nos grands-mères, mères, tantes

75

et voisines des générations antérieures le sont aussi, depuis les massacres de 1959 et 1973. Mais on est sans doute les premières qui perdent, en même temps que leur mari, leur famille tout entière. Il n'y a donc plus personne pour te consoler, pour essuyer tes larmes. Il n'y a pas la famille, mais il n'y a même pas de voisins non plus ; presque partout, le voisin a été le traître, quand il n'a pas été le tueur de ta famille. Il n'y a aucun endroit où faire son deuil, aucune tombe sur laquelle se recueillir et même pas une chambre ou un lit où cacher ta misère. Tout a été détruit ou pillé. Pour beaucoup d'entre nous, même la santé n'est plus là. On a tellement été coupées à la machette que la plupart des survivantes ont des cous qui tiennent à peine. Coupées aux mâchoires, aux visages, aux nuques. On a des balafres hideuses. On se cache. On n'ose pas sortir. On pourrit à la maison.

On ne peut pas faire notre deuil non plus puisqu'on ne sait pas quels ont été les derniers moments de nos familles. Que s'est-il passé ? Comment a-t-il été tué ? A-t-il beaucoup souffert ? On glane sans cesse des bribes d'informations pour reconstituer la fin, pour savoir. Mais pourquoi savoir ? Parfois, on souffre encore plus du fait de savoir. Mais on souffre autant du fait de ne pas savoir… De toute façon, le dilemme est vite réglé : les voisins se taisent et, avec le temps, presque tout le monde te conseille ne rien savoir. Pour toutes ces raisons, on ne peut être des veuves comme les autres. Notre spécificité n'est pas du tout à envier. On doit reconstruire nos maisons. On doit reconstruire nos cœurs et nos corps. On doit réinventer une famille. Des mères qui ont tout perdu doivent réapprendre à être mères pour des enfants qui ont tout perdu. Des enfants qui ont tout perdu apprennent à redevenir des enfants pour des mamans ou des petits-enfants pour des vieilles grands-mères qui n'ont plus personne. Pour toutes ces raisons, on ne peut être des veuves comme les autres, et on décide de créer Avega, *Agahozo*, en septembre 1994, même si l'association n'a été agréée qu'en janvier 1995. Pour survivre, mais d'abord pour pleurer ensemble. Chantal, Espérance, Annonciata, Paulina, Sylvia, Esther... Puis, pour sécher nos larmes qui peuvent enfin couler, une fois qu'on redevient une même famille, aussi artificielle soit-elle. On se bat pour une vraie vie – et pas seulement une survie – on refuse de mourir dedans, on refuse de n'être que des victimes Mais les blessures sont profondes, les cœurs ont trop saigné. Parmi les programmes qu'on établit, comme régler les problèmes matériels, obtenir des moyens, recueillir les enfants, il en a un qui est celui de « soigner les cœurs », comme on l'appelle. C'est celui que je privilégie. Quelques années après, devenue thérapeute, j'exercerai à Avega, auprès des rescapés. Je soignerai les cœurs.

Au début d'Avega, on se rencontrait seulement pour parler du génocide. Parler, parler, parler, parler, que de ça, que de ça, que de ça. Se raconter comment chacune avait survécu, qui y était passé, qui on avait perdu. Mais on n'en parlait qu'entre nous. Avec les autres – au travail, dans le voisinage, en famille – on se taisait. Les autres n'en avaient rien à faire ou bien ça les terrifiait, le temps d'écouter nos histoires. Nous, c'est à chaque instant que ça nous terrifiait.

Pourtant, au tout, tout début – c'est-à-dire à la fin du génocide – on ne nous disait pas encore, comme aujourd'hui: « On en a assez parlé. »

On ne nous disait pas encore, comme dans un discours prononcé à la radio par le Premier ministre de l'époque, Twagiramungu, au cours du mois de novembre qui a suivi le génocide de juillet 1994 : « Trois mois suffisent pour oublier et recommencer. »

Ou comme dans cette allocution de notre président Kagame, quatre ans plus tard, à l'attention des rescapés : « Mettez vos sentiments dans le placard. » On ne nous disait rien, tout simplement.

Mais nous, on sentait qu'on dérangeait.

Moi-même, je n'osais pas aborder le sujet à mon travail. De toute façon, les rescapés n'étaient pas la priorité des organisations humanitaires – dont Oxfam qui, pourtant, m'avait sauvée. La première urgence d'Oxfam, c'était d'établir l'eau dans des sites d'installation pour les réfugiés rwandais rentrés de leur exil des années cinquante et soixante. Rescapée moi-même, j'aurais peut-être pu dire qu'on souffrait, et ce dont on avait besoin… mais je ne l'ai pas dit. Est-ce parce que je savais que notre situation était tacitement connue, ou parce que je savais que cela ne correspondait pas à l'agenda de s'occuper de nous ? Je me souviens de la fois précise où j'ai clairement compris qu'il n'y avait pas de place pour cela. C'était au retour du camp d'Ouganda où des collègues d'Oxfam étaient venus me chercher. Lorsqu'on est arrivés à proximité de la maison de l'un d'entre eux, dans le quartier de Remera à Kigali, on a découvert qu'elle avait été pillée. Le collègue concerné, qui était très attentionné avec moi et avait déployé énormément d'énergie pour me retrouver durant le génocide, s'est scandalisé et a commencé à répertorier tout ce qui manquait. Je le regardais, lui, les autres, faire cet inventaire – et la fenêtre avait été cassée, et les meubles avaient été dérobés, et la télévision avait disparu... Et j'étais... j'étais... hagarde, voilà le mot précis. Hagarde. Je suis allée dans le jardin, je me suis assise, sans pouvoir prononcer un mot. Je ne pensais à rien, je ne jugeais personne, je ne me disais pas : « Yeee, il pleure pour sa télé alors que moi, j'ai perdu les miens... » mais j'avais besoin de m'éloigner. Personne n'est venu me parler. Qu'est-ce qu'ils auraient bien pu me dire, de toute façon ? Ils n'allaient pas me demander ce qui se passait, puisqu'ils savaient ce qui se passait.

C'est justement à ces moments qu'on se rend compte qu'on dérange parce que, si je n'avais pas été là, ce collègue aurait pu exprimer plus de colère, plus de ressentiment. Alors qu'en ma présence, il se sentait sans doute gêné de le faire puisqu'il connaissait mon histoire. J'étais assise dans le jardin et, à ce moment précis, je ne pensais rien. Plus tard, bien plus tard, j'ai admis sa souffrance. Mon collègue était furieux et il avait raison : il était père de six enfants, sa maison venait d'être pillée. Ce sont des soucis importants. Mais je crois que ce qu'on avait perdu, nous rescapés, était tellement énorme que les difficultés matérielles n'étaient pas notre premier souci. Souvent, ceux qui n'avaient pas vécu le génocide n'avaient pas perdu des membres de leur famille en quantité comme nous, je veux dire de façon aussi folle, pour relativiser la valeur des biens matériels, comme on le faisait. C'est pour cela que lorsqu'ils ont squatté les maisons inhabitées, de notre côté, même si on nous avait brûlé les nôtres, on ne squattait pas. Rescapé, tu venais de survivre, mais tu étais dans une fatigue intérieure terrible. Tandis que les autres, eux, avaient encore le courage de vivre, toi, tu ne l'avais plus, ce courage. Tandis que les autres faisaient la course pour la vie, toi, tu avais mis beaucoup de temps à t'occuper de chercher une nouvelle casserole, une assiette, parce que cela n'avait pas de sens. Eux étaient vivants, nous survivants.

...Mais comment est-ce que j'aurais tenu le coup sans notre association de veuves? On serait vraiment foutues sans Avega. Il faut avoir à qui raconter. Tu ne vas pas arrêter quelqu'un dans la rue et dire: «Écoutez-moi!» non? Qui peut avoir cette patience à part des très, très proches, c'est-à-dire les tiens? Or ceux qui auraient dû être là pour te consoler avaient été tués. J'avais encore la chance, pour ma part, d'avoir mes deux sœurs, mais on en a parlé peu, ensemble. Marie-Josée, elle, n'arrivait jamais à aborder le sujet sans se mettre aussitôt à pleurer; elle se taisait donc souvent. Puis, un soir, en voyant le film *Lumumba* à la télévision, une scène avec une fusillade l'a complètement ramenée à celle où son fils et son mari ont été tués, et elle a brusquement perdu la raison. Elle s'est mise à crier qu'on venait les tuer, est partie en courant de la maison pour aller se cacher, tout comme pendant le génocide. Il a fallu lui donner un fort calmant, ce soir-là. Mon autre sœur, Joséphine, elle me poussait à ne pas en parler avec mes enfants et jusqu'à maintenant, elle reste réticente sur ce sujet. Elle pense qu'on entretient une tristesse pour rien. Donc, comment être injuste avec ceux qui ne nous laissaient pas dire puisqu'elle-même, rescapée, agit pareillement?...

À Avega, on tenait absolument la ligne inverse parce qu'on s'était rendu compte à quel point ça nous faisait du bien d'en parler. On détaillait comment c'était arrivé, quand, où, quel miracle était survenu. On se coupait la parole, on pleurait ensemble et on riait aussi, parfois, de certaines habitudes de notre vie d'avant le génocide qui nous avaient sauvé la vie. Comme notre amie Espérance, mariée, heureuse, mère de deux enfants, un bon travail : l'image même, avec son époux ingénieur, du couple moderne de Kigali. Comme elle se trouvait grosse, elle avait commencé à prendre des cours de natation à la piscine de l'hôtel des Mille Collines, le plus luxueux de la capitale. Ça lui a été salutaire ! Pendant le génocide, son mari a été tué sur le coup et elle a fui avec son bébé, Vanessa. Toutes deux ont été attrapées près du fleuve Nyabarongo, celui que je déteste depuis l'enfance. Les tueurs lui ont demandé de détacher son bébé de son dos et l'ont noyé sous ses yeux. Puis ils l'ont déshabillée à moitié pour l'humilier. Espérance avait un corps fin, à la taille marquée par de fortes hanches : ils disaient qu'ils voulaient voir le proto-type d'une Tutsi et, selon leur imaginaire, Espérance le représentait. Puis ils l'ont jetée à son tour dans le fleuve qui l'a emportée. Comme elle avait eu la chance de ne pas avoir été assommée, elle a eu le réflexe de nager. Et c'est à ce moment de l'histoire qu'on riait toutes, à Avega, en se disant que grâce à ce couple moderne, madame avait pu suivre des cours de natation ; sinon, elle aurait tout simplement coulé. Le fleuve l'a rejetée sur la berge et un groupe de bergers l'a récu-pérée : elle leur a menti en racontant qu'elle était Hutu et que son idiot de frère avait épousé une Tutsi et que toute sa famille, maintenant, payait pour ça. Une histoire à dormir debout mais qu'ils ont crue. Au moment de la mort, il te vient une créativité incroyable ! Et après, quand la peur est passée, tu te demandes comment tu as pu trouver ces sornettes si vite. Malheureusement, un autre groupe est arrivé et ils l'ont dénoncée comme Tutsi en montrant ses hanches du doigt; ils l'ont replongée dans le fleuve. Espérance a encore nagé mais a attendu la nuit pour en sortir une seconde fois. Elle est tombée sur un groupe de Hutu membres d'un mouvement religieux très croyant, *Abarokore*, opposé au génocide par conviction. Pour eux, tuer était vraiment pécher, et mieux valait mourir que de pécher. C'est comme ça qu'elle a pu être sauvée.

Nos histoires de veuves étaient plus terribles les unes que les autres; pourtant, chacune d'entre nous voulait raconter, chacune voulait savoir. Voici pourquoi: une raison pour laquelle on parlait rarement du génocide avec d'autres, et pour laquelle on continue d'en parler rarement, c'est que nos histoires semblent toujours les mêmes à celui qui les écoute. Mais elles ne le sont pas pour nous, qui les avons vécues. Une patiente, un jour, m'a parlé du «film» qui passait toujours dans sa tête, la nuit. C'est d'elle que j'ai repris et réutilisé cette expression, que je trouve efficace pour dire le mal des patients. Celui qui écoute, c'est celui qui voit le film. Or, pour celui qui écoute nos histoires, aussi distinctes qu'elles soient les unes des autres – ce ne sont pas les mêmes personnes, les mêmes prénoms, les mêmes liens familiaux, les mêmes lieux, les mêmes collines, les mêmes détails, les mêmes fins – c'est pourtant l'impression de voir le même film, avec des interprètes différents. Il te dira donc que ce film, il l'a déjà vu et ne va pas le revoir une seconde fois. C'est pareil à cette expression: «On a déjà donné», quand on sonne à votre porte pour solliciter un peu d'argent. Là, on nous dit: «On a déjà écouté.» Alors qu'on s'attendait vraiment à ce que les gens tombent à genoux de compassion face à nous ! L'inverse s'est passé : ils nous ont fuis. Certains me l'ont avoué plus tard : « Innocent était mort, on te fuyait. Que te dire ? »

C'est peut-être par souci de discrétion qu'on nous a fuis. Les gens croient qu'ils te font du bien en te disant de ne pas raconter. Mais en fait, je crois que c'est nous qui protégions les autres en nous taisant. Ils voulaient tous faire semblant, je voulais faire semblant aussi. D'être normale. De toute façon, je ne crois pas que j'aurais voulu qu'on m'en parle. Qu'est-ce que tu voulais qu'ils fassent ? Me prendre en pitié ? Je ne leur demandais pas, et eux n'osaient pas me la donner… Mais je suis ambiguë : je dis que je n'aurais pas voulu qu'on m'en parle, et d'un autre côté, j'aurais quand même voulu. Il y a d'ailleurs tout de même eu quelques gens bien intentionnés et compatissants à notre égard, mais ils étaient dépassés par l'ampleur de ce qui était arrivé ; ils ne savaient pas comment nous aborder. Dans quels termes devaient-ils nous parler ? Dans quel cadre ? D'habitude, chez nous, on passait de la mort à l'enterrement. Un deuil nous réunissait : on fait la veillée mortuaire, on amène une caisse de bières ou une cruche de vin, on mange et on dort chez le défunt pendant huit ou dix jours. Après le génocide, nos rites se sont brisés : le deuil faisait fuir. Alors qu'on a tellement cru que tout le monde était convaincu de l'horreur qu'on avait traversée… Or finalement, on s'est retrouvés comme sur un banc d'accusé, à devoir convaincre que ça s'était vraiment passé. Mais bon sang, ça *s'est* passé !… Et aujourd'hui, c'est pire encore avec cette histoire de TPIR, le Tribunal pénal international du Rwanda d'Arusha ! On m'a tué tous les miens, tout le monde sur notre colline le sait, et on me demande de témoigner, moi, au tribunal, mais surtout, on me demande : « Qu'est-ce que tu as vu ? » Je n'ai rien vu. Je n'étais pas là physiquement quand on a assassiné mon mari, mes parents, ses parents, ma sœur, son mari, mes neveux, mes nièces, ma grand-tante, mes cousines, mes cousins. Alors, comment témoigner ? Mais tous ont bel et bien été tués, non ? Et tous jetés dans une fosse commune. Mes parents, par exemple. On les a assassinés un jeudi ou un dimanche, je ne sais même pas le jour exact. Mais toute la colline était là : cela ne s'est pas passé pendant la nuit, tout le monde a vu le crime de mes parents. Mais pas moi ! Or, quand je commence à demander à ceux qui étaient présents ce qu'ils ont vu et comment les choses se sont passées, on me rétorque que *les choses ne se sont pas passées*, que ce n'est pas vrai. Un autre exemple, plus concret : ma sœur Stéphanie est morte. Mais je me disais que peut-être un de ses trois enfants avait survécu. Je suis retournée chez elle, je ne cherchais ni la vengeance, ni la justice, ni même à culpabiliser quelqu'un, je cherchais un enfant. Comme Stéphanie et moi, on se ressemblait beaucoup, les gamins qui m'ont vue dans la rue se sont mis à crier, en croyant à un fantôme. J'ai demandé des informations à un certain Thomas qui travaillait à la Croix-Rouge et je me souviens que, spontanément, assez compatissant d'ailleurs, il m'a dit – et je ne suis pas folle, il me l'a *vraiment* dit : « Esther, arrête de chercher, ils sont tous morts, ta sœur et ses enfants, je les ai vus dans le trou, je les ai reconnus à leurs habits. » J'ai compris que c'était vrai.

À cette époque, on cherchait juste à se persuader de qui avait survécu, on ne pensait pas encore à enterrer les corps. Mais un an plus tard, quand on s'est soucié, les rescapés, de donner une sépulture aux disparus, je suis retournée voir Thomas pour savoir où étaient enterrés les cadavres de Stéphanie et de ses trois gamins. Et Thomas me répond : « Je ne sais pas ; je ne sais rien, Esther. » Je ne suis pas folle, il me l'a vraiment dit. Il m'a vraiment parlé des enfants dans le trou, de leurs habits. Mais, un an plus tard, la peur d'un procès, la peur d'être associé à des tueurs ou d'avoir à les dénoncer a fait qu'il a décidé de mentir. Il avait sa logique : s'il racontait ce qui s'était passé, on pouvait le questionner – où était-il lui-même au moment des faits ? Qu'a-t-il vu exactement ? Et on pouvait pousser plus loin et lui demander des noms de participants. Or, lui est solidaire avec eux, parce que ces tueurs sont peut-être membres de sa famille, ou même seulement voisins du même quartier, c'est-à-dire ceux avec qui il sort. La bière Primus, ce n'est pas avec moi qu'il va la boire le soir, c'est avec eux. Thomas n'a donc rien voulu dire. Il avait ses raisons, mais il n'avait pas raison.

Jusqu'à présent, mes sœurs et moi, nous n'avons pas pu enterrer Stéphanie et ses enfants. J'ai eu envie, à un certain moment, d'aller battre Thomas pour le faire avouer. Puis, j'ai laissé tomber : la vengeance me demanderait trop d'énergie. De toute façon, si je frappe, je serais en tort et risquerais la prison. Agresser quelqu'un est un délit. Lui a participé à la tuerie des miens mais n'a pas commis de délit et n'est pas coupable. Il y a deux poids et deux mesures. Alors j'ai choisi de m'épuiser autrement, dans mes batailles pour Avega, la défense des femmes malades du sida, la scolarisation des orphelins, le lobbying international… Et c'est ma vengeance à moi que de les considérer comme des moins que rien, ces tueurs, et de ne plus m'en occuper. Je veux seulement qu'on m'assure qu'ils ne sont plus une menace et ne comptent plus me tuer. Je veux vraiment qu'ils me fichent la paix, puisqu'un génocide, c'est la mort de milliers d'individus, mais sans tueurs.

En temps normal, quelqu'un meurt, tu l'enterres, tu fais ton deuil et continues ta vie. Dans un génocide, ce n'est pas quelqu'un qui meurt : tout le monde meurt. Et à propos des tueurs, c'est grand mystère, personne ne les connaît. Tu passes ton temps à vouloir montrer que les tiens ont été tués, alors que c'est évident, et comme tu ne peux pas citer celui qui a tué car sa famille, ses voisins, tous concernés, ne vont rien dire, tu restes perdu. Personne ne les a tués, nos morts.

Il y a une autre raison, également, pour laquelle on s'est tu à propos du génocide : on vivait encore avec nos tueurs. Et jusqu'à aujourd'hui, nos tueurs vivent toujours avec nous. Ils étaient nos voisins, nos collègues, nos commerçants, et même si on ne les connaissait pas personnellement, on savait que, de toute façon, tous avaient participé. Alors on n'allait pas pleurer ou gémir devant eux. On n'allait pas leur faire ce plaisir, puisqu'ils avaient déjà tué tous les nôtres. Je vous l'ai dit, il faut avoir quelqu'un à qui raconter. Si tu es commerçante sur le marché, que vas-tu dire, et à qui ? Les tueurs, ils vendent aussi leurs marchandises, ils sont toujours là, côte à côte avec nous. Au marché on est côte à côte, à l'école on est côte à côte, à la source d'eau on est côte à côte, à l'église on est côte à côte… Et même, si tu dis quelque chose, comment vas-tu en ressortir ? Tu vas raconter et à la fin, sûrement, tu vas pleurer, pleurer… et eux, les tueurs, ils vont être contents de te voir ainsi. Et toi, tu ne veux pas. Un journaliste reporter britannique m'a dit un jour que, bien sûr, il n'avait certes jamais imaginé qu'après le génocide, les Hutu marche-raient à droite dans la rue et les Tutsi à gauche mais que, s'il n'était pas venu sur place, il n'aurait jamais réalisé à quel point c'est fou notre vie : Tutsi et Hutu côte à côte, après ce génocide. Comme si de rien n'était. Presque tous ceux de ma colline sont devenus génocidaires. Je les connais tous : ce sont mes anciens instituteurs, mes voisins, des jeunes avec qui j'ai grandi, le bourgmestre. Je m'arrêtais toujours chez lui quand j'allais voir mes parents, il était très gentil, puis il a viré, comme je l'ai déjà raconté. Quand je regarde de près ce qui nous est arrivé, je me dis : les Hutu, ils n'étaient pas si mauvais, ou pas plus que moi. Ou alors, on est capables de cacher le fin fond de soi-même. Les tueurs que je connais, ou bien ils cachaient leur jeu et j'étais fort naïve, ou bien ils sont simplement humains et capables du pire et là, quand cette pensée me vient, j'ai peur de l'humanité, et j'ai peur pour l'humanité.

En tout cas, je ne veux pas les comprendre, pas encore. Je veux procéder par étapes : dans dix ans, peut-être. Je ne veux pas comprendre mais parfois, je me dis qu'il faudrait peut-être, mais je me dis aussi que des gens sont payés pour cela, comprendre les tueurs – des politiciens, des psys, des humanitaires, des bien pensants… Tous ceux dont le travail est d'approcher des criminels. Moi, je n'en ai pas besoin.

Je ne veux pas les comprendre, et je ne veux pas les excuser. Ils l'ont fait, ils l'ont fait et je veux qu'ils paient, et qu'ils dorment mal. Est-ce que tu crois qu'ils dorment ?

7
La peur de ne pas être cru

Quand un rescapé raconte le génocide, il sent bien qu'on a du mal à le croire. C'est trop. Je l'ai déjà dit, pour celui qui écoute, c'est trop, c'est comme si on exagérait. Si le rescapé a régulièrement l'impression de ne pas être cru, c'est que les gens en face de lui ont souvent envie de se convaincre que ce n'était pas si horrible comme situation. Horrible, cela l'était. Tellement, justement, qu'on se dit soi-même, rescapé : est-ce que *ça* s'est *vraiment* passé ? Est-ce que quelqu'un a *vraiment* pu faire ça ? Je sais pourtant que *ça s'est passé* mais c'est comme si je ne voulais pas le croire, c'est trop inimaginable.

...C'est parce qu'un rescapé a lui-même du mal à *se* croire.

Encore aujourd'hui, il m'arrive de me demander parfois si je n'ai pas imaginé certains détails, certaines scènes alors que je les ai moi-même vécus, alors que je m'en souviens parfaitement.

...C'est parce qu'un rescapé a lui-même du mal à y croire.

À croire au génocide, qu'il a pourtant subi.

Je sais bien le risque que j'encours à oser dire ce doute. Certains s'en emparent aussitôt pour alimenter leur thèse négationniste ou révisionniste. Depuis dix ans, en effet, il court la croyance tenace que soit le génocide des Tutsi n'aurait pas vraiment existé, soit qu'il y aurait eu, en fait, un double génocide : celui des Tutsi puis, avec l'arrivée du FPR, celui des Hutu. Et je sais bien que, face à un tribunal, mon propos serait bien utilisé : « Alors, comme ça, vous-même vous doutez alors que vous prétendez l'avoir vécu... »

Oh, il a bel et bien eu lieu notre génocide ! Ce que je veux exprimer n'est pas un doute historique. C'est quelque chose à l'intérieur de nous, de moi, quelque chose de confus, de fou. Oui, c'est cela exactement, un doute qui aurait à voir avec la démesurée folie des faits, bien plus qu'avec leur authenticité. On se dit : ce que nous avons vécu est insensé, pourtant on ne cesse d'en chercher le sens... Alors, bien sûr, cela rend fou. Ou, au mieux, confus. Je n'irai jamais demander quoi que ce soit devant un tribunal parce que je sais parfaitement que, face aux juges, cette confusion sera interprétée comme du mensonge, ou une déformation de la vérité. Alors que cette vérité, inouïe, insensée, absolument folle, folle, cette vérité du génocide, je l'ai vécue, traversée et encore aujourd'hui, elle me paraît inouïe, insensée, absolument folle, folle.

Quand j'ai commencé à exercer comme thérapeute, à Kigali, j'ai reçu une vieille dame, Bibi. Elle m'a raconté comment on a tué ses enfants avant de les jeter dans les toilettes ; elle avait assisté à la scène et elle a demandé aux tueurs de la tuer à son tour mais ils n'ont pas voulu parce que c'était plus cruel de la laisser en vie en ayant assisté à la mort des siens, et sans eux, après. Et lorsque Bibi racontait la façon dont on avait tué sa dernière fille, Claire, elle bloquait toujours. Ce moment particulier constituait le nœud de son traumatisme : les hanches de sa fille étaient trop larges et les tueurs les ont coupées pour en faire, ont-ils dit, « *un corps standard* ». Les hommes Tutsi avaient la réputation d'être trop grands : mesurer un mètre quatre-vingt-dix devenait donc une faute. Les femmes, elles, commettaient celle d'avoir une taille très mince, le ventre plat avec d'énormes hanches. Avant de les tuer, il fallait donc les ramener à une taille « standard » pour, dans le cas de Claire, forcer son passage dans les latrines. Et ils l'ont fait devant Bibi, sa mère.

Mais, comme pour mon amie Alice, les gens interrompaient toujours Bibi parce que, dans leur for intérieur, ils se disaient : « Couper en morceaux ! Mais tu exagères, ce n'est pas possible... » Ça a été possible, puisque Bibi l'a vu de ses propres yeux. Mais l'horreur de cette situation suscitait le doute et, par défense, on ne pouvait que penser : « Ils l'ont coupée, d'accord, mais ils n'ont pas poussé la cruauté jusqu'à égaliser les mesures du corps de sa fille pour l'enfoncer !... » Couper Claire pour faire un « corps standard ». Tu crois que ce sont des expressions qu'un rescapé peut inventer ?

Il y a une explication pour laquelle les gens réagissent ainsi : la raison peut-elle admettre qu'un être humain puisse faire cela ? La raison peut-elle admettre une telle cruauté ? Non. Non, je te l'assure. Quand on te dit : « Stop, arrête » ou bien « Non, ce n'est pas possible, ce n'est sans doute pas vrai », c'est que l'autre touche la limite de l'inimaginable. Moi-même, j'atteins parfois cette limite de l'ir-représentable : attention, ce n'est pas que je ne crois pas à cette histoire, mais je ne la comprends pas, je ne l'admets pas. Tuer, ce milicien en avait l'ordre, d'accord. Mais personne ne lui a proposé tous ces détails, personne n'a proposé de faire encore pire qu'exterminer. Alors ? Hein ?… *(silence ; puis, très bas)* Alors, je comprends qu'on soit tenté de ne pas y croire afin de se protéger. Qu'on préfère l'analyse au récit, comme ce collègue étranger qui m'a dit, un jour, avoir particulièrement apprécié un ouvrage d'enquête sur le Rwanda « parce qu'il propose une bonne analyse des faits, sans histoires d'horreur. L'horreur, les descriptions, on connaît déjà. » Quoi, il veut analyser la matière qui a été mon vécu ? Qu'est-ce que je pourrais bien lui répondre ? Rien : intérieurement, je râle mais je l'accepte.

Parfois, en conférence, j'adoucis volontairement les récits de rescapés que je cite, pour ne pas déranger l'auditoire, ne pas le choquer. J'épargne des détails, j'évite de parler des horreurs car j'ai l'impression que les gens sont mal à l'aise de toute la cruauté qui s'est passée et j'ai l'impression qu'ils ne vont pas me croire – puisque c'est *incroyable*. Les gens veulent surtout entendre que tu as été brave, que tu t'en es sortie. J'ai déjà donné des conférences dont l'organisateur me disait : « Essaie d'être positive dans ton exposé. » Mais c'est peut-être aussi un comportement que j'ai moi-même intégré ? Pourquoi, par exemple, est-ce que je tiens à montrer, partout, durant des conférences, l'image de femmes rescapées fortes, qui élèvent vingt enfants orphelins toutes seules ? Pourquoi je nous montre batailleuses ?… Je crois que c'est d'abord par peur de susciter la pitié, mais aussi pour protéger ceux à qui je raconte, ne pas trop les effrayer, ne pas les bloquer. Car quand c'est trop horrible, ils ferment les oreilles. Dans le trop horrible, tu ne peux, tu ne veux pas te retrouver. Mais si dans cette horreur, tu racontes un bout d'histoire où il y a du courage, du hasard chanceux, alors, malgré tout, les gens la prennent. Et ils s'identifient à ce petit bout d'histoire. Mais je dois être honnête : moi aussi ! Il ne s'agit pas seulement du besoin des gens à entendre du positif, mais du mien aussi ! J'ai besoin de ce petit bout d'humanité, j'ai besoin d'y croire encore un peu, pour continuer. Sinon… sinon, on en finit avec soi-même.

J'ai suivi Bibi en thérapie un moment, une fois par semaine, toujours le même jour, à la même heure, durant un temps donné de soixante minutes. Elle ne parlait pas facilement. Pendant longtemps, elle disait : « Esther, le film qui est dans ma tête, le film que je vois chaque nuit… », sans pouvoir poursuivre. Puis, peu à peu, elle a commencé à raconter. Mais quand elle arrivait à ce qui lui nouait la gorge, elle se taisait. Ce qui a pu nous aider, dans le cadre de la thérapie, c'est le fait qu'elle vivait dans un hangar et que, chaque fois que le « film » calait, elle pouvait se rabattre sur des soucis concrets. Elle s'arrêtait de parler du moment traumatique et revenait à un sujet bien pratique. Et puis, un jour – environ trois semaines après le début de notre travail – elle a pu parler de Claire, et des hanches trop larges qu'on avait coupées pour parvenir à l'enfoncer dans les toilettes. Il avait plu et, sa toiture étant percée, elle avait été trempée durant la nuit. En évoquant cette pluie en séance, elle est revenue sur le champ où on a tué ses enfants parce qu'il y avait beaucoup plu : et là, enfin, elle a pu en parler. Son récit nous a aussi permis de mesurer quelque chose qu'on ignorait : pour que Bibi soit trempée au point que cette pluie nocturne ait pu réveiller ces souvenirs, ça devait être des torrents d'eau, pas quelques gouttes seulement. Malgré toute sa dignité, Bibi vivait dans des conditions misérables. Alors, à partir de ce moment, on a contribué à la construction d'une maison pour elle. Son état allait de mieux en mieux, mais sa nouvelle maison y était pour beaucoup. Parfois, je la reconduisais en voiture. Pour nous, cela n'avait pas de sens de lui faire suivre une thérapie sans lui payer son billet de transport, lui permettre de prendre un taxi pour arriver jusqu'à notre local, sans la raccompagner ou sans participer à la reconstruction de son logis. Les progrès de notre travail, je les ai également vus à travers ces actions concrètes.

Quand Bibi a parlé, cette fois, quelque chose s'est enfin lâché. Avant, elle tentait trop de contenir: elle arrivait le mieux vêtue qu'elle pouvait, elle tentait des blagues. Là, elle s'est mise à trembler et, avec son bâton de vieille qu'elle ne quittait jamais, elle a fort frappé ce jour-là. La séance a été intense mais s'est très bien passée. Je l'ai raccompagnée à la sortie puis l'ai saluée avant de recevoir une autre patiente. Bibi n'avait jamais rencontré Espérance, mon amie rescapée grâce à ses cours de natation. Cet après-midi-là, elle l'a croisée par hasard pour la première fois et comme Espérance avait les mêmes hanches que sa fille Claire, lorsque Bibi l'a vue, elle s'est tout de suite mise à courir en hurlant et en demandant: «Cachez-moi! Cachez-moi!» On est aussitôt venu me chercher, et heureusement que je savais ce qui se jouait. On m'a demandé: «Mais qu'est-ce que tu lui as fait? Elle ne va pas du tout!» Moi-même, si Bibi avait rencontré Espérance plus tôt, sans m'avoir encore parlé, je n'aurais jamais pu comprendre le nœud de ce traumatisme. Mais, au contraire des autres, j'étais contente, je trouvais qu'on avançait. Bibi avait pu l'exprimer, ça sortait. Après, elle est très souvent venue. Au début, elle se perdait toujours puis Avega est devenu son but, son objectif. Elle a commencé à s'acheter de nouveaux pagnes. Le fait de pouvoir finir son « film », de pouvoir parler de chaque scène, chaque élément, aller au bout sans désormais plus bloquer, c'étaient de vrais progrès. Et ce qui est beau, c'est qu'elle a noué un lien très fort avec Espérance par la suite, comme si elle acceptait d'adoucir son rapport au passé et retrouvait ainsi, symboliquement, sa Claire intacte, entière. Mais, surtout, au-delà d'avoir pu s'exprimer, le fait que sa parole ne soit plus mise en doute a été déterminant pour Bibi.

En écrivant ce livre, je ressens moi-même ce sentiment : je crains toujours de ne pas être crue. Alors, je cherche continuellement à être le plus concrète possible, à donner le maximum de détails concrets, inébranlables, pour qu'on ne me remette pas en question. Chaque fois que je parle, en conférence, c'est une de mes peurs : qu'on puisse douter, dire que ce que je raconte n'est pas vrai. Me demander, par exemple : comment Espérance a-t-elle pu survivre dans le fleuve puisque, habituellement, les tueurs assommaient toujours leurs victimes, avant de les jeter à l'eau ? Or Espérance, elle, n'a pas été assommée. Mais, si je ne précise pas d'emblée exactement tous les détails, on peut émettre un doute en écoutant cette histoire. Aussi, je devance toute suspicion. Comme si je me sentais fautive d'une faute que je n'ai pas commise ! Alors que je sais que tout s'est passé exactement comme je le dis. Tu te rends compte où j'en suis arrivée… Alors, je fais très attention, je précise toujours, à ce moment spécifique du récit où les tueurs ont noyé le bébé d'Espérance avant de la jeter, elle, dans le fleuve : « [...] Comme elle avait eu la chance de ne pas avoir été assommée, elle a eu le réflexe de nager. » Voilà donc une des raisons pour lesquelles on donne tant de précisions, lorsque, parfois, on raconte comment on a survécu au génocide. Mais, en même temps – oh, c'est toujours ce même dilemme ! – si je raconte en détail l'horreur vécue, je ne serai pas entendue puisque c'est « trop », comme on nous dit toujours…

Alors, je me dis que c'est pour cela que je veux écrire, que c'est urgent, essentiel, qu'il me faut absolument le faire. Il me faut immortaliser ces moments que ma mémoire ne gommera jamais mais refoulera, peut-être, à force de vagues de doutes. Car je sens bien que l'Histoire et la mémoire ne feront pas grand-chose pour affaiblir ces doutes.

DEUXIÈME PARTIE

8
L'enfance d'une Tutsi
à la campagne

Mwirute, c'est ma colline. C'est là où je suis née. Un mercredi après-midi, le 10 septembre 1958. Je suis la quatrième fille de mon père et de ma mère. Ceci est important à dire, parce que mes parents n'ont cessé d'espérer un garçon mais, jamais, ils ne m'en ont fait le reproche. Papa était fantastique, c'était un sage pour les uns, un vrai chrétien pour les autres. Il reste mon modèle. J'ai toujours eu de très longues conversations avec lui, depuis toute petite. Je cherchais toutes les occasions pour être à ses côtés. C'est ainsi que j'ai appris l'histoire de notre lignage, les Abadungu, issus du clan des Abasindi. Je suis Tutsi parce que mon père est Tutsi, et je suis Umusindi parce que c'est le clan de mon père. *(ndlr : Umusindi est le singulier de Abasindi.)* Ma mère, elle, était du clan des Abatsobe. Le sens du clan était plus fort que celui d'ethnie. Je savais bien que j'étais du clan des Abasindi et que toute la famille de mon père, oncle Daniel, oncle Migambi, tante Maria ainsi que leurs enfants constituaient ma famille de Mwirute. Je savais aussi que les oncles Sindambiwe, Petero, Gasongo, Tienne, eux, étaient ma famille de la colline de Gacurabgenge, de Kamonyi, ainsi que celle de Ruyumba.

Lorsqu'une femme se marie, la suite logique et heureuse chez nous, c'est qu'elle ait des enfants. Beaucoup d'enfants, et de préférence des garçons. C'est ainsi qu'on perpétue la lignée : avec des garçons, pas avec des filles. Si tu as des filles, cela signifie que la famille est finie parce que si je me marie, moi, fille, mes enfants prendront le clan de leur père. Donc, à travers moi, mon clan ne continue plus. Moi étant Umusindi, je ne peux pas avoir un autre Umusindi parmi mes enfants. Faire une fille, c'est donc faire cesser ton clan ; et c'est ce que notre famille paternelle reprochait à ma mère, qui n'a eu que des filles et, qui plus est, avec quatorze ans d'écart entre la première et la deuxième ! En toute logique de société patrilinéaire, ma mère était en train d'éteindre le clan de mon père. De la maison de Mfizi, mon père, il n'allait donc plus naître d'Abadungu, vu que toute sa progéniture, c'est-à-dire nous, nous n'étions que des filles et que, plus tard, nous allions enfanter des enfants des clans de nos maris. Ce qui s'est avéré d'ailleurs, par la suite : les miens sont Abaha, du clan d'Innocent, mon mari. Ma mère est donc une femme à répudier. Toute femme est considérée responsable du sexe des enfants qu'elle met au monde, mais là, papa a dit à sa famille : « D'abord ce n'est pas vrai, elle n'est pas responsable. Biologiquement, ce n'est pas vrai ! Ce n'est pas ma femme qui décide, donc ce n'est pas sa faute ! C'est Dieu qui m'a donné des filles. » Pourtant, mon père ne prenait pas la naissance de ses filles comme une prédestination, ou pas seulement. En tout cas, jamais comme du fatalisme. C'était surtout le refus des autres qu'il combattait; il refusait qu'on prenne ma mère pour responsable, et ça, c'était très osé de sa part: «Dieu veut faire quelque chose avec mes filles.» D'ailleurs, à la maison, on a toujours vécu dans ce «patriotisme»-là: qu'est-ce que Dieu veut faire de nous, les filles de Mfizi?... *(silence)* En tout cas, surtout pas des chiens, ça, on l'a jamais imaginé... La triste ironie du sort est que, de toute façon, Abadungu ou Abatsobe, Abaha ou Abahindiro du côté de mon mari, tous étaient Tutsi, et tous ont été exterminés en 1994.

Petite, je ne savais pas que la famille de notre voisin Stefano et la mienne étaient toutes deux Tutsi. Pour moi, avant tout, il était d'un autre clan que le mien. Au Rwanda, le voisin était très important. En tout cas pour la vie de tous les jours, et nos vies de tous les jours étaient sincèrement toutes pareilles. C'était le travail quotidien, sauf le dimanche chez les chrétiens. C'était dur. Mais on ne connaissait pas autre chose. Dès qu'on commençait à avoir l'âge de marcher, on était déjà bon pour quelque chose, comme toutes les petites commissions au sein de l'enclos. Parce que chez nous, ce n'est pas la maison qui compte, c'est tout l'enclos. La maison sert surtout pour manger et dormir. La plupart des autres activités se passent toujours dehors. Il y a l'avant-cour, devant la maison, comme une sorte de place publique. C'est là où on reçoit les visiteurs – des proches qui ne viennent pas de loin, qui passent et veulent juste dire bonjour, ou voir comment va l'enfant ou la vache qui était malade hier, ou encore demander si le voyage de la veille s'est bien passé. Lorsque de tels visiteurs arrivent, déjà à l'entrée de l'enclos, *mu marembo*, le visiteur s'annonce à voix haute avec les salutations d'usage, selon qu'on est le matin ou dans le courant de la journée. Le matin, il dira: *« Mwaramutseho yemwe kwa Mfizi ? »* Ceci signifie: « Avez-vous survécu à la nuit, vous les personnes de chez Mfizi ? » Et si la journée est déjà fort avancée, il dira: *« Mwiriweho yemwe kwa Mfizi ? »* Ceci signifie: « Survivez-vous bien à la journée, vous les personnes de chez Mfizi ? » La vie est quelque chose de très important. Et c'est ce qu'on peut souhaiter de meilleur à son voisin. Il existe aussi d'autres salutations, lorsqu'on ne s'est pas vus depuis longtemps: le plus âgé salue toujours le plus jeune, on s'embrasse en s'entourant des deux bras et on peut, par exemple, te souhaiter des vaches, *(« Amashyo ? »)* ; ce à quoi tu réponds: « Oui, et surtout des femelles » *(« Amashyongore »)*. Si tu es céliba-taire, on te souhaite un mari *(« Gira umugabo ? Ye »)* et si tu es marié, on te souhaite des enfants *(« Gira abana ? Ye »)*. Si tu es un enfant, on te souhaite d'avoir un père et une mère *(« Gira so na nyoko ? Ye »)*. Tout ceci explique pourquoi depuis le génocide, il devient même difficile de faire les plus banales salutations d'usage. Comment savoir, en effet, si la belle femme à qui tu souhaites un mari n'est pas justement veuve du génocide? Une mère à qui tu souhaites des enfants les a peut-être tous perdus, de même les orphelins ont perdu leurs parents ou bien encore comment saluer tous ceux qui ont perdu leurs vaches en même temps que les êtres chers?

Après les salutations, on va s'asseoir ensemble devant la maison. Si vous êtes occupé à décortiquer le café, les haricots ou à sélectionner la semence – en fait, on est toujours en train de faire quelque chose – le visiteur va se mêler à vous et continuera à bavarder tout en travaillant. Si c'est un homme, on lui apporte la petite chaise pliante ou un petit tabouret; si c'est une femme, une natte. Les nattes, on les confectionne nous-mêmes. Je veux dire les filles. C'est ce qu'on fait dans les moments de détente, où on est censé ne rien faire, comme les après-midi de grosses chaleurs : on confectionne les nattes pour s'asseoir dessus ou pour couvrir les lits, et toutes sortes de paniers dans lesquels on gardera la récolte. On essaie d'acheter le moins possible, parce qu'on n'a pas beaucoup d'argent dans les villages. On a seulement de l'argent quand c'est la saison du café et qu'on a bien vendu. Lorsque se présente une dépense importante, comme celle pour la rentrée à l'école secondaire ou un mariage, alors on doit vendre une bête, vache ou chèvre si on en a, ou une petite parcelle de terre.

J'ai toujours aimé le dimanche. C'était le seul jour où on arrêtait de travailler. Et encore, seulement si on avait la chance de ne pas être désigné à la garde de la maison ce jour-là ! Parce que chez nous, il n'est jamais arrivé qu'on quitte la maison tous ensemble et qu'on ferme derrière nous. Bien sûr, on aurait pu le faire et, comme papa travaillait, on avait une belle serrure moderne à la porte qui donnait sur l'extérieur. Une porte qu'on ouvrait rarement, sauf quand on avait des visiteurs très importants qui arrivaient de loin, comme ma grande sœur qui habitait en ville avec sa famille et qui venait chez nous en voiture. Les visiteurs en voiture sont, en général, des gens très importants. Eux ne passent donc pas par le grand enclos. Ils frappent à la porte de derrière et, heureusement, on entendait le bruit du moteur bien avant leur arrivée pour pouvoir, en quelques minutes, vérifier que le salon était convenablement rangé – surtout que ma mère ne se gênait pas, par temps de grandes récoltes, d'y entasser haricots ou sorgho en attendant de les traiter et les conserver. Cette porte pour visiteurs chic et riches servait aussi pour les visiteurs de nuit. S'il y avait une urgence, et que quelqu'un devait s'adresser aux parents la nuit après la rentrée des vaches, il n'y avait plus moyen d'ouvrir l'enclos parce que les vaches y dorment la nuit. *Kugarira* : c'est le nom de la méthode pour fermer l'enclos. Entre les deux piquets qui marquent l'entrée, on doit agencer de manière très stable des piquets de bois entrelacés pour ne laisser passer personne, et assez hauts pour ne pas pouvoir les sauter. *Kugarira no kugurura*, c'est-à-dire fermer l'enclos le soir et l'ouvrir le matin, c'était une tâche qui n'enthousiasmait pas les enfants. Quand il fallait le faire, le soir, souvent il avait commencé à faire froid ou il pleuvait alors qu'on était déjà bien au chaud au coin du feu, dans la cuisine ; quant au matin, il fallait le faire dès l'aube afin que les premiers voyageurs ne remarquent pas que l'enclos était encore fermé et racontent ensuite qu'on était donc des paresseux.

Le dimanche, levés très tôt, après avoir vaqué aux travaux absolument indispensables comme chercher l'eau, faire à manger, repasser les habits du dimanche qu'on avait pris soin de laver la veille, on pouvait aller au culte à Remera. Un voyage : quatre kilomètres à pied. Mais au moins on sortait de la maison. C'est pour cela que je n'ai jamais aimé notre petite église de Mwirute construite plus tard ; elle n'était qu'à cinq minutes à pied alors que, moi, j'aime bien marcher, aller loin et ne revenir que le soir. On arrivait toujours en retard au culte de Remera, mais jamais les derniers parce que les gens arrivaient de partout. À la sortie, on avait souvent la permission d'aller dire bonjour à Gishyeshye, la colline de la famille de ma mère. On pouvait visiter tante Melia, la sœur de ma mère et ma préférée, ou oncle Rwagaju mais dont la femme me faisait peur. Elle avait une poitrine terrible. Stéphanie et Rachel, mes sœurs, m'avaient raconté que pour allaiter ses bébés, elle ne retirait pas l'enfant de son dos, elle faisait juste passer son sein par-dessus son épaule et qu'il pouvait ainsi la téter ! Et puis, elle parlait très fort, avec un fort accent du nord. Elle venait du côté de Byumba. Mais les parents n'aimaient pas du tout qu'on ait de telles discussions, ce n'était pas bon de se moquer des gens, ou de ne pas les aimer. Chacun était différent mais chacun avait droit au respect et à l'amour. En fait, c'était la seconde épouse de mon oncle Rwagaju, veuf de Nyinawandori, la mère de ses enfants et de mes deux cousines, Iyakaremye et Nyampinga. Il s'était remarié parce qu'il ne pouvait pas s'en sortir seul avec les nombreux enfants, même si Melia pouvait l'aider. Mais Melia elle-même avait beaucoup à faire: sa nièce, Nyiramasuka, était morte et lui avait laissé ses enfants ; elle avait même dû en confier deux à ma mère, parce que chez nous il y avait beaucoup de vaches: on n'allait pas manquer de lait. J'ai donc grandi avec ces deux cousines que j'ai toujours considérées comme mes sœurs: Mutumwinka et Dedeli, arrivées chez nous toutes petites et, plus tard, mariées comme les filles de mon père et ma mère.

On n'avait pas beaucoup d'argent mais on avait nos mains pour travailler, et nos têtes pour porter, et nos jambes pour marcher, marcher… jusqu'à en avoir mal aux pieds. J'ai marché, enfant, dès le chant du coq. C'était le meilleur moment pour aller chercher l'eau. On cherchait de l'eau dans la vallée de Rugina où habitait oncle Daniel. On devait descendre en courant le chemin escarpé et rempli de pierrailles pour éviter de glisser par temps de pluie. Mais les pierres du petit matin, qu'est-ce qu'elles peuvent faire mal aux pieds nus!... Les grands nous racontaient que ces pierres du matin faisaient mal parce qu'elles étaient encore endormies, et c'est vrai que lorsqu'on faisait plusieurs trajets pendant la journée, surtout les jours de grands travaux comme la préparation du vin de banane ou la bière de sorgho, là, je sentais la différence; à partir du deuxième tour, les pierres faisaient moins mal. J'ai cru longtemps que c'est parce qu'elles s'étaient réveillées au cours de la journée.

Mais ce que je n'ai jamais oublié, et dont je porte les traces encore maintenant, ce sont les grosses pierres. Celles contre lesquelles j'ai si souvent buté, parce que je ne les avais pas vues ou parce que je courais trop vite pour rattraper ma sœur ou mes camarades en avance sur moi. Ce sont toujours les gros orteils qui butaient dessus, *Gusitara*. À force, ils avaient fini par perdre leurs ongles et même s'il en a poussé de nouveaux, mes pieds n'ont jamais retrouvé leur forme initiale. Un jour, ma grand-mère, qu'on appelait *Nyogokuru* (grand-mère en kinyarwanda) mais qui, en fait, était une tante maternelle, m'a dit qu'elle allait me guérir de cette habitude de buter. Elle m'a dit – et je l'ai crue – qu'en fait mes pieds se cognaient parce que mes orteils étaient aveugles. Alors, il fallait les éclairer une bonne fois pour toutes. Et chaque soir devant le feu, elle faisait toute une cérémonie autour de mes pieds: elle les éclairait avec un morceau de bois enflammé et leur ordonnait d'ouvrir les yeux désormais et de ne plus manquer une seule grosse pierre de tout le chemin qui venait de la vallée de Rugina. Et ça a marché! Je ne me suis plus blessée comme avant. Mais le mal étant fait, jamais mes pieds ne gagneront un concours de beauté.

Ce n'est que plus tard, quand elle est partie, que j'ai su pourquoi Nyogokuru habitait chez nous : après les massacres de Tutsi en 1959, son mari avait été tué et elle avait été chassée de sa maison dans le Kibali. Son fils Yohana, lui, était occupé à essayer de conquérir le Bugesera. Le Bugesera est une région inhospitalière où allaient désormais habiter tous les Tutsi rescapés des massacres de 1959 et 1963 dans le Nord. Un endroit de marais insalubre où les autorités les avaient déportés, certaines qu'ils ne pourraient pas y survivre : y règnent la malaria, la mouche tsé-tsé, la forêt pleine de bêtes sauvages. Mais ils ont travaillé la terre, assaini les marais, construit les maisons, défriché la forêt et fait reculer les hyènes et les lions. Donc, quand Kabano a conquis le Bugesera et aménagé un chez-soi avec sa femme et leur premier enfant, ils ont repris Nyogokuru. C'était loin de chez nous, je ne l'ai plus revue. C'est seulement plus tard que j'ai compris que ses silences et amertumes cachaient bien des drames qu'à l'époque je n'aurais pas compris, ou qu'on voulait m'éviter de comprendre.

Aujourd'hui, il n'y a pas un seul survivant dans ma famille du Bugesera.

Et presque pas un seul de la famille de mon père, de celle de ma mère, ni de celle de mon mari.

9
Une nature généreuse,
un pays raciste

Au Rwanda, tu marches tout le temps. Pour chercher de l'eau, tu marches ; pour aller à l'école, tu marches ; pour aller au marché, tu marches ; pour aller à l'église, tu marches ; pour rendre visite à la famille, tu marches... Tu marches toujours, et depuis toujours.

Kagina, c'est la colline de notre deuxième résidence. On s'y rend en trois heures. De marche, bien sûr... Kagina est, en fait, la résidence des troupeaux, des vaches. À Mwirute, depuis déjà quelques années, ma colline natale est trop habitée, les pâturages s'y font de plus en plus rares et les disputes avec les voisins, dont les bordures des champs ont été endommagées par les vaches, de plus en plus nombreuses. C'est ainsi que mon père et son oncle Daniel décident d'émigrer les vaches à Kagina. À Mwirute, on n'en laissera qu'une ou deux, surtout celles qui allaitent et celles qui donnent le lait. Et on continuera ainsi d'avoir du fumier. C'est très important pour les champs qui, sans fumier, ne donnent presque plus rien ces jours-ci. La seule chèvre qui paît à Kagina appartient à mon cousin Rubayiza, le fils de mon oncle Rwagaju. Venu aider mon père pour garder les troupeaux de vaches, il a amené une petite chèvre à lui. La chèvre de Rubayiza, comme on l'appelle, fait donc partie du paysage. Elle n'a pas d'autre nom, contrairement aux vaches. Cette semaine, en ce mois d'avril 1973, la chèvre de Rubayiza a mis bas.

Trois heures de marche de distance, ce n'est donc pas très loin pour approvisionner les bergers en vivres et, d'autre part, approvisionner Mwirute en lait. Adolescentes mes sœurs et moi, on organise des tours de rôle pour se rendre à Kagina. Elles n'aiment pas ça, trouvent que c'est quand même bien loin, surtout avec un grand panier de vivres sur la tête à l'aller et deux ou trois grands pots de lait, *Ibyansi,* au retour. Et puis, Kagina est très pauvre et notre installation, sommaire : une petite maison de fortune, sans aucun confort à l'intérieur. Pourtant, moi, j'aime y aller. J'aime bien faire ce long trajet seule parce qu'en cours de route, je n'arrête pas de me raconter les histoires et découvrir plein de nouvelles choses autour de moi. D'abord je passe à travers les champs de Mwirute et, pour l'instant, je ne suis pas encore seule. Je rencontre beaucoup de gens sur le chemin qui vont et viennent ou bien ceux occupés à travailler dans les champs. Et les salutations d'usage n'arrêtent pas. Tu ne peux jamais passer à côté de quelqu'un sans saluer et dire où tu vas, puis promettre que tu remettras bien le bonjour à tes parents de sa part… Au moins, avec ces échanges, je suis toujours au courant des dernières nouvelles de tout le monde. Mes sœurs me surnomment la « radio dans l'euphorbe » : je connais tous ceux qui sont actuellement malades, les couples qui se sont disputés, les vaches qui ont été abattues… Mais mes parents n'aiment pas quand je commence à colporter tout ce que j'ai appris des environs.

Après la traversée de Mwirute, commence celle de Nyaruyonza et Kibitare. Ce sont des endroits qui ne sont pas habités parce que le sol y est très pauvre et recouvert de pierrailles, d'*ishinge* et *umukenke*, des plantes typiques de ces terres maigres. Ce sont pourtant de très belles plantes, et si gracieuses quand elles bougent dans la même direction que le vent! Elles se penchent jusqu'à terre comme si elles te faisaient la révérence puis elles se redressent, très dignes, et font un peu comme du surplace avant de se recourber dans l'autre sens. Comme je n'ai plus personne à saluer ou avec qui échanger, je presse le pas. Pour le moment, mes seules compagnes sont des cigales qui n'arrêtent pas de bavarder entre elles; comme je commence à paniquer un peu d'être seule, je me mets à leur parler aussi. Je leur raconte toutes les histoires que mes parents ne veulent pas que je rapporte, et elles au moins rient et ne me disent pas de me taire. Elles rient, ou bien me posent beaucoup de questions; mais quand elles s'y mettent toutes ensemble, ça devient une telle caco-phonie que je leur ordonne de se taire si elles veulent que je continue mon récit. Alors elles baissent leur chant et je reprends mes histoires. Et je me laisse bercer par le vent dans l'*umukenke*.

À ce même rendez-vous, je rencontre aussi de très beaux papillons qui font la route avec moi. Ils sont de toutes les couleurs, et vraiment bien habillés. Et puis, beaucoup d'oiseaux aussi, avec des voix bien diffé-rentes; les plus jolis sont les *nyirabarazana* qui volent toujours en groupe: parfois, ils – «elles» en kinyarwanda – s'arrêtent et peuvent vraiment faire comme un très beau pas de danse ensemble, dans le ciel. Mais pour qu'ils dansent, tu dois leur promettre en chantant que tu leur donneras du lait de vache bien frais, celui qui était destiné aux veaux: «*Mbyinira agatebebe, nzaguha amata y'inyana.* » Lorsque je les croise, je me permets ma première pause parce que pour leur chanter leur chanson et battre des mains au même rythme que leurs ailes en admirant leur danse, je dois lever la tête et fixer le ciel. Ma corbeille de provisions bien en équilibre sur ma tête risque alors de tomber : je suis donc obligée de soigneusement la déposer par terre, puis je goûte à ce petit repos, en compagnie des *nyirabarazana*.

Cependant, je ne dois pas traîner. Les bergers attendent la nourriture et je dois me dépêcher. Je descends très vite la colline, traverse la vallée de Mayaga en espérant que la rivière Cyogo n'est pas en crue parce qu'alors il me faudrait attendre, au bord de la rive, qu'un adulte passe et m'aide à traverser. Ensuite, le voyage continue à travers la semi-forêt de Mukigusa. Là, je presse vraiment le pas parce qu'il y a de gros oiseaux dont je ne connais même pas le nom, sauf celui de *ibyiyoni*, une sorte de grand corbeau noir avec une cravate blanche, à l'air menaçant et dont le croassement n'a rien de la beauté des *nyirabarazana*. La végétation est dense, avec de nombreux bruits et sons bizarres, des sifflements de serpents, et là, j'ai vraiment peur. Je recommence à parler à haute voix, j'invente des dialogues en contrefaisant ma voix comme si j'étais, nous étions deux personnes en conversation. Je ne suis rassurée que lorsque j'arrive à l'orée du bois, et qu'apparaît la demeure de la famille Malakia et Martha. Alors je les salue très fort, ils me répondent et me souhaitent un bon voyage pour le trajet restant. Mais je sais que le pire est passé et que maintenant, je ne risque plus de mauvaises rencontres. Ouf… Je marche allégrement jusqu'aux premières maisons de Kagina et enfin, me voici à la maison.

Aujourd'hui ma visite à Kagina est décisive pour ma vie future, mais je ne le sais pas encore. Ma mère est déjà là depuis une semaine et je suis contente de la revoir. Je la retrouve en compagnie de Cesaria, la femme du cousin Karera qui habite dans la commune de Shyorongi, face à Kagina, et que seul le fleuve Nyabarongo sépare. Le fameux fleuve que je déteste, tant les histoires qu'on raconte sur lui sont terribles. À cause, bien sûr, de ses hippopotames et ses crocodiles. Mais aussi, et surtout, depuis les événements de 1959 – entends par là les massacres –, parce que c'est toujours ce même fleuve qui charrie les corps des Tutsi tués. Ce même fleuve aussi qu'un intellectuel Hutu déclarera à ses frères Hutu comme le plus court chemin par lequel renvoyer le hamite Tutsi dans son pays d'origine, l'Éthiopie. Le Nyabarongo est une des sources du Nil qui va jusqu'à l'Éthiopie. Il a été écouté : les massacres auxquels il appelait ont eu lieu. Ils préparaient le génocide d'avril 1994. L'homme, le Dr Léon Mugesera, vit aujourd'hui en liberté au Canada, lui.

À l'époque donc, je n'aime pas le Nyabarongo, et j'ai toujours peur de le traverser dans la petite pirogue qu'il faut prendre, avec ma mère, pour visiter sa famille de Shyorongi. Mais aujourd'hui, je ne dois pas m'en faire, ce n'est pas à notre tour de traverser le fleuve puisque la tante Cesaria est venue. Et je ne sais pas que sa visite va changer le cours de ma vie puisque je vais rencontrer Innocent. Elle est accompagnée de son bébé sur le dos, Umutesi, qui n'a que quelques mois, et de son fils aîné Innocent, âgé de seize ans. Enfin, seize ans, c'était son âge réel parce que l'officiel, il a dû le changer à plusieurs reprises, chaque fois qu'il a dû redoubler, re-redoubler, re-re-redoubler sa dernière année de primaire, dans l'espoir incessant qu'il pourrait enfin accéder à l'école secondaire. Oh, ce n'est pas qu'il est bête, Innocent! Il est même très intelligent mais il a un grand handicap: il est Tutsi. C'est inscrit sur la carte d'identité de ses parents, sur la fiche signalétique de l'école et chaque fois qu'il passe un examen, on lit d'abord son appartenance.

Et on rejette sa copie, sans la lire.

10
Le traumatisme
de la petite fiche signalétique

Onze ou douze ans : tout dépend de l'âge auquel tu finis ton école primaire. Le traumatisme de la fiche signalétique commence à ce moment précis. Alors, après ces six années de primaire *(ndlr : les Rwandais ont adopté le système scolaire belge : six années de primaire suivies de six années de secondaire)*, pour le restant de ta vie d'écolier, de lycéen et d'étudiant, tu as désormais cette fiche signalétique qui te suit, avec ton ethnie inscrite dessus. Ah, cette fiche !... Tu la portes tout le temps là, dans ta tête, et ça ne te lâche plus. C'est ton traumatisme – le traumatisme de tous les Tutsi. Le mien, de traumatisme, date de mes dix ans. J'ai commencé l'école à cinq ans, avec deux ans d'avance, parce qu'à la maison, on lisait la Bible chaque soir : c'est mon père qui nous a appris, et les sœurs aînées, elles, aidaient les cadettes à déchiffrer les lettres.

Obtenir d'entrer en secondaire à la fin des six années de l'école primaire est la seule chance de faire des études. Réussir l'examen national qui officialise ce passage au secondaire représente donc un événement majeur au Rwanda, un des pays les plus pauvres et où la majeure partie de la population vit de l'agriculture, pas du tout rentable. S'ensuivent trois ans de tronc commun qui, une fois terminés, ne donnent droit à aucun statut; puis s'enchaînent deux à quatre autres années d'études qui, selon les sections, conduisent soit à un diplôme technico-professionnel, soit à un cycle supérieur, universitaire. Mais les places en secondaire sont rares pour qui que ce soit car peu d'écoles existent: sur une centaine d'enfants en fin d'école primaire, seulement dix d'entre eux accèdent au secondaire. Bon sang, mais de quelle couleur était donc cette fiche? Rose ou jaune?... Oh, elle a hanté toute ma vie et je ne me la rappelle même plus!... J'ai déjà raconté comment j'ai été tentée de mentir, un jour, en me prétendant Hutu, mais que la réaction de mon père m'en a empêchée. Chaque fois, il fallait nécessairement marquer ton ethnie, et quand c'était Tutsi, c'était beaucoup de chances de ne jamais entrer en secondaire; l'administration craignait toujours que les meilleurs élèves ne soient que des Tutsi et qu'ainsi, ils comblent le faible pourcentage de places disponibles. Je ne sais pas où ils allaient chercher cette théorie.

J'ai pourtant pu entrer en secondaire à la rentrée de septembre 1969; je ne sais absolument pas par quel miracle mon nom était officiellement inscrit sur les listes d'admission. Un mois après est arrivée Clémentine, une fille Tutsi qui allait devenir une grande amie. Bien que très brillante, elle n'avait pas obtenu d'entrée au tronc commun et venait seulement de bénéficier d'une recommandation. Comment? Au Rwanda, les écoles appartiennent à l'État, mais sont gérées par des congrégations religieuses. Aussi, lorsque le ministère de l'Éducation dresse la liste d'une cinquantaine d'élèves aptes à entrer dans le secondaire, il existe quand même une petite marge réservée à l'église qui peut donc se permettre de soutenir l'entrée de certains élèves selon son propre choix. Catholiques ou protestantes, les églises recommandent les élèves généralement de leur confession mais, surtout, ceux dont ils estiment que les excellents résultats contredisent leur exclusion. Une sorte de pouvoir discrétionnaire en fait, qui leur permet de rétablir quelques injustices. L'église presbytérienne qui gère l'école que j'intègre pour mes trois années de tronc commun, voulait former des jeunes filles protestantes et, grâce à ses bonnes notes, le nom de Clémentine est glissé sur leur liste. Ces trois années se déroulent bien et, à leur terme en cette année de 1972, j'ai quatorze ans et je ne rêve que d'une chose : poursuivre mes études à Notre-Dame de Cîteaux réputée excellente et, plus tard, faire médecine à l'université.

Dans nos familles, quand un enfant vient de finir le tronc commun, on se réunit tous autour de la radio pour écouter la liste des admis dans les écoles supérieures. Comme personne ne possédait de radio, sauf les instituteurs, les gens venaient écouter la radio chez nous. Je ne me rappelle plus de la date exacte de ce soir-là, mais je sais clairement que c'était avant de souper. Cette scène… On était tous assis autour de la radio et on est restés plus d'une heure ainsi, parce qu'il y avait des centaines de noms égrenés. On y donne d'abord le nom de l'établissement, puis celui des élèves qui y ont obtenu une place. On écoute, on écoute, et je ne suis nulle part. Il y avait un silence total, on retenait tous notre respiration, il nous était donc impossible de manquer un nom. Après le nom de Notre-Dame de Cîteaux, d'autres ont suivi sans que je sois jamais citée. Pourtant, j'espérais encore, je pensais que mon nom finirait par venir mais… *(murmure)* Là, je l'ai mal pris, très mal pris… J'ai éclaté en sanglots et comme on n'avait pas encore soupé, ma mère m'a dit: «Mais ne pleure pas, mon enfant, ici tu auras toujours à manger.» *(elle rit de plus en plus)* Et je lui ai répondu: «Je m'en fiche de manger!» J'ai beaucoup pleuré. On a d'abord cru qu'il y avait une erreur et comme la radio rediffusait les mêmes listes le lendemain, on s'est de nouveau attroupés autour du poste. Toujours pas mon nom. On est allés vérifier dans les écoles, parce qu'une fois lues à l'antenne, ces listes étaient ensuite affichées dans les halls. Et là, on s'est rendu compte que je n'étais pas la seule exclue. La grande majorité des enfants Tutsi n'étaient pas acceptés dans le second cycle des humanités. C'était en 1972, c'était déjà la préparation des événements de 1973, lorsque le gouvernement officialisera l'exclusion des Tutsi dans l'enseignement et dans la fonction publique. Ce qui a été terrible pour moi lors de cette rentrée 1972, c'était de voir tous les autres enfants retourner à l'école, et toi, pas… Toi, pas. Tout le monde, tes voisins, tes camarades d'études, sont au courant de ces exclusions mais personne n'en parle. Mes voisins Hutu sont partis en internat et je ne saurais pas dire s'ils étaient tristes pour moi, s'ils trouvaient la situation injuste. En tout cas, je n'en ai pas vu un seul se rebeller. Là, j'ai beaucoup pleuré.

Je pleurais chaque jour d'ailleurs parce que j'étais là, à la maison, et que je n'avais pas d'école, pas de place. Je m'occupais des vaches que je gardais la journée, que j'aimais bien, d'accord, mais seulement en vacances… Je ne comptais pas les garder toute ma vie! Pour mes parents, c'était dur aussi parce qu'ils ne supportaient plus de me voir pleurer sans pouvoir m'aider. Au bout de quelque temps, j'ai fini par entrer dans un atelier de couture de notre église à Remera, géré par une missionnaire suisse, mademoiselle Olga. La clientèle aisée était blanche et francophone mais les couturières ne parlaient que kinyarwanda : il lui fallait une interprète. Après trois ans de tronc commun, je m'exprimais déjà très bien en français : elle m'a embauchée et, en plus des traductions, je me suis initiée à la couture. Mais mon grand problème, c'était que sur le chemin de l'atelier, je devais chaque fois passer devant mon ancienne école ; là, je voyais des Hutu assis à leur table avec le droit d'étudier, alors que moi… Parfois, d'anciennes camarades voulaient me saluer mais je me mettais à courir pour les fuir, parce que les larmes commençaient à couler ; quand je rentrais, ces soirs-là, je pleurais encore plus.

Et puis, « le » miracle. Un ami de mon père est allé solliciter le ministre de l'Éducation, qui venait de la même région que la nôtre. Ce ministre était Hutu mais, entre eux, les Hutu n'étaient pas tous d'accord avec de telles discriminations – surtout lui. Cependant la politique nationale du pays les imposait et il ne pouvait rien y faire, sinon pousser des gens par la petite porte. Fâché que la fille du vieil instituteur connu et aimé de tous soit exclue, il a donc écrit un mot de sa main sur la feuille d'un bloc de cahier, ordonnant que j'entre à Notre-Dame de Cîteaux.

Cette décision, je la dois au respect de toujours qu'il devait à mon père, enseignant de beaucoup de jeunes devenus, par la suite, importants. Un beau jour, Violette, une cousine et professeur de mon école de Remera, est venue interrompre mon travail à l'atelier, avec le billet remis en mains propres par le ministre. « Je soussigné Harelimana Gaspard, ministre de l'Éducation nationale, autorise par la présente Esther Mujawayo à entrer au lycée Notre-Dame de Cîteaux en quatrième normale pédagogique.» Il y avait sa signature et un cachet, sans lequel je n'aurais rien pu obtenir. Violette savait que cette nouvelle serait la plus grande joie de ma vie. Elle me prend à part, m'annonce la nouvelle et comme je ne veux pas la croire, elle me montre le précieux papier... Oh, j'en ressens encore de l'exaltation!... Je me suis mise à danser, et danser, et danser, et... Il y a des jours où tu vois des miracles survenir, et là, c'en était un! C'était la fin de mes larmes, je ne pleurerais plus chaque jour, j'allais intégrer exactement l'école où j'espérais étudier! J'ai tout de suite quitté l'atelier. Tout le monde était content pour moi parce que, exclue, tout le monde était triste pour moi. Avec Violette, on est aussitôt allées acheter le nécessaire pour l'internat – un seau, des draps, des couvertures... Sur le chemin, elle s'est arrêtée dans une boutique où elle m'a offert une paire de chaussures blanches, fermées. Des chaussures du dimanche comme cadeau de félicitations.

Je suis partie le lendemain même pour l'internat. J'avais raté beaucoup de cours, on était déjà en décembre. Trois mois à rattraper. À la récréation, les Tutsi se repèrent facilement: au lieu de s'aérer, ils continuent de travailler pour se mettre à jour. On emprunte les cahiers de nos camarades et on passe chaque moment de libre à recopier les cours précédents. C'est comme ça que j'ai repéré celles dans la même situation que la mienne. Il y a Consolata et Jeanine, avec qui j'avais suivi le même tronc commun à Remera, ainsi que Colette, Dativa et Maria. Un noyau d'amies qui resteront liées jusqu'à la fin de nos études, à l'exception de Jeanine qui s'exilera au Burundi en mars 1973 et que je ne reverrai qu'après le génocide. Pendant des mois, on ne prend donc aucune récréation, on court derrière le temps perdu. Ce premier semestre 1973, je travaille tellement qu'à l'examen de février, j'arrive sixième de la classe. Mais, parce que je suis tellement heureuse d'avoir ré-intégré l'école et que je ne suis occupée qu'à réussir, je ne me rends pas compte de la tension très sensible dans le pays. Je ne me rends pas compte que « ça » va venir, et éclater. Il faut que survienne ce drame pour ma prise de conscience : être à nouveau renvoyée, après et malgré la réussite de mon examen de fin de semestre. Trois mois seulement ! Je ne serai restée que trois mois dans cette école ! D'abord, je n'y crois pas. Je me dis que c'est momentané, qu'on en est chassées mais qu'on va revenir… Mais cette fois, les discriminations à notre égard sont devenues officielles ; de mon internat, je ne le sais pas encore mais une campagne anti-Tutsi a été lancée dans tout le pays : des listes d'exclusion sont affichées à chaque entrée d'établissement, avec les noms des Tutsi priés de quitter les lieux. En ville, certains bars leur interdisent même l'accès. Les Tutsi sont accusés de tout : « ils » accaparent les faveurs des professeurs, « ils » montent les responsables politiques Hutu les uns contre les autres et, de toute façon, chacun d'entre « eux », c'est-à-dire chaque Tutsi de l'intérieur, qui vit au Rwanda, est assimilé à un complice des « ennemis de l'extérieur », les Tutsi réfugiés en exil…

Ce jeudi tout a commencé par une rumeur dans notre internat. Jeanine, elle, qui a fui le pays aussitôt après cet épisode, affirme que c'était un mardi. En tout cas, la date est précise : le 28 février 1973. Cette journée, quelle qu'elle soit, se passe normalement jusqu'au moment de l'étude, vers dix-sept heures. À la fin des cours, après un tour dans nos dortoirs pour une toilette, on se rendait toujours à l'étude pour nos révisions, dans une grande salle surveillée. Chantal, une de nos copines originaires de Kigali, dit à notre groupe de filles Tutsi : « Faites attention, il ne faut pas aller à l'étude ! Il y a une planification prévue pour nous chasser de l'internat. » Le groupe était divisé : certaines tenaient absolument à y aller quand même, d'autres hésitaient à s'y rendre. Avec Consolata, je décide de m'enfuir. Dativa, elle, refuse de nous suivre. Dativa, considérée comme la plus sage, me dit : « Esther, tu sais combien on a eu cette place difficilement. Et maintenant, tu vas jouer les rebelles en partant ! Mais qui te chasse de l'école ? » Chantal a insisté : « Ce que je vous dis est vrai. On va être chassées à coups de bâton. » J'ai eu peur d'être tabassée, j'ai confirmé que je partirais. C'est exactement ce qui est arrivé : un groupe de nos camarades de classe Hutu venait, en effet, de s'improviser chefs de « comité de salut » et s'étaient élues, entre elles, pour diriger des opérations de vérification d'identité ; puis, aidées par les garçons de l'école voisine d'assistant médical, elles procéderaient à une véritable chasse aux Tutsi, à coups de bâton. Le commando devait agir à la tombée de la nuit, après l'étude.

On n'a rien dit à personne, sauf à sœur Marie-Aimée, qui a accepté de nous ouvrir la porte puisque l'internat était toujours fermé. Pourquoi l'a-t-elle fait ? Était-elle au courant ? On est toutes rentrées chez nous, dans nos familles, mais en chemin, on se cachait constamment parce qu'on était en uniforme et qu'être dehors à cette heure-là, signifiait être fugueuse. Je me suis rendue chez ma grande sœur Joséphine, à Kigali, distante de cinq kilomètres, où j'ai retrouvé Stéphanie. Elle-même venait d'arriver de Ruhengeri, une région du nord où l'on avait déjà commencé la chasse aux Tutsi. Elle avait eu beaucoup de chance : sur la route, prise par une camionnette, on l'a arrêtée et on a voulu la tuer. Le chauffeur s'est interposé en criant : « Arrêtez, c'est ma sœur. » Elle ne le connaissait pas, il lui a sauvé la vie. Stéphanie a donc débarqué aussi chez Joséphine. Mais quand, à mon tour, je lui ai raconté mon aventure, elle s'est mise à rigoler. « Avec ton gros nez, qui donc aurait bien pu te chasser comme Tutsi ? Toi, tu as été prise pour une Tutsi ? » s'est-elle moquée. C'était souvent une plaisanterie à la maison : je n'ai pas le type considéré comme Tutsi ; mon nez est plutôt élargi, mes traits moins fins que ceux de Stéphanie. Je lui explique qu'on n'a pas pu me chasser puisque j'avais fui avant. Apprenant qu'on n'a pas vérifié mes papiers, elle ironise encore plus. Arrivant de Ruhengeri, jugée la région la plus extrémiste, Stéphanie n'imagine pas du tout que la violence est en train de s'étendre partout. Cette nuit, j'ai vraiment mal dormi parce que j'ai compris que mes sœurs ne me prenaient pas au sérieux et allaient me ramener à l'école. Heureusement, le lendemain matin, alors qu'elles voulaient en effet me raccompagner, je suis tombée sur Dativa et celles restées à l'internat. Tout s'était passé comme Chantal l'avait dit. « Ils » étaient venus après l'étude, « ils » avaient entre dix-huit et vingt ans, étaient venus prêter main forte aux filles Hutu et, au moment où tout le monde s'attablait dans le réfectoire, « ils » ont dit : « Maintenant, on demande à toutes les Tutsi de sortir et de plus jamais mettre les pieds ici. »

Tu sais ?… Il n'y a eu aucune résistance de la part des religieuses. Aucune. Elles ont ouvert les portes et elles ont prié les Tutsi de partir. Certaines de nos camarades ont tenté de se cacher et, vite attrapées, elles ont été tabassées. Les autres se sont retrouvées, en pleine nuit, sans pouvoir rentrer chez elles à cause de la profonde obscurité. Des chanceuses ont été hébergées chez des professeurs qui habitaient tout près, Tutsi eux aussi. D'autres ont dormi sur le pas de la porte des magasins. Le lendemain, toute une colonne d'entre elles est arrivée chez ma sœur, à Kigali. Joséphine avait toujours des régimes de bananes mûres, elle a pu nourrir tout le monde. « Tu vois que je n'inventais pas ! » ai-je dit à Stéphanie. Mais je croyais encore que tout cela n'était que momentané.

Une semaine après, on a appris que notre maison, la maison de nos parents, venait d'être brûlée.

11
Muyaga, le vent mauvais,
ou recommencer toujours

On appelait cela le vent : *Muyaga*. Les massacres, on appelait cela le vent. Le mot précis en kinyarwanda pour décrire cet élément de la nature, c'est *Umuyaga*. Sans sa lettre initiale, le mot garde sa pleine signification, sauf qu'en plus, il désigne particulièrement « les événements » de 1973. Un de ces mots adoucis pour nommer la violence qui nous était faite, ainsi qu'à nos vaches. Je n'ai jamais vu un peuple aussi fort pour les euphémismes. Ma colline de Mwirute n'a pas été épargnée par la campagne anti-Tutsi : le vent mauvais a aussi soufflé sur elle, sur la maison de mes parents – détruite – sur leurs vaches, et sur eux-mêmes s'ils ne s'étaient pas cachés... Mais, en ce mois d'avril 1973, le gouvernement vient donc officiellement annoncer que « le vent s'est calmé ».

Il faut alors tout recommencer à zéro. Comme toujours. L'éternel recommencement. Les maisons ont été brûlées : il faut reconstruire les maisons. Les vaches ont été massacrées : il faut rassembler les quelques rares rescapées des machettes des Hutu. Les intérieurs ne sont que cendres, il faut retrouver des ustensiles de vie, comme casseroles, couvertures, habits... Ma sœur Joséphine, à Kigali, nous approvisionne et nous empêche de sentir trop la misère. Mais c'est dur. Dur de toujours recommencer dans l'indifférence totale, après avoir été attaqué dans l'indifférence totale. Pourtant, à l'époque, pendant les quelques semaines qu'ont duré les attaques et contrairement à ce qui se passera pendant le génocide de 1994, les églises, elles au moins, restent accueillantes, et la nature aussi. Les méthodes d'extermination ne sont pas encore bien développées; nos familles de Gacurabgenge ont donc pu se réfugier à la paroisse catholique de Kamonyi. Quant à nos proches résidant à Mwirute, trop éloignés de Kamonyi, ce seront les buissons qui les accueilleront, comme ils avaient déjà abrité mon père quatorze ans auparavant. Lors du vent de 1959, mon père avait pressenti que le ciel noirci, à l'horizon, ne l'était pas à cause des nuages de pluie mais de la fumée des incendies de maisons. Et il a su que notre colline ne serait guère épargnée.

Après les massacres de 1959 déjà, mon père avait vu brûler sa maison; après les massacres de 1959 déjà, il avait dû la reconstruire. Aujourd'hui, en 1973, à nouveau sa maison est en train de brûler. Comme Albert, le fils de ma sœur Joséphine, et Pascasia, la fille de ma cousine Iyakaremye, tous deux âgés de neuf ans, vivent chez lui, il les emmène chez la même vieille voisine Nyiragasage qui, déjà, nous avait recueillis lors des massacres précédents de 1959. Albert a beau être Hutu comme son père, le mari de Joséphine, il ne serait pas épargné, vivant chez ses grands-parents Tutsi. Puis, mon père et les autres adultes partent se dissimuler dans les buissons, comme toujours; Nyirasage ne peut héberger aucun adulte, ce serait trop dangereux pour elle. Elle garde donc les enfants car, à l'époque, on ne s'en prend pas encore à eux. Quand le père d'Albert vient récupérer son fils, il le retrouve donc sain et sauf mais, devant notre maison, découvre le scénario habituel: tout ce qui pouvait être brûlé a été brûlé. Tout est pillé, chaque porte et chaque fenêtre de notre maison brisée afin de la rendre inhabitable, les tôles trouées partout par des lances, les vaches mangées… Tout a été détruit. Et on n'a aucune idée d'où sont nos parents. Massacrés ou cachés? Chez qui? Où?…

Voilà. Voilà ce qu'on appelait le vent. Le vent qui a soufflé, puis le vent qui vient juste de se calmer. La vague de tueries. De pillages. De brûlé. À la radio, le gouvernement a officiellement déclaré la fin des massacres, par cette expression très explicite: «*Kunamura icumu:* il est temps de lever la lance.» On allait donc ramener le calme. Alors, on est tous sortis de nos trous et de nos brousses, et on s'est mis à reconstruire. On a condamné chaque fenêtre en y mettant des branchages pour atténuer le vent et le froid de la nuit. On a aussi condamné la porte qui donne sur l'extérieur et on a gardé celle qui ouvre sur l'enclos. Et chaque soir, on plaçait devant, en guise de porte, un grand plateau en feuilles tressées, habituellement utilisé pour les travaux ménagers On a racheté des portes, racheté des casseroles, reconstruit une cuisine, tout recommencé. On était trois familles voisines regroupées, dans la même situation et très à l'étroit. Il y avait aussi la vieille tante de mon père dont la maison avait été complètement brûlée et qui mourra avec ma mère, vingt ans après, pendant le génocide. En fait, on partageait d'abord avec les membres de notre famille mais aussi avec nos voisins, comme la famille de Stefano. En restant chez nous, ils étaient plus près des champs et pouvaient y chercher des patates douces, des bananes.

Aujourd'hui, chez Stefano, ils ont été tous, tous été tués... Une seule de leurs filles avait survécu, après avoir été violée. Elle est morte récemment du sida. C'est complètement éteint chez eux, maintenant.

Après le vent de 1973, notre maison a été reconstruite, mais c'en était bel et bien fini de mes études. Complètement fini, cette fois, pour tout le monde – je veux dire pour tous les Tutsi. Mais je ne suis pas retournée à l'atelier de couture, je n'ai vraiment pas pu. Ça m'aurait trop humiliée et j'étais désormais plus révoltée que jamais. Je suis restée à la maison et me suis mise à garder les vaches et labourer dans les champs. Je n'avais plus d'espoir. Plus aucun. Je me demandais comment on finissait une vie ainsi, auprès de vaches au milieu des champs, quand on avait rêvé de devenir médecin. Plus d'espoir, plus aucun. Pour Innocent non plus, que je rencontre régulièrement puisqu'il est lui aussi condamné aux vaches. Il a présenté quatre fois le fameux examen national, rien à faire. Ses parents ont alors décidé de l'inscrire à l'école des Métiers à Nyamirambo. Tant pis s'il doit faire plus de deux heures de trajet le matin, et de même le soir, puisque cette école n'a pas d'internat. Mais tout, tout plutôt que de passer le reste de sa vie entre vaches et champs des parents. La vie sur les collines est trop dure, et de toute façon, avec sept enfants à la maison, il sera difficile de se partager les champs lors de l'héritage familial. Lui, de tout temps, veut devenir professeur. Mais, désormais conscient de nos discriminations, il est même prêt à devenir maçon, ou menuisier peut-être, n'importe quel métier en tout cas, qui puisse aider ses parents et payer les frais de scolarité de ses plus jeunes frères. Ce sont là les plans qu'il élabore durant ses deux heures de marche vers l'école des Métiers. Un jour, il tombe justement sur un oncle, marié à sa tante maternelle, qui avait monté sa propre entreprise de construction et à qui Innocent avait envisagé de demander du travail, son école des Métiers terminée. Il est riche, le mari de la tante, il a une entreprise, il roule en voiture, côtoie les grands du régime, il a la chance d'être Hutu. Et il est bon. « Dis, petit, tu es bien le fils de Karera de Shyorongi ?

—Oui, monsieur.

—Mais où vas-tu comme ça de si bon matin ? »

Et Innocent de commencer son histoire interminable sur son impossibilité à accéder au secondaire. Le monsieur est pressé, mais il va justement à Kigali et lui dit de monter à côté de lui. Innocent y grimpe avec un tel bonheur. Une voiture ! Lui qui, habituellement, ne connaît que les camionnettes des commerçants où les gamins s'agrippent illégalement à la carrosserie, quitte à se faire éjecter dès qu'ils sont découverts dans le rétroviseur. Mais aujourd'hui, il n'est ni agrippé, ni illégal. Il est bien assis à côté du mari de sa tante et celui-ci a vraiment l'air de s'intéresser à son histoire. Il semble même fâché en apprenant que quatre années de suite, Innocent n'a pas pu passer ce fameux examen. Alors, pour vérifier qu'Innocent ne ment pas, il lui pose soudainement ses questions en français. Le français d'Innocent est impeccable. L'oncle hoche la tête, comme s'il exprimait du regret ; mais les voilà arrivés à Kigali. Innocent doit descendre. Il ne sait pas encore comment dire merci à son oncle pour ce miracle du matin que ce dernier lui dit : « Dis à ton père de venir me voir un de ces jours, petit. » Innocent l'a remercié en français, il était si fier d'avoir pu impressionner quelqu'un avec cette langue.

Cette rencontre allait changer sa vie. Le monsieur Hutu, révolté contre l'injustice que subissait cet enfant du seul fait d'être Tutsi, s'est adressé au ministre de l'Éducation, un de ses voisins et amis. Il a obtenu de sa main une autorisation pour Innocent Seminega, fils de Karera et Nyirantamali, d'aller au collège du Christ-Roi à Nyanza, un des meilleurs du pays pour garçons.

C'était en décembre 1972. Comme moi, il avait déjà trois mois de retard, comme moi, il les a rattrapés. Qu'est-ce qu'il était heureux… Innocent était déterminé à ce que rien ne ternisse ce bonheur. Trois mois plus tard, en février 1973, les consignes gouvernementales étaient formelles : tous les élèves, étudiants et fonctionnaires Tutsi étaient chassés des écoles, de l'unique université nationale et de leurs emplois. Beaucoup sont immédiatement partis en exil au Burundi ou au Congo ; ceux qui ont décidé de rester au pays ont tenté de rejoindre leurs familles cachées dans les brousses ou les paroisses, pendant que les Hutu « travaillaient ». Déjà, cette année-là, « travailler » *(gukora)* signifiait tuer ou chasser les Tutsi, brûler, piller leurs propriétés, et consommer leurs vaches. Chassés de nos écoles respectives, Innocent et moi avons rejoint nos familles, mais sans oser partir à l'étranger. On ne connaît rien de l'exil et on est trop inquiets pour nos familles parce que partout, dans l'air, la fumée est épaisse : les demeures des Tutsi sont en train de brûler… Nos parents vivent-ils encore ? Une fois les nôtres retrouvés sains et saufs, on abandonne tout rêve d'études. On n'a que quinze et seize ans, et on n'a plus d'espoir. Plus aucun. Comment, se répète-t-on, comment finit une vie ainsi, auprès de vaches, au milieu des champs, quand on a tellement rêvé de devenir autre chose ? Comme un rituel, on se le demande chaque fois qu'on se retrouve, comme lorsqu'il a accompagné sa mère en visite chez nous à la résidence de Kagina et que, tous deux cachés du regard de nos familles, on trait la chèvre de Rubayiza dans un petit pot réservé au lait de vache. Du lait de chèvre dans un pot de lait de vache! On a été bien punis, ce jour-là, pour cette bêtise enfantine! Mais nous, c'est la bêtise humaine des grands qu'on se jure de ne pas recommencer. On se promet donc de résister: et résister, c'est s'échanger nos livres, en discuter, continuer à bien parler français et avancer malgré tout. Mais surtout, surtout, on se promet de se revoir toujours, on sous-entend, en fait, de s'aimer toujours. Notre serment se fait devant la chèvre de Rubayiza qui, maintenant, gambade parce qu'elle est allégée de son pis que ses petits nouveau-nés n'ont pas pu vider. La chèvre de Rubayiza, sur la colline de Kagina, est toujours restée le symbole de notre amour.

On a tenu notre serment: on s'est battus et, quand on a finalement pu reprendre nos études plus tard, on a beaucoup étudié, on a obtenu nos diplômes de sociologie, d'anthropologie et de linguistique. On a tenu notre serment, avec Innocent: on s'est follement aimés, on s'est mariés et on a eu nos trois si belles filles et, à cause du *Journal* d'Anne Frank, où on retrouvait les mêmes injustices et discriminations que nous vivions nous-mêmes, on a prénommé notre aînée Anna.

On s'est follement aimés, et on a cru avoir vaincu la malédiction qui pesait sur nos têtes de Tutsi au Rwanda. Mais on était tout simplement naïfs. À peine plus de vingt ans après, en 1994, au cours du même mois d'avril que celui de notre serment, notre destin nous a rattrapés: on était Tutsi et condamnés à disparaître, à être exterminés. C'est ce qui s'est passé. Tout, et presque tous allaient être anéantis. Pour que, cette fois, on ne puisse rien recommencer.

À Kagina, aujourd'hui, il ne reste rien, ni personne. Je n'y suis plus jamais retournée.

12
Sauvés par... un coup d'État

Comment résumer cette année scolaire de 1972-1973 dans un *curriculum vitæ*? Comment expliquer que, supposée étudier durant cette quatrième secondaire, simplement parce que tu es Tutsi, tu te retrouves aux champs à garder les quelques vaches rescapées, comme ta famille, de la machette? Comment finir une vie à récolter des haricots quand on se destine à devenir médecin ou professeur? Cette question obsédante, on se la pose quasiment chaque jour, avec Innocent. Déjà, bon nombre de nos amis professeurs et autres fonctionnaires ont été mis au chômage; et toute une vague de nos intellectuels a quitté le pays; après les renvois des écoles et les massacres dans les collines de février-mars, ils se sont exilés – au Burundi, au Congo. Leurs familles restées au pays vivent une grande pression: avoir un enfant réfugié, c'est considéré comme un crime, et les parents sont regardés comme des traîtres. Aucun courrier ne pouvait circuler entre eux, ou seulement de manière clandestine. Tu pouvais passer des années sans nouvelles des tiens, sauf par personne interposée et, surtout, le pire, c'est que tu savais que tu ne les reverrais pas avant... Ta vie et ton cœur étaient ceux d'un exilé. Partir était douloureux, et rester était douloureux. Quel devenir au Rwanda?

La réponse éclate sous forme de coup d'État, le 5 juillet 1973. L'armée, majoritairement composée d'Hutu du Nord, renverse le gouvernement qui, lui, est essentiellement originaire du Sud. L'armée reproche au président Kayibanda, ainsi qu'à la quasi-totalité de ses ministres, de monopoliser tous les pouvoirs. Un conflit entre Hutu, en fait. Tout le monde sait, c'est vrai, que la grande majorité des ministres du gouvernement vient de cette région du Sud, nommée le Nduga. À l'exception du ministre de la Défense, Juvenal Habyarimana, instigateur de ce coup d'État qui, pour l'instant, n'a pas fait couler de sang. Plus tard, on apprendra que les répressions contre les dignitaires du Sud ont été terribles : des notables, des anciens ministres y passent, dont celui de l'Éducation qui avait obtenu mon admission au lycée. La rumeur raconte qu'on aurait laissé l'ancien président de la République et sa femme mourir de faim, en prison, délaissés de tous. Pour nous, il est étrange d'apprendre, quelques années après ces événements, que les Tutsi n'étaient pas les seuls à subir des violences dans ce pays.

Je suis dans les champs quand la radio l'annonce : c'est l'été, durant la moisson, on est en train de récolter les petits pois en écoutant la radio. Mais au lieu des émissions habituelles, il n'y a que de la musique classique, sans interruption. On comprend qu'il se passe quelque chose de grave. Puis la radio a enfin diffusé le nouveau discours officiel : « Ils » ont donc commencé à nous expliquer qu'ils venaient de renverser ceux qui allaient plonger le pays dans l'abîme mais que *(elle imite le ton déclamatoire de l'époque, tend un poing en l'air et martèle chaque phrase d'un balancement de tête)* « heureusement – les-sauveurs-du-peuple-étaient-là-vaillants » et-ta-ta-

ta-ta-ta… Puis, à nouveau, une symphonie de je ne sais qui. *(rires)* En tout cas, jusqu'à la fin de ma vie, je n'aurai aucune envie de m'intéresser à la musique classique ! Dès que j'en entendais au Rwanda, je me demandais tout de suite ce qui se tramait. Les autres, ça les repose, moi, ça m'angoisse. *(rires)* On a bien essayé de m'y initier, on m'a invitée à l'opéra. Mais, après une ultime tentative de bonne volonté, j'ai laissé tomber : un soir, j'avais accompagné Helmut, mon mari, à un concert pour lui faire plaisir. Je l'avais bien prévenu : « J'y vais pour être avec toi mais je ne vais pas te mentir et te dire que j'en tire grand plaisir » ; mais je n'imaginais pourtant pas que j'allais… m'endormir ! En fait, déjà assez insensible au classique, je l'associe de toute façon toujours à l'annonce d'un coup d'État, avec l'impression qu'on est en train de me cacher quelque chose et que, tout de suite après, un discours abrutissant va suivre…

L'annonce du renversement de régime a pourtant été un soulagement pour nous, en quelque sorte. Nos persécuteurs étaient des Hutu du Sud : on a cru, ou voulu croire, qu'avec ce nouveau pouvoir, nos tourments allaient prendre fin. Il faut dire que dès son arrivée au pouvoir, le nouveau président Habyarimana nous a jeté de la poudre aux yeux. Il a fait comme s'il réintégrait les Tutsi dans la société dont on les avait exclus. Et c'est vrai que, dans un premier temps, des employés qui avaient été chassés de leur travail ont pu le retrouver, des élèves exclus ont pu reprendre leurs cours. Habyarimana nous a jeté de la poudre aux yeux et on a marché. Dans ses discours[1], il reprochait ce qui nous

---

1. *Les réfugiés, de l'exil au retour armé*, article de José Kagabo et Théo Karabayinga, « Les temps modernes », juillet-août 1995.

avait été fait, à nous Tutsi, et il se demandait comment le gouvernement précédent avait pu diviser un peuple comme ça. Alors, pour nous, c'était le sauveur, celui qui disait enfin la vérité. C'est plus tard, en analysant mieux la situation, qu'on a compris que ce nouveau gouvernement avait créé l'instabilité dans le pays pour mieux prendre le pouvoir en se faisant passer pour un héros salvateur. Son idéologie, en fait, restait la même. Il était juste trop occupé, lors de son installation, à régler ses comptes avec ses adversaires politiques Hutu pour s'occuper de nous, Tutsi. Puis, quand il en a eu fini avec eux, alors, il s'est remis à gérer le sort des Tutsi qu'il n'avait, en fait, jamais oubliés. On l'a compris de mieux en mieux au fil des années puis, irrévocablement, après le déclenchement du génocide. Un déclenchement si rapide, si efficace, exécuté de façon tellement coordonnée, étendu sur tout le territoire... Il était évident que tout avait été prévu et planifié depuis longtemps.

Mais pour l'instant, en cet été 1973, nous, Tutsi, sommes d'abord soulagés. Le nouveau président déclare qu'il veut désormais sortir le pays de ses divisions et donner sa chance à tous. Et effectivement en septembre, à la rentrée des classes, nous reprenons notre scolarité. Innocent s'en retourne au collège du Christ-Roi, moi au lycée Notre-Dame de Cîteaux. J'y retrouve notre bande d'amies: Colette, Consolata, Dativa et Maria. Mais je ne revois plus Chantal, Janine, Rosalie... Parties en exil, elles ne remettront pas les pieds au Rwanda pendant vingt ans. On travaille comme des folles. L'injustice subie augmente notre rage de réussir. On n'est pas plus intelligentes que les autres, mais on sait qu'on n'a pas les mêmes droits. Quand nos camarades travaillent une heure, on en travaille deux. D'autant plus que nos illusions sur ce nouveau pouvoir vont être de courte durée : l'État vient en effet d'imposer un quota officiel qui limite l'accès des Tutsi dans l'éducation ainsi que dans la fonction publique et qui s'applique aussi, dans une moindre mesure, aux Hutu du Sud, leurs prétendus adversaires. Cette décision discriminatoire ne peut pourtant pas apparaître comme telle : les politiques la masquent donc derrière un programme gouvernemental appelé « équilibre ethnique et régional ». Mais on sait qu'une fois de plus, ce sont les mêmes thèses sous-entendues : les Tutsi sont minoritaires au Rwanda, pourquoi occupent-ils tant de places dans notre société ? Pourquoi est-ce qu'ils seraient représentés politiquement ?…

Cinq ans après, à l'été 1977, je finis mes études secondaires. Première de la classe, je dois prononcer un discours devant tout le monde, professeurs et familles. Mes parents sont très fiers de moi, je le suis aussi. Je ne pense qu'à continuer mes études… Mais je ne serai pas admise à l'université. De nouveau absente des listes des élus. Il ne me reste qu'à travailler, j'ai dix-neuf ans et je me retrouve gérante de l'internat de Remera où j'ai moi-même suivi mon tronc commun. Mon amie Consolata y est, elle aussi, et donne des cours de français. Peut-être qu'on arrivera quand même à entrer à l'université l'année suivante…

« Ce document ne peut vous être accordé. » C'est écrit noir sur blanc, là, sur cette lettre rédigée par un certain major Lizinde, chef de la sécurité de l'époque. On est en août 1978 et alors que j'ai eu la chance incroyable d'obtenir une inscription à l'université catholique de Louvain, en Belgique, que j'ai également eu une bourse d'études du Conseil œcuménique des

Églises pour trois années d'études supérieures, le passeport dont j'ai fait la demande « ne peut vous être accordé ». C'était la chance de ma vie, partir en Europe, être financée pour étudier et puis... Je suis effondrée. Le major n'a même pas jugé utile de mettre une raison qui motive son refus. Il sait que je sais, il sait et je sais qu'on sait tous que c'est parce que je suis Tutsi. D'ailleurs, il me le confirmera lui-même sans ambiguïté, quand j'irai le voir quelque temps plus tard, sur la recommandation de Madeleine, la sœur de Colette, mon amie d'adolescence, qui a ses entrées chez les « grands ». Madeleine m'accompagne. En ma présence, elle demande tout de go au major pourquoi il m'a refusé ce passeport. « Mais elle est bien Tutsi, non ? », répond-t-il comme si cela allait de soi. Et Madeleine de lui répliquer que oui, je suis bien Tutsi, mais que mes parents sont de vrais patriotes, mon père est un vieil instituteur qui a donné la connaissance aux plus réputés de ce pays. Et de poursuivre : « On croyait que maintenant, il y avait la justice dans ce pays et pourtant, on assiste encore à de telles ségrégations ! » Le major semble influencé, il fait promettre à Madeleine qu'elle ne ment pas, que si je pars étudier, je reviendrai travailler pour notre pays, que je ne vais pas me mettre à collaborer avec les ennemis de notre pays, si nombreux à l'étranger... Madeleine promet, je promets, il accepte... Trop tard ! Le mois de novembre a commencé, les cours aussi, j'ai loupé l'année. Le major fait une nouvelle promesse : il me donnera mon précieux passeport pour le cursus suivant, l'université m'assurant de me garder une place. Alors, en bonne patriote, je reste au Rwanda et retourne travailler pour notre pays et mon église, en attendant. Enfin, un an après, je m'envole pour la Belgique.

13
Retour au pays
chèrement payé

Le type me postillonne en plein visage, je ne dois surtout pas montrer mon dégoût. Il est habillé en civil dans ce bureau sommaire, dont la seule décoration se résume à un portrait du président Habyarimana, mais à son ton autoritaire, agressif et sûr de son droit, je sais qu'il est militaire. Ah, je le paie cher, ce séjour de six ans d'études en Belgique... À peine rentrée au Rwanda en cet automne 1985, me voici convoquée à la présidence en plein centre de Kigali, pour un interrogatoire par ce type qui me hait, je le vois bien, qui « nous » hait puisque je sais être là parce que Tutsi. Dehors, dans une rue du quartier avoisinant, un cousin attend discrètement pour vérifier que je ressortirai de cet interrogatoire. Ou pas... En ce cas, il ira signaler – vainement, de toute façon – ma disparition. À Kigali, les pires rumeurs courent sur ce bâtiment de la présidence, on sait qu'on y frappe, qu'on y torture, qu'on y tue. C'est un bâtiment constamment entouré de soldats que tu n'oses jamais regarder dans la rue: quand tu passes devant, tu tournes la tête car au moindre coup d'œil dans sa direction, on croyait déjà que tu prévoyais un coup d'État! Encore aujourd'hui, alors que la présidence n'y est plus installée, il y a des gens qui ont gardé le réflexe de détourner le regard devant cet édifice dès qu'ils en approchent. J'ai donc vraiment de bonnes raisons d'avoir peur qu'on ne me laisse pas sortir. Et j'ai très, très peur… Je ne sais pas pourquoi on m'a convoquée. Dès mon arrivée, on a pris mes empreintes digitales, poussée contre un mur, collé une plaque avec mon nom et un numéro d'immatriculation sur la poitrine, mitraillée avec un appareil photo. Dans ma tête, des images de films vus à la télévision belge, des bandits arrêtés par le FBI et moi, Esther, prise pour une criminelle… Mais qu'est-ce que j'ai pu faire pour offenser notre gouvernement?

Le type, qui ne veut pas se montrer militaire mais fait tellement militaire, ne me le dit pas tout de suite. Il commence par des questions bénignes: qu'est-ce que j'ai fait à Louvain-la-Neuve, où j'habitais… Ah, j'ai tout fait en Belgique! J'ai ramassé, en plein hiver, des carottes biologiques – et longtemps, je n'ai plus mangé de carottes, biologiques ou pas; j'ai astiqué les cuivres chez de grands bourgeois – et je déteste le cuivre désormais; j'ai gardé des vieilles personnes dans un hospice et suis partie sans être payée lorsque l'une d'elles m'a demandé de l'emmener au Rwanda pour vieillir chez nous, après que je lui ai raconté comment vivait ma mère invalide, soutenue par mes sœurs et ma nièce. Là, j'ai pleuré, je me suis dit: mais quel est donc ce peuple qui m'éduque à l'université et ne sait pas prendre soin de ses vieux? J'ai servi dans une cantine en réclamant les plats en cuisine et me suis fait houspiller quand j'ajoutais «s'il vous plaît», parce qu'on m'a expliqué, à mon grand désarroi, que je n'avais pas le temps d'être polie. J'ai nettoyé des salles de danse à l'aube (après avoir, quand même, dansé dessus comme tout le monde, la veille) en enviant les quelques Rwandais que j'y croisais, Hutu pour la plupart, parce qu'eux allaient se coucher au moment où je commençais à travailler. J'ai accompagné des touristes à Paris et à Londres, avec obligation de parler anglais. Pour obtenir le job, je disais « *Yes, yes* » lors du premier entretien, puis je passais la nuit suivante sur une méthode genre apprenez l'anglais « *quickly* »...

Mais je ne pense pas que ce militaire soit passionné par mes boulots en Belgique. Et surtout, je sais que si je les lui racontais, il dirait comme tant d'autres que, bien sûr, les Tutsi savent se débrouiller, qu'ils savent être malins, ah, ça, oui, ils se croient toujours plus intelligents, hein ? Non, je ne suis pas « plus »... En Belgique, je devais travailler, c'est tout, pour suivre un nouveau cycle d'études après mon diplôme d'assistante sociale. Au bout des trois ans de bourse que m'avait accordés l'Église, j'aurais dû normalement rentrer au Rwanda. Mais, très vite, sur place, je me fais le raisonnement suivant : je suis Tutsi, je compte pour moitié, je dois multiplier mes chances, ce seul diplôme ne me suffira jamais. Pourquoi pas une licence, ou même une maîtrise en sociologie ? J'ai donc bossé pour financer trois autres années. Et je ne me suis malheureusement pas trompée : à peine de retour au Rwanda, nantie de mes diplômes, je me suis mise au service de l'Église presbytérienne en échange de la bourse d'études que je leur devais. Leur département de développement a plusieurs projets très intéressants autour de jeunes et de femmes paroissiens ; je suis d'attaque, l'emploi convient parfaitement à ma formation toute fraîche. Mais j'avais oublié, mais comment ai-je pu oublier ?... Je suis Tutsi. On m'envoie donc au fin fond du pays, dans une école d'infirmières à Kilinda, pour enseigner... le français. Quand je me permets de protester, le pasteur Hutu de l'église raille : il trouve que je le parle très bien. Le gouvernement n'est pas le seul à nous exclure, l'église aussi ; et si les bourses ne dépendaient pas d'un organisme externe, situé en Suisse, quasiment jamais un Tutsi n'en obtiendrait au Rwanda.

Certes, l'endroit est joli, le climat est frais à Kilinda, les collines vertes, les goyaviers généreux, les collègues très cordiaux, mais je n'en peux plus de cette injustice. Ça ressemble à une punition. Sauf que je ne sais pas de quoi je suis punie. Du fait d'être née, tout simplement ?... Parfois, j'ai le courage d'ironiser : si Tutsi, après six ans d'études, je me retrouve exilée à donner des cours de français, mais qu'est-ce que je serais donc devenue avec un maigre diplôme d'assistante sociale, sans maîtrise de sociologie en plus ? C'est pour ça qu'à Louvain, il fallait que je réussisse à tout prix. Donc, je devais être audacieuse, oser, foncer. Dire « *Yes, yes* » pour faire croire que je parlais anglais, ça n'avait rien de malin : c'était juste vital de décrocher ce job. Mais eux, mes compatriotes Hutu, n'avaient pas à se soucier de cela. Ils ignoraient ce que se battre pour sa vie signifiait, ils voyaient donc de la malice là où il n'y avait – chez moi, chez les Tutsi – que de la survie.

Dans le bureau de la présidence, l'interrogatoire se poursuit. « Et quel groupe culturel rwandais vous fréquentiez ?... » Ça y est, je comprends où il veut en venir : parmi les mille jobs que j'ai faits, l'un était d'accueillir les étudiants étrangers au service social de l'université, dont beaucoup de Hutu et également des réfugiés rwandais Tutsi en exil. Il veut me faire dire que j'ai côtoyé de plus près les Tutsi. Je m'abrite aussitôt derrière ma fonction : il y avait cent seize nationalités dans ce département – je cite le chiffre par cœur – je n'étais pas autorisée à vérifier l'origine des jeunes que je recevais ; je ne pouvais refuser aucun dossier, n'est-ce pas ?

Il se passe alors quelque chose d'extraordinaire, quoique très banal au Rwanda, durant cet interrogatoire d'une heure : aucun de nous ne prononcera jamais, absolument jamais, les mots de Tutsi, de Hutu ni celui de réfugié. Cependant, à tout moment, chacun de nous saura parfaitement décoder de qui on parle, ce que l'on veut dire et, surtout, ce que l'on ne veut surtout pas dire. Exemples : quand il me demande dans quel groupe culturel j'étais inscrite, je réponds par celui des « Rwandais du Rwanda ». Et lui comprend forcément que je parle de Hutu puisque ce sont les seuls à obtenir des bourses gouvernementales à l'étranger. Les Tutsi n'en ont quasiment jamais ou, comme moi, uniquement par le biais de l'Église ou des services sociaux belges. Mais aucun de nous ne prononcera le mot de Hutu…

Quand il insiste pour savoir si j'ai fréquenté l'association Acor, association des communautés d'origine rwandaise, je réplique que, comme son nom l'indique, ce sont des Rwandais d'origine mais qui n'y habitent pas. Et, avec un air exagérément ahuri mais ferme, je conclus : « Et ce n'est pas mon cas. » Mais aucun de nous ne prononcera le mot de Tutsi.

C'est étrange parce que j'ai peur, très peur de lui mais, en même temps, je ne sais pas d'où surgit ce ton péremptoire qui lui répond du tac au tac. Il me tend alors un piège : « Alors, vous voulez dire qu'un enfant de notre ambassadeur au Burundi, par exemple, ferait partie d'Acor s'il étudiait à l'université de Louvain ? » Évidemment, tout ambassadeur rwandais à l'étranger était Hutu. Il veut donc me faire réagir en protestant que non, le fils d'ambassadeur ne s'y inscrirait pas puisque seuls des Tutsi sont membres de l'association Acor. Mais je réponds, cinglante: «Ce fils d'ambassadeur, je suppose qu'il est majeur et il doit bien savoir dans quel groupe s'inscrire. Ce n'est pas à moi de le dire.» Aucun de nous ne prononce encore les mots de Hutu ou de Tutsi.

Là, il est devenu violent. Il s'emporte, vocifère, me postillonne au visage, je ne dois pas montrer mon dégoût: «Écoute-la, écoute-la!... Comme elles sont arrogantes!...» Il dit «elles», mais ne dira pas «elles, les Tutsi...» Puis, de plus en plus furieux, il passe du «elles» au «vous»: «Vous mentez! Vous mentez, vous dites à l'extérieur que vous n'obtenez pas d'études au Rwanda!» Oui, je mens puisque je lui réponds: «Jamais! Jamais on ne dit ça!»

Il s'étrangle: «Ah, oui! Et quand tu écris, hein?» Il me brandit alors une lettre que j'avais envoyée de Belgique à Innocent et commence à la lire à voix haute. Tout à coup, je comprends, je comprends tout. À Louvain, j'essayais d'obtenir une bourse pour Innocent auprès du service social de l'université belge et il devait remplir un questionnaire par écrit. Dans un courrier, je lui avais suggéré les réponses habituellement acceptées par l'administration belge. Cette lettre, je l'avais donnée à un compatriote, Faustin, un ancien de l'université qui rentrait au pays pour exercer comme professeur de faculté et ce Faustin, je le réalise là, maintenant, est, en fait, un agent de renseignement. Or dans ce questionnaire, parmi les questions auxquelles Innocent devait répondre, l'une d'elle était: «Pourquoi ne pouvez-vous pas faire ces études dans votre pays?» J'avais conseillé

à Innocent: «Réponds par les raisons que tu connais.»
Pour, une fois de plus, ne pas inscrire noir sur blanc ce
que pourtant tout le monde savait, ce qui gangrenait
le Rwanda depuis 1959 et nous tuait à petit feu, nous
les Tutsi, à savoir cette ségrégation à notre égard, quotidienne, officielle, normalisée dans le pays comme à
l'étranger – la Belgique n'a jamais interrogé nos autorités sur le fait que seuls des Hutu étaient boursiers dans
leur pays – mais qu'on ne devait pourtant pas nommer,
comme si de rien n'était et comme, d'ailleurs, cet
officier et moi sommes exactement en train de faire.

«Alors, quelles sont ces raisons que vous connaissez?»
relance-t-il, hurlant. Presque dix ans après, pendant le
génocide, je m'affronterai de nouveau à ce mystère
encore inexpliqué à mes yeux, sinon comme le signe
d'un dangereux réflexe de survie, ce mystère qui te
donne brusquement un aplomb terrible, bizarre, qui sort
de ta tête, de ton corps, alors que l'autre voudrait te
mettre en position d'infériorité. Car enfin, d'où me vient
la réponse, arrogante comme il dit, que je lui déballe?
«Monsieur, ce sont les mêmes raisons que vous connaissez vous-même.» Et j'enchaîne d'une seule traite:
«Oui, les raisons qui nous poussent, Rwandais, à
demander de faire des études ailleurs parce que notre
pays est pauvre. Sur cent enfants, dix seulement vont
en secondaire, et sur cent qui finissent le secondaire,
un seul parvient à l'université. Parce que le Rwanda est
vraiment trop défavorisé.» Je connais les statistiques
par cœur – c'est le sujet de mon mémoire de licence
en sociologie. «L'enseignement au Rwanda». Mon ton
est très calme, ma thèse d'une logique implacable.

Lui le perd totalement, son calme. Maintenant,
il m'insulte: «Sales menteurs! Sales menteurs! Mais

dis-le, dis que vous racontez partout que vous ne pouvez pas faire d'études chez nous parce que vous êtes discriminés. » Il ne dira toujours pas le mot de Tutsi. Moi non plus, d'ailleurs, quand je lui réponds, en restant calme : « Mais non, monsieur, ce n'est pas parce qu'on est discriminés ! C'est parce qu'on est pauvres ! Et je ne peux pas dire que je suis discriminée puisque moi-même, j'ai pu aller à Louvain-la-Neuve. » Ah, ça, je ne vais pas ajouter que c'était contre leur volonté que j'ai atterri là-bas, et sans un sou de la coopération ! Mais, soudain, je me sens une sale menteuse, tricheuse, une sale vendue. À dire tout le contraire de ce que je pense, de ce que je vis… Mais, en fait, c'est justement cette réaction qui l'a démonté. Même si désormais, il sort de ses gonds, ses yeux sont injectés de sang, il tape sur la table. Je n'ai jamais compris comment je n'ai pas été brutalisée, ce jour-là. Il hurle toujours. Non, mais pour qui est-ce que je le prends ? Ils « nous » connaissent bien, allez, ils savent tout ce que, « nous », on dit « d'eux »…

Je mesure ma chance quand il me tend la déposition à signer, en début de soirée ; je vais enfin pouvoir partir, je suis là depuis le début de l'après-midi. Un greffier a tout noté. Noté ce qu'il voulait. Je refuse de signer cette fausse déclaration. Mais le militaire est dans une telle colère que j'ai vraiment très peur : j'appose alors mon nom en ajoutant, au-dessous, que je ne suis pas d'accord. Quand je sors, je trouve Faustin dans le couloir, celui qui m'a dénoncée – mais dénoncée de quoi, en fait ?… Je donne des conseils codés à Innocent dans une lettre et je la remets naïvement au presque premier venu – Faustin était seulement une connaissance. En fait, j'ai su plus tard que, à peine soupçonné, ils te surveillent tout le temps. Ils te prennent, comme dans mon cas, pour une conspiratrice, te font suivre partout et finalement ils découvrent que tu es au fin fond d'un bled au Rwanda, à Kilinda, à t'ennuyer en donnant des cours de français alors que tu es sociologue et que tes seuls déplacements sont pour aller voir tes parents... Tu parles! Comme espionne, il y a plus performant.

Un jour, quatre ans après le génocide, je roulais en voiture, un homme faisait du stop. Je me suis arrêtée, c'était Faustin, je l'ai tout de suite reconnu. Lui, pas avant d'être monté à mes côtés et bien assis. Comme il était gêné, ne savait pas quoi me raconter, il a dit: «Dieu merci, tu es encore vivante.» Je n'ai pas répondu, n'ai posé aucune question. Je lui ai juste demandé dans quelle direction il allait.

14
Mariage, naissances et génocide

Entre veuves rescapées du génocide, on plaisante parfois sur nos maris disparus. Comme on s'en souvient toujours avec nostalgie, douleur, amour, qu'on les évoque toujours avec manque, qu'on les regrette éperdument, certaines osent plaisanter. « Oh ! maintenant qu'ils sont morts, ils sont tous devenus parfaits ! » C'est une de nos aînées qui, la première fois, a lancé cette blague, et nous avons toutes ri. C'est vrai qu'on peut avoir cette tendance à idéaliser nos morts. C'est vrai que leur fin tragique peut nous faire oublier leurs défauts. Mais, vraiment, vraiment, qu'est-ce qu'Innocent était sympa !... En Belgique, où il m'avait finalement rejointe pour ses études d'anthropologie et de linguistique, quelle belle année on avait passée ! Des balades à vélo à travers la ville estudiantine, des heures d'études à la bibliothèque de Philo et Lettres, des visites chez Beata ou Cathy nos cousines, chez nos amis Suzanna et Jean, Françoise et Jean-Marc... On s'est confirmé qu'on voulait toujours vivre ensemble. Quand on s'est mariés au Rwanda, le 20 juin 1987, deux ans après mon retour de Belgique, on a notre compte de galères. Moi, j'ai postulé exprès à l'université nationale du Rwanda de Butare, à un emploi dont le profil répondait au mien, tout en sachant qu'au moment de conclure mon contrat, quand on s'apercevrait que j'étais Tutsi, eh bien… C'est exactement ce qui s'est passé : le poste n'était plus disponible ! Cela m'a rappelé en Belgique lorsque j'appelais pour une chambre, libre au téléphone, et subitement déjà louée dès qu'on me découvrait noire. Finalement, après m'être acquittée de ma dette avec l'Église qui avait payé ma bourse d'études, je postule chez Oxfam, je passe un examen et j'obtiens un poste. Pour la première fois de ma vie, mon ethnie ne semble pas déranger. On en veut seulement à ma compétence. Je reprends espoir. Je travaille comme une dingue. Innocent, lui non plus, n'a pas eu l'emploi qu'il voulait à l'université de Butare. Malgré sa double licence en linguistique et anthropologie, il n'obtient qu'un poste de professeur de lycée… là où j'ai fait ma scolarité, à Notre-Dame de Cîteaux. On s'y installe, dans une maison réservée au corps enseignant. L'établissement est immense et, en plus des classes du lycée, possède une salle de spectacles et une salle d'études complètement insonorisées. Les dortoirs, cuisine et réfectoire sont tous de beaux bâtiments à deux étages, architecture rare au Rwanda, à deux pas des terrains de sport et encerclés par un parc que parfument d'immenses eucalyptus et sans cesse animé de chants d'oiseaux. C'est si étrange de me retrouver la voisine de mes anciens professeurs…

En octobre 1990, la guerre éclate : l'armée du FPR, le Front patriotique rwandais, pénètre au nord du pays à partir de l'Ouganda. Depuis des années, la question des réfugiés rwandais Tutsi, qui avaient fui le pays à la suite des massacres de 1959 et 1973 au Zaïre, au Burundi et en Ouganda, ne trouvait pas de solution politique. Eux voulaient revenir au Rwanda mais, considérés comme des ennemis par le gouvernement, ils demandaient des garanties à leur retour. Aucune rentrée pacifique n'a pu être négociée entre le HCR (haut commissariat aux réfugiés) et le gouvernement rwandais, concernant ces centaines de milliers de Rwandais. Le FPR a alors décidé de faire force ; bien que la progression de ses troupes ait été stoppée le surlendemain même par l'armée rwandaise, les répercussions sur les Tutsi de l'intérieur, mais aussi sur des Hutu opposants et originaires du Sud, sont immédiates et terribles : des milliers de personnes soupçonnées d'être complices du FPR sont emprisonnés durant des mois. La suspicion devient très forte entre voisins, la radio fulmine ; après avoir été accusé de complicité avec le FPR, un de mes oncles très proches, Sakumi, a été arrêté puis finalement relâché. En direct à l'antenne, en citant explicitement son nom, une journaliste, Stéphanie – avec qui j'étais en classe – a dénoncé le manque de vigilance des Hutu pour l'avoir libéré et l'a accusé d'avoir aussitôt fui le pays. Il n'en avait pourtant absolument pas bougé. Mais, quatre ans après, des militaires se sont bien rappelés de ces insultes émises à la radio, cette fois-là : dès le premier jour du génocide, mon oncle a été mitraillé.

À partir de cet automne, on sent qu'autour de nous, la tension monte. La radio parle de plus en plus de *cancrelats*. C'est le mot qu'on prononce pour parler d'un Tutsi : cancrelat, cafard. Je mets longtemps, en fait, à sentir la force de cette insulte. Un cafard, même quand tu l'écrases, si tu veux t'en débarrasser, il faut procéder à un récurage total. Je sais de quoi je parle parce que j'ai eu une fois des cancrelats à la maison, et tu as vraiment du mal à les éliminer. À un certain moment, j'ai eu le déclic, j'ai compris la comparaison. Là, c'est vraiment terrible. Te sentir associé à un insecte aussi dégoûtant... et réaliser que, toi, Tutsi, c'est ce que tu représentes aux yeux de l'autre, ah...

On note aussi des changements de comportements; nos voisins Hutu, au lycée, ont l'habitude de se partager certaines tâches avec des collègues Tutsi: les uns accompagnent les enfants à l'école le matin, les autres les récupèrent le soir. Mais lorsque toute la famille Tutsi est emprisonnée, soupçonnée de collaborer avec l'ennemi, nos voisins Hutu, du jour au lendemain, ont refusé de conduire leurs enfants. Et quand ces petits prenaient le bus, les autres les insultaient en les traitant de fils de complice, *« ibyitso »*. D'autre part, ces voisins ont poussé plus loin la surveillance: ils ont engagé un gardien posté à l'entrée durant la journée pour noter tous les mouvements des visiteurs – qui entrait, pour aller où...

De notre côté, les sœurs de l'établissement commencent à accuser Innocent de favoriser les élèves Tutsi: un climat d'incertitude grandit. Pourtant la vie continue. On fête la naissance de notre deuxième fille, on construit une maison et quand j'attends la troisième, la paix vient d'être signée à Arusha. Une famille idéale, certes occidentalisée, mais élargie à l'africaine. Malgré certaines habitudes importées d'Europe, on tient beaucoup à notre culture rwandaise et à ses valeurs de solidarité. On veut donner leur chance à tous nos frères, sœurs et cousins de faire leurs études en les logeant chez nous. Cette année scolaire, on est au moins une dizaine de personnes à la maison. Avec Innocent, on s'accommode désormais de nos carrières détournées parce qu'on est ensemble, et si heureux ensemble. Avec mes parents, j'avais vraiment eu l'image d'un couple heureux, durant toute ma vie avec eux. Et avec Innocent, j'ai vécu la même chose, on était un couple très heureux. Parfois, je me dis que c'est cela qui m'aide beaucoup à re-vivre aujourd'hui : avoir fait tellement de réserves de bonheur dans ma vie… On n'était pourtant pas des gens exceptionnels, pas plus que d'autres, c'est sûr. Mon père aurait pu choisir de me raconter ses malheurs, ses éternels recommencements de façon triste et acariâtre. En fait, jamais. Il n'était pas dans la colère nı dans la résignation, mais quelque part entre les deux. En tout cas, je pense que c'est de là que me vient ce côté positif de la vie. Le lait que tu as bu enfant, ça te désaltère pour la vie.

Le 7 avril 1994, lorsque le génocide commence, ce sont les vacances de Pâques. Je déteste les vacances de Pâques. Je déteste le mois d'avril. Nos jeunes frères, élèves en secondaire, sont partis en vacances chez les parents. On pense tous se revoir dans deux semaines, on ne se reverra jamais. Ils ne survivront pas. Le soir où l'avion de Habyarimana est abattu de retour d'Arusha, Innocent et moi n'écoutons pas la radio. On se couche sans apprendre la nouvelle qui va déclencher le génocide des Tutsi et qui fera entre huit cent mille et un million de morts, en cent jours seulement. À cinq heures du matin, un collègue me téléphone. Il me dit : « Esther, tu as entendu que, cette fois, c'est la fin ? Esther, tu n'es pas au courant ?… Allume la radio, le président est mort. Esther, c'est fini. » Innocent allume le poste : on y clame en boucle que les ennemis du pays ont tué notre président mais qu'on en appelle au calme, chacun doit rester chez soi. Clairvoyants, on comprend que c'est pour mieux nous éliminer et qu'on va y passer. Les Tutsi avaient subi tant de violence qu'aucun événement ne justifiait : alors, maintenant avec la mort

149

de «leur» président imagine un peu... On savait combien les accords d'Arusha, destinés à un partage du pouvoir plus équitable entre Hutu et Tutsi et signés un an auparavant, divisaient le pays, dont les Hutu entre eux. Le propre président rwandais, Habyarimana, tenait un double discours à la population. C'est Innocent qui me le fait remarquer, un jour, en écoutant les nouvelles. Lors d'une une émission de radio, notre chef d'État annonce en français qu'il a signé ces accords et, dans le journal d'information diffusé en kinyarwanda, il déclare qu'il ne faut pas s'en faire, «ce ne sont que des bouts de papier». Et puis, au cours du mois de mars précédent, des règlements de comptes entre partis politiques extrémistes et modérés s'étaient traduits par une suite d'assassinats de militants, dont ceux d'un parti (CDR) plus violent encore que celui des Interahamwe (MRND). S'en était suivie une cascade de violences : des familles entières de Tutsi avaient été massacrées. Alors tu te dis que si, pour la mort d'un chef de parti, les réactions ont été si dures, qu'est-ce qui peut bien se passer après la mort du président lui-même... L'assassinat d'Habyarimana arrivait, en fait, comme la note finale d'une tension haineuse qu'on sentait monter depuis le début de la guerre, ces quatre dernières années. La radio des Mille collines diffusait de plus en plus souvent des messages sur «l'ennemi parmi nous». Les journées qui ont suivi l'attentat contre le président, Radio Rwanda, la radio nationale, s'y est mise aussi. C'était un signal alarmant parce que jusqu'à présent, elle se retenait, biaisant entre les deux langues diffusées. Cette fois, elle s'adresse directement aux tueurs : «N'oubliez pas qu'ils ont toutes sortes de malignités pour se cacher.»

150

L'appel au meurtre était désormais devenu légal. Le jour se lève à peine quand j'appelle mon oncle Sakumi. Il me dit que tout son quartier est barricadé. À peine quelques heures plus tard, il sera tué par balles avec son épouse. Miraculeusement, ses enfants ont été sauvés; parmi eux, Sylvie, leur fille aînée, a sauvé sa petite sœur Consolatrice, laissée pour morte, en la récupérant près du cadavre de leur mère. Avec Innocent, on se demande ce qu'on va faire, où on va aller. Le périmètre de notre lycée, contrairement au quartier de Gitega tout autour de nous, reste assez sûr: mieux vaudrait ne pas en bouger. On a donc réveillé nos filles, retrouvé nos réflexes d'employés de l'humanitaire: que chacun prenne une couverture, des vêtements chauds, puis on est allés se réfugier dans un ancien dortoir désaffecté de Notre-Dame de Cîteaux. On y restera trois semaines. Trois semaines pendant lesquelles on est comme hors du monde, mais sans en être protégés. Comme le quartier de ce lycée est résidentiel et clôturé, une grille d'entrée le protège. Mais on ne peut pas en bouger, pas s'en enfuir: sur sa droite, l'établissement longe une caserne militaire; à chaque angle de sortie, un barrage d'Interahamwe contrôle l'identité de chaque passant; en haut, il y a les locaux de la radio gouveremental et celle privée des Mille collines qui vocifèrent toutes deux leur haine des Tutsi. Elles persistent en ordonnant « d'écraser les serpents », dénoncent des noms de Tutsi à exécuter. Elles diffusent de plus en plus des chants, déjà entendus auparavant: « Exterminons-les, *Tubatsembatsembe* », dont le pire est que la mélodie en apparaît entraînante. Parfois, les animateurs rabrouent les tueurs: « Alors, il paraît qu'à Nyambirambo *(ndlr: un des quartiers de la capitale),* vous avez

151

été paresseux et que vous n'avez pas bien "travaillé". »
Travailler, c'est le terme employé depuis 1973 pour
signifier tuer. Même entre nous, Tutsi, on l'employait
pour se demander des nouvelles ; après des vents
mauvais, on disait : « Et chez toi, ils ont travaillé ? »

Au lycée, la réalité extérieure nous parvient surtout
sous forme de bande sonore : des cris, des coups de feu,
des hurlements, des sifflements de balles. À chaque
coup de fusil, on se dit : « Ils viennent d'en tuer un autre. »
Le temps passe lentement... Une centaine de Tutsi
nous ont rejoints. Chaque famille tente de s'organiser
un petit coin. Et Innocent, qui était préfet des études,
(ndlr : sous-directeur) prend naturellement le contrôle du
quotidien : préparation des repas, des prières, nettoyage...
Mes seuls allers-retours sont entre ce dortoir-refuge et
notre maison, cinq cents mètres plus bas. D'une certaine
façon, je peux dire que j'ai été épargnée pendant le
génocide parce que, réfugiée dans ce dortoir, je n'ai pas
assisté à des scènes de barbarie, pas vu les cadavres dans
la rue ; la mort ne m'a pas narguée de façon aussi
violente que d'autres. Valentine, par exemple, une de
mes amies, a été attrapée à Kigali après avoir été cachée
dans une famille. On l'a emmenée, avec d'autres, à la
barrière pour les tuer et les soldats se sont partagé le
groupe en deux : neuf personnes chacun. Celui de droite
à vite abattu les siens, celui de gauche aussi mais, juste
au moment où Valentine, la dernière de sa file, est visée,
son fusil a calé. Il demande donc à son camarade de tirer
pour lui et celui-ci lui répond : « Moi, j'ai fini les miens,
pourquoi est-ce que je ferais ton boulot, mon vieux ?
Tu le fais toi-même ou tu te casses. » Le soldat est parti,
et Valentine est restée sauve, avec ces neuf cadavres
d'un côté, et huit de l'autre ; elle n'arrivait plus à bouger.

Puis elle a fini par aller se cacher et a survécu. Mais elle est dans un état mental pas possible… Aujourd'hui, elle tient un commerce à Kigali, tu la vois, tu te dis quelle belle femme! Mais tu ne sais rien du film qui est en train de se jouer dans sa tête. Tout cela relève du hasard: j'aurais pu être à la place de Valentine, en visite chez mes parents, par exemple. Mais le génocide n'a pas qu'une seule violence. Il n'a pas que la violence de la mort ou des tortures physiques. Il t'anéantit à l'intérieur de toi, il te fait ce que l'autre veut faire de toi: rien, même moins que rien. Même encore en vie, tu deviens inexistant. Il y a tant de scènes que je me rappelle ainsi… Ma sœur Stéphanie, restée chez elle à Nyamirambo, un quartier de Kigali à cinq kilomètres de notre lycée, avait besoin de médicaments et un milicien, qui était domestique chez nous, a accepté de les lui apporter avant dix heures du matin. Il fallait juste que je me les procure chez les sœurs, que je connaissais très bien. J'y vais donc tôt le matin et la sœur qui m'ouvre me regarde d'un air presque choqué. «Oui, Esther?…» Quand je lui explique la situation, elle répond, avec naturel: «Mais Esther, on ne "reçoit" que dans deux heures, il faut revenir.» Je la regarde, je crois qu'elle n'a pas compris. Ou bien est-ce moi qui ai peur d'avoir trop bien compris?… «Recevoir» signifie accueillir les pauvres, pour des dons de vêtements, aliments et médicaments. Non, j'ai dû me tromper. J'insiste, le milicien doit partir tout de suite, et Stéphanie est en danger, et ces religieuses me connaissent bien depuis des années, n'est-ce pas, et… Elle me répète sa réponse et me referme la porte au nez. En fait, cette sœur est en train de me parler de la permanence pour nécessiteux ouverte, dans la matinée, à tout quémandeur.

Jamais je n'oublierai la prise de conscience que j'ai brutalement eue : jusqu'à cette minute, j'étais Esther avec un parcours, une histoire, une vie, j'étais sociologue, épouse du préfet des études et professeur estimé, et tout à coup, je ne suis personne, je n'ai droit à rien, je suis seulement Tutsi, un cancrelat comme dit la radio. Et le pire, c'est qu'en moi, j'éprouve exactement ce que cette femme me renvoie : je me vis comme misérable, mendiante. Je n'ai même pas de colère, de révolte, je suis abasourdie, je me dis : « Esther, qu'est-ce que tu crois ? Qu'est-ce que tu as imaginé ? Pour qui tu t'es prise ? » Comme si je pensais encore être une personne normale !… Je me suis machinalement assise sur l'escalier extérieur et je suis restée, comme ça, hagarde, à attendre l'horaire des pauvres, deux ou trois heures après. Je n'ai rien fait, pas bougé, pas réagi, avec Babiche sur le dos, j'ai juste attendu que les heures tournent.

Ce sentiment d'être rien, de considérer que survivre est comme un droit dont tu as abusé, il ne te quitte plus pendant un génocide. Vers la fin des événements, en route pour l'Ouganda après m'être retrouvée dans un centre d'accueil pour rescapés tenu par le FPR, avec mes filles et une vieille tante, j'ai demandé à un militaire s'il n'avait pas une pièce vide pour qu'on y dorme, une nuit ou deux. C'était le lieutenant Emmanuel – je me rappellerai toujours son nom, parce qu'il a eu une telle gentillesse dans les yeux… Il a regardé tout notre petit groupe, grand-mère, fillettes, bébé et, abasourdi, il a hoché la tête et a dit – mais je crois qu'en fait, il se parlait à lui-même : « Mais le Rwanda est-il vraiment tombé si bas ? C'est vraiment là que nous en sommes maintenant ?… » Il avait l'air dépassé, il n'arrêtait pas de balancer la tête : « Il n'y a donc plus d'humanité dans ce pays ? Il n'y a plus d'humanité ?... Vous me demandez une salle vide : mais vous n'êtes pas des bêtes ! Est-ce que vous croyez vraiment que je vais vous donner une salle vide pour des enfants, une grand-mère ? Alors que vous êtes des personnes humaines... » C'est bizarre, mais je me suis sentie anéantie. J'étais soulagée, bien sûr, mais anéantie aussi parce que j'avais perdu cette réalité : être accepté, respecté après avoir été habitué à une telle haine. C'est une de ces rares fois, depuis le début du génocide, que j'ai eu envie de pleurer.

Les journées, dans notre cachette, s'écoulaient lentement. Les sœurs avaient permis qu'on consomme les réserves alimentaires prévues pour le semestre suivant ; on passe beaucoup de temps dans la cuisine. Nos enfants jouent à se coucher dès qu'ils entendent un coup de feu ou s'amusent à imiter le sifflement des katioucha. Certains passent leur journée sur leur lit. Les hommes surtout. Souvent, ils sont plus abattus que leurs épouses, ils sentent leur fin approcher. On a bien pensé, avec Innocent, à partir un jour : les combats empiraient entre les deux armées à Kigali et la population civile, surtout les Hutu, fuyait vers le sud, présumé plus sûr. Une rumeur a prétendu que le contrôle aux barrières se relâchait : Innocent a proposé qu'on en profite. Mais un des veilleurs de nuit l'a pris à part : « Ne commets pas cette erreur, ce n'est pas vrai ! Les barrières ne sont pas relâchées, ils contrôlent encore tout. » Cet homme, Hutu déplacé de guerre, aimait bien Innocent qui l'avait aidé à scolariser ses enfants et leur avait procuré le matériel nécessaire. Il ne l'avait jamais oublié. C'est ce veilleur de nuit qui nous a indiqué où étaient les corps d'Innocent et de ses amis lorsqu'on les a tués ; il nous en a informés juste pour qu'on sache et qu'on puisse mettre un nom et une image de lieu sur cette mort. On les avait abattus sur l'avenue de la Justice. Un des fils de ce gardien, âgé de dix ans, s'est étonné, en voyant le cadavre d'Innocent: «Mais ce n'est pas possible! Je ne savais pas qu'il était Tutsi. Il était si gentil avec nous…»

Je n'arrive pas à me dire que, dans d'autres pays, des gens ont vécu ce samedi 30 avril 1994, où Innocent a été tué, comme un samedi normal. Innocent a convaincu le groupe de sarcler le potager de l'école pour améliorer un peu notre régime alimentaire. On commence à réaliser qu'on ne sait pas combien de temps tout cela va encore durer. Chaque jour, lorsqu'on écoute en cachette Radio Muhabura, émise par le FPR qui est en train de combattre les génocidaires au Rwanda, on entend l'énoncé d'une liste de Tutsi qui ont été tués et la panique nous gagne, on se sent comme des bêtes prises dans un piège et qui attendent… mais quoi?

C'est justement ce soir-là que quatre d'entre nous n'en peuvent plus de cette lente agonie. Ils annoncent que, quitte à en mourir, ce ne sera pas le gosier sec. Ils décident de se rendre chez une collègue et amie professeur Hutu qui, pour subvenir à ses besoins, vend de la bière. Innocent essaie de les dissuader: le quartier est infesté d'Interahamwe. Rien à faire: ces quatre-là sont trop décidés à risquer leur vie, déjà condamnée, pour une dernière bouteille – «Mieux vaut succomber sous une balle que d'une envie mortelle de bière!» – et ils partent dans la nuit. Le reste du groupe se tait. Des hommes essaient de blaguer, parfois de façon macabre. Et prémonitoire. L'un d'eux, Médard, est comédien à ses heures perdues. Il contrefait la voix du speaker et énumère nos propres noms, le sien compris, avec dérision. Il nous fait rire, et on rit. «Nous venons également d'apprendre que les personnes suivantes ont été tuées : Médard Mwumvaneza, agent de l'Ambassade américaine. Innocent Seminega, préfet des études au lycée Notre-Dame de Cîteaux. Rugamba, professeur au lycée Notre-Dame de Cîteaux... » Quelques heures plus tard, tous trois seront pris, tués, le speaker ne l'a jamais su. Il ne l'a donc jamais annoncé.

Je déteste Pâques, je déteste avril. C'est le mois de la mort. C'est aussi le même mois où le Christ fut livré. Avant d'être livré, il a rompu le pain. Innocent lui, a fait le même geste avec une papaye. Ce matin du 30 avril, comme les filles sont encore endormies, on en profite tous les deux pour se retrouver dans le jardin potager, puiser de l'eau qui ne tardera pas à être coupée et surtout, avoir un moment ensemble, juste lui et moi. Soudain, il aperçoit une papaye bien mûre, et la cueille. En temps normal, on n'aurait jamais imaginé chaparder, encore moins chez des sœurs ; ce matin, on ne se pose même pas la question, on a faim. C'est une aubaine, on a trouvé un fruit pour les enfants. On retourne au dortoir avec notre précieuse trouvaille et Innocent se met à l'éplucher avec une infinie tendresse. J'aurais dû pressentir, à ce moment précis, que son geste était un geste d'adieu. Il ne m'a pas demandé de le faire, il ne l'a pas demandé à Marie-Bonne, la jeune fille qui s'occupait habituellement de nos enfants, en fuite comme nous. Il le fait lui-même. Il coupe la papaye en de belles tranches, les dispose sur une assiette, et attend le réveil des enfants. Aujourd'hui avec ses tranches de papaye, il va offrir un festin aux enfants – tous, les siens, les autres. Ce matin, on n'a pas soupçonné que c'était un adieu. Innocent cueille la papaye, la coupe et la donne aux enfants, tous les enfants... Aujourd'hui, lorsque j'assiste à une messe catholique, le moment le plus difficile pour moi est toujours celui de l'offertoire : chaque fois, je revois Innocent qui cueille la papaye, la coupe et la donne aux enfants, tous les enfants... Le soir même, à dix-neuf heures, un groupe de soldats est venu, à l'heure exacte où on allait passer à table. On a sans doute été trahis. Ils nous ont tous rassemblés dans une pièce, fait asseoir par terre, sélectionné les femmes et les enfants d'un côté, les hommes et les garçons de l'autre. Même le jeune Mao, qui avait douze ans. Mais douze ans, pour un Tutsi, c'est déjà l'âge d'un ennemi, et les génocidaires avaient la tâche d'exterminer tout ennemi. Mao est parti avec eux, ainsi que son frère Alexandre, âgé de quinze ans. On savait, absolument, sans aucun doute, aucun espoir, qu'ils allaient être tués. C'était la fin – ils se sont levés, on n'a rien pu échanger comme adieu, Innocent s'est juste retourné vers moi au tout dernier moment et il m'a dit, en me regardant intensément : « Emmène mes filles loin de là. » Je ne sais pas s'il parlait de les emmener loin de ce dortoir ou loin du Rwanda. Dans ma vie actuelle en Allemagne, il m'arrive de me dire parfois que j'ai exaucé son dernier vœu, j'ai emmené nos filles loin de « là ». Mais est-ce qu'Innocent voulait vraiment parler de partir à l'étranger ? Peu après, tous ont été exécutés sur l'avenue de la Justice. Cynisme du sort jusqu'au bout.

Seuls les retardataires partis boire leur bière ont été épargnés, puisque absents. Demande à un rescapé comment il a survécu, il te dira que c'est de la chance ou, s'il y croit, que c'est un miracle. Moi, je crois que chaque histoire de survivant est un miracle. Quand ces quatre buveurs sont rentrés vers notre dortoir, dans la nuit, ils sont tombés sur le groupe d'hommes et d'enfants encadrés par les miliciens qui allaient les abattre. Mais dans l'obscurité, les miliciens ont cru qu'ils étaient des Hutu, à cause de leur silhouette imprécise mais surtout parce qu'il était inimaginable que des Tutsi puissent s'aventurer dans la rue aussi librement. D'un geste excédé, ils les ont bousculés comme des passants gêneurs et leur ont ordonné de se ranger le long de la voie pour les laisser passer. Tu te rends compte… ces quatre hommes qui étaient partis boire une bière parce qu'ils étaient sûrs de mourir le soir même, ces quatre hommes sont ignorés par leurs propres tueurs… Et, devant eux, ils voient passer en file indienne, conduits à l'abattoir, leurs collègues et amis et même, pour certains, leurs propres enfants…

Dans le groupe des détenus, trois ont réussi à s'enfuir. Le premier est Médard, qui a profité d'un moment d'inattention pour se coller contre un tronc d'arbre et s'éclipser. Il est revenu au lycée et s'est adressé au veilleur de nuit, Karengera, qu'on connaissait bien. Karengera l'a caché puis il est immédiatement allé le dénoncer et les miliciens ont tout de suite achevé Médard. En fait, ce veilleur collaborait depuis le début du génocide avec les tueurs, on ne le savait pas ; à la fin du génocide, il a lui-même été exécuté après qu'on a découvert qu'il nous avait tous vendus, mais qu'il avait aussi fait tuer des jeunes garçons d'un quartier avoisinant parvenus à nous rejoindre dans notre cachette. Leur mère, maman Ami, l'a maudit.

Le deuxième, Charles, avait grandi à Nyamirambo ; il nous a raconté plus tard tout ce qu'il a pensé, cette nuit, avant de concocter sa fuite. Il habitait un quartier populaire de Kigali, toujours très animé et où les cinémas n'étaient pas trop chers. Tous les enfants de sa rue dépensaient leur moindre sou pour aller voir des films d'action. Près de la mort, Charles se dit que ça y est, maintenant c'était fini. « Ils ne nous ont pas amenés ici pour nous faire une conférence, ils vont forcément nous tuer » et, tout à coup, il décide de tenter le coup. Il se met à courir, les balles sifflent derrière lui et pour leur échapper, comme dans les films qu'il a vus, il se met à courir en zigzaguant. Les balles le frôlent mais aucune ne l'atteint. Il saute chaque clôture de maison, se cache toute la nuit dans les buissons et ose nous rejoindre le lendemain.

Enfin, le troisième et dernier rescapé s'appelait Damien, un jeune garçon de notre quartier, déjà un peu bandit dans la vie. Enfin… il s'appelle Damien, car il est encore en vie aujourd'hui. À maintes reprises, il s'était tiré d'affaires délicates en prenant ses jambes à son cou. Cette nuit, ses expériences passées l'ont sauvé. Pendant la marche alignée vers la mort, il s'est soudainement enfui en courant, courant pour arriver jusqu'à notre dortoir. Des gens, de l'étranger, nous ont souvent demandé pourquoi quelqu'un ayant réussi à fuir sa mort retournait à son ancienne cachette. Surtout que ces cachettes n'en étaient pas vraiment puisqu'elles étaient souvent connues de nos tueurs ; le jour de notre fin ne dépendait que de leur bon vouloir. Mais ne me demande pas comment se prenait leur décision : il n'y avait pas de logique « logique ». Aussi, je sais que c'est difficile à comprendre pour un étranger mais la réponse est tristement simple : où vouliez-vous qu'ils aillent ?… En ville, quelles possibilités a-t-on ? Leur famille était déjà exterminée ou elle-même en cavale. Et, de toute façon, les barrières, installées dans tout le pays, empêchaient tout mouvement. S'aventurer en dehors de nos cachettes, aussi peu sûres fussent-elles, c'était devancer notre mort et nous, on voulait la retarder le plus possible. Quand Damien est arrivé, haletant, il nous a trouvées encore hébétées, en train de réciter des prières. Il s'est dressé avec force et s'est mis à nous crier dessus: «Mais vous êtes dingues ou quoi? Ils vont revenir bientôt vous rechercher et vous allez rester comme ça, comme des moutons! Courez et cachez-vous!» C'est vrai qu'on était là, sans réaction. Encore sous le choc: ils étaient venus, avaient emmené nos hommes, certains de nos enfants et nous, on était restées là, hébétées, sans force, sans mot dire. Puis l'une avait commencé une prière et, machinalement, on avait répété après elle tout le chapelet. Pourtant, moi, protestante, je n'avais pas cette habitude du chapelet. Tu es là, sans réaliser ce qui te tombe dessus, je le répète: tu es hébétée. Mais Damien nous a sorties de notre stupeur. Alors on a couru, on a trouvé refuge dans les jardins avoisinants des sœurs. Damien, lui, a sauté la clôture qui le séparait de leur couvent et leur a demandé leur aide. Les sœurs lui ont ouvert la porte, lui ont donné la bénédiction par un signe de croix sur le front et l'ont aussitôt renvoyé. «On ne peut pas te cacher. Sois béni, mon fils.» Damien a survécu et longtemps, il a exercé du chantage sur ces sœurs après le génocide: sous menace de les dénoncer comme collaboratrices, il exigeait de l'argent et elles payaient. Un jour, il s'est même vengé de façon théâtrale: il avait escroqué un commerçant venu du Burundi en lui vendant quinze tonnes de sucre… fictif! Il lui a proposé d'aller récupérer ce stock ensemble. Le marchand a payé cash, ils sont partis. Damien lui indique la direction du couvent; sur place, il descend pour l'aider à garer juste devant la porte d'entrée qu'il a prétendu être le hangar du stock. Et il prévient son client qu'il va chercher les manœuvres pour décharger. Damien connaissait les environs comme sa poche, il s'est éclipsé. Patiemment, le commerçant l'attend. Au bout d'une demi-heure, il se décide à sonner et, à la sœur qui lui ouvre, dit: «Bonjour ma sœur, je viens chercher le sucre.» «On a déjà donné…», lui répond-t-elle, en tenant la porte entrebâillée. «Il n'y a plus de sucre, mon fils.» Le commerçant insiste: «Ma sœur, je ne vous demande pas de sucre, je vous demande mon sucre. Celui du stock.» Elle tente de refermer la porte et d'une voix mielleuse, répète: «Il n'y a plus de stock, mon fils.» «Mais je veux mes quinze tonnes!» «Revenez une autre fois, mon fils…» Leur dialogue de sourds a duré un bon moment avant que chacun ne réalise qu'il avait été dupé.

Quand Damien racontait cette histoire après le génocide, il adorait imaginer la tête des sœurs prises pour des receleuses de sucre. Mais cette nuit, chassé par elles, il ne sait pas encore qu'il va survivre. Il se dissimule dans les buissons du jardin, comme le reste du groupe. Le silence est pesant dehors, entrecoupé de temps en temps par des coups de fusil, non loin de là. Tout autour du lycée, à chaque barrière de miliciens, on abat les Tutsi comme des mouches. On est tous éparpillées dans les alentours et on reste coi, presque toute la nuit.

Je suis tapie dans un vieux garage désaffecté qui servait à abriter le bois de chauffage lorsque le faisceau d'une lampe de torche nous découvre, mes filles et moi. Après la petite pluie tombée pendant notre course, on est encore trempées. Je n'ai même pas pris un pull ou une couverture pour les enfants. Une jeune fille, domestique chez nos voisins, qui se cache là avec nous, retire son petit pagne passé au-dessus de sa jupe comme tablier, et me le donne pour serrer Babiche sur mon dos. Des gestes comme cela, on ne les oublie jamais dans la vie. Une seconde, aveuglée par la lumière de ce faisceau, je crois que ce sont les tueurs qui nous ont retrouvées. Mais je ne réagis même pas. Innocent est mort, et je n'ai aucune envie de continuer sans lui, même s'il faudrait que je continue, pour elles. Mes filles. D'ailleurs, cette nuit, on est prêtes à mourir. On est déjà presque mortes. Tout à l'heure, après ce dernier regard d'Innocent et son départ, on a entendu des coups de feu au loin et Anna, mon aînée âgée de cinq ans, m'a demandé : « Est-ce que c'est papa qu'on fusille ? » et je lui ai dit oui. Elle s'est tue, moi aussi. Elle ne pouvait même pas pleurer, elle savait qu'on était cachées et qu'on voulait nous éliminer. Elle ne comprend pas encore pourquoi. La torche s'abaisse, une religieuse m'interpelle. Qu'est-ce qui fait que les sœurs ont changé d'avis et viennent soudain nous chercher, dans la nuit ? Je ne le sais pas mais, de toute façon, je ne leur fais plus confiance. Et quand elles nous installent dans un parloir pour le reste de la nuit, je comprends vite qu'elles y ont été obligées par le premier sergent. Le lendemain, elles donnent l'ordre au jardinier de tailler tous les buissons. Plus aucun refuge possible. Les sœurs ont considéré que le jardin en avait besoin depuis longtemps.

Comme tout le monde, j'ai toujours raconté à mes filles que « Innocent est au ciel ». Et puis, j'ai arrêté de le dire, depuis le soir où j'ai surpris Anna dans notre petit jardin, au Rwanda, après la fin du génocide. Elle était en pleurs en regardant au ciel. Je l'ai prise, l'ai tenue contre moi, serrée dans mes bras et je lui ai demandé : «Mais Anna, Anna, qu'est-ce qu'il y a, qu'est-ce qui ne va pas ?» et Anna me répond : «J'étais en train d'appeler papa au ciel, j'étais en train de lui demander de redescendre et de revenir parmi nous. Il ne m'a pas répondu.» Tout à coup, je me suis sentie anéantie. Je me suis fâchée contre lui, oui, lui, Innocent, qui avait eu le culot de mourir et de nous abandonner. Je me suis fâchée contre Dieu qui avait eu le culot de laisser faire ce chaos, le culot de laisser Innocent mourir. Et je me suis fâchée contre l'Église qui raconte toutes ces balivernes de ciel pour nommer la mort, pour l'éviter surtout et qui me rendaient impuissante, là, maintenant, avec mon enfant à qui je ne savais plus quoi dire… Et à qui, cette fois, j'ai finalement osé dire que non, le ciel n'existe pas, en tout cas pas avec son père là-haut, que son papa est seulement dans son cœur, et dans le mien, et dans celui de tous ceux qui l'aimaient. Et c'est vrai, j'y crois, je ne crois qu'à cela. Que veux-tu que je dise d'autre à mes gamines ?

15
Après la mort des miens

Ne pas penser, surtout ne pas penser. S'occuper des enfants, les laver le matin, les habiller, les nourrir, les endormir, leur parler... Les jours qui suivent la mort d'Innocent, je vis dans une sorte d'irréalité. J'attends la fin mais, cette fois, plus résignée je crois. Des bribes de nouvelles m'arrivent: Stéphanie est encore en vie. Elle a entendu que nos parents ont tous été tués, son mari aussi, celui de notre sœur Marie-Josée et leur fils aîné, aussi. Mais elle me fait dire aussi que rien n'est sûr, rien n'est vérifié, ou bien elle me ment parce qu'elle a appris qu'Innocent est mort. Ça me tient: le fait que Stéphanie vive encore me tient tout à coup. J'ai parlé au premier sergent Théophile qui a accepté d'aller la chercher pour la ramener ici, avec nous. Les combats deviennent très intenses dans le quartier de Nyamirambo où elle habite et même Claver, notre ancien cuisinier devenu milicien et qui faisait parfois la liaison entre ma sœur et moi, n'ose plus s'y aventurer.

Le premier sergent major Théophile est gendarme, on le surnomme premier. C'est un homme jeune, et bon. Pendant la guerre, gendarmes et soldats sont tous mobilisés et lui est nommé, vingt-quatre heures sur vingt-quatre, au lycée où l'ennemi pourrait s'infiltrer, craint-on en hauts lieux, pour agresser le camp militaire à côté. C'est sans ce prétexte, justement, qu'on a exécuté Innocent et les autres, en les accusant d'être des infiltrés du FPR.

Le premier sergent a de la morale : à notre grande surprise, il nous protège. On est d'abord méfiants quand il nous explique que défendre son pays attaqué aux frontières est un devoir, mais que tuer des civils innocents n'est pas son boulot. «Je suis gendarme, répète-t-il à plusieurs reprises ; mon rôle est de protéger les citoyens, non pas de me livrer à des assassinats. » Puis, très vite, il nous donne la preuve de sa bonne foi. Une bombe venait de tomber sur le lycée, non loin du dortoir où on était cachés. On avait tous peur et on a essayé de se cacher. C'est lui qui, riant de nos efforts maladroits, nous a expliqué que rien n'abrite des bombes sinon des caves ou des bâtiments à étages. En désignant les nouveaux dortoirs, solidement construits en béton, il a demandé : «Pourquoi est-ce que vous n'occupez pas ceux-là ?» ; et il est tout de suite allé demander les clefs aux sœurs. « Ici, vos réfugiés seront mieux protégés contre les bombes. » Les sœurs lui ont refusé les clés, elles lui ont clairement exprimé leur crainte de nous voir salir leurs locaux. C'étaient de beaux bâtiments, et nous, on était devenus des sous-hommes. Le temps où nous étions collègues ou épouses de collègues s'était évaporé seulement en quelques jours. Alors, le premier sergent a sorti son pistolet et l'a pointé vers les sœurs : « Excusez-moi : nous sommes en temps de guerre, c'est moi qui commande. Donnez-moi les clés, s'il vous plaît. » C'est ainsi qu'on s'est mis à l'abri des bombardements. Le premier sergent a continué à multiplier les occasions de secourir les gens : un jour, il a ramené, dans notre cachette, une veuve réfugiée dans la maison des professeurs d'une école à côté, avec ses quatre enfants : le jour suivant, il a ramené tout un groupe d'enfants handicapés d'une succursale du centre de Gatagara, également voisin du lycée et menacé par les bombardements. Pour passer les barrières, il avait toujours un mal fou à convaincre les miliciens, et les courts trajets qu'il faisait étaient tout simplement dangereux, mais il l'a fait. Et ce matin, le premier sergent m'a rassurée. Oui, il récupérera Stéphanie ainsi que la famille Tutsi d'une des sœurs, religieuse dans ce même couvent. J'éprouve une gratitude immense pour lui... Averties de l'initiative, les sœurs catholiques refusent net. Elles s'opposent à tout nouvel arrivé parce qu'on ne sait pas « s'il ne pourrait pas être un ennemi. » « Mes sœurs, il s'agit de Stéphanie... Stéphanie, ma sœur aînée que vous connaissez. Elle n'est pas une ennemie, elle n'appartient pas au FPR, vous le savez, vous la connaissez, elle est juste menacée dans son quartier infesté d'Interahamwe ; mes sœurs, il n'y a aucun danger, aucun risque avec Stéphanie, mais elle est en danger, elle risque beaucoup, et elle a des enfants, mes sœurs... » Rien n'y a fait, elles sont catégoriques. Elles dénoncent même le premier sergent Théophile à ses supérieures militaires ; considéré comme trop gentil envers les Tutsi, il sera envoyé au front et remplacé par un autre sergent, très dur.

Je crains le pire, désormais, pour ma sœur Stéphanie – surtout que, très vite, je perds tout contact avec elle. Mais je continue d'espérer un miracle ; il ne viendra jamais, mon miracle. C'est fou, pendant le génocide, ce qu'on a pu s'accrocher à l'espoir de miracles, alors qu'on savait que, de toute façon, ce n'était pas

167

possible… Ma sœur a été tuée entre fin mai et début juin. Tout comme le frère de la religieuse Tutsi du couvent. Plus tard, j'ai eu quelques précisions : les combats étaient très violents, les miliciens ont commencé à fouiller tout le quartier, avec comme mot d'ordre de le «nettoyer» complètement. Quelques femmes et enfants y étaient encore cachés. Tika, ma nièce et l'aînée de Stéphanie, est parmi eux : elle a cinq ans et comme elle a entendu que les tueurs prenaient de l'argent, elle les a suppliés de ne pas les tuer en leur tendant une pièce de monnaie. Ils ont rigolé : c'étaient cinquante francs rwandais, à peu près dix centimes d'euro. Ils ont emmené les femmes dehors, les ont peut-être violées avant de les tuer, ainsi que leurs enfants, puis les ont tous jetés dans des trous. Je ne peux que supposer l'histoire de Stéphanie, je n'ai jamais connu son histoire exacte, sa fin. Encore dix ans après, j'essaie de savoir.

Quitter ce foutu pays à tout prix : dès que j'apprends sa mort, ma décision est prise : je vais partir d'ici, je ne sais pas encore comment mais je le jure, je ne veux plus manger la nourriture des sœurs qui ont refusé l'asile à Stéphanie. Et puis ces images qui m'obsèdent : les hommes du groupe qu'on a mis en rang pour aller les tuer ; Innocent qui m'a regardée, qui voulait me sourire mais ne pouvait pas… Et ce qu'il m'a ordonné pour les enfants… Et lui, parti, mort, plus là… Papa et maman non plus. Sur ma colline de Mwirute et sur celle de Gacurabgenge, chez tous les Badungu, du côté de mon père, c'est fini. Sur la colline de Gishyeshye, chez les Batsobe, du côté de ma mère, c'est fini. Toute la famille de mon mari, chez les Baha et les Bahindiro de la colline Shyorongi, c'est fini. Stéphanie, son mari, ses enfants, fini. Je ne sais rien encore de mes sœurs Joséphine et

Marie-Josée ainsi que leurs familles à Kibuye et à Gitarama, et j'ai très peur que pour elles aussi... Quitter ce foutu pays. Je ne veux plus en entendre parler. Mais comment m'organiser ? Il y a encore, avec moi dans notre refuge, Muhoza, la cousine d'Innocent, Éric, son filleul, et Marie-Bonne qui a élevé nos filles...

J'apprends que le lieutenant Jean Damascène, qui contrôle l'hôtel des Mille Collines et vient souvent au lycée saluer ses camarades en poste, aime les dollars ; il m'en reste quatre-vingts. On avait partagé cette somme avec Innocent, au cas où l'un s'en tirerait avant l'autre. Il accepte de m'y accompagner une première fois. J'emmène uniquement Babiche parce qu'elle est encore entièrement au sein, elle ne se nourrit pas autrement. Si quelque chose arrivait à nous séparer, elle mourrait.

On est début juin, le génocide va cesser dans un mois mais personne ne le sait encore. Dans ce quartier, les barrières n'existent presque plus : tout ce qui existait comme Tutsi a déjà été tué. On roule sans encombres. C'est en arrivant à destination que je comprends pourquoi le lieutenant n'a pas marchandé mon prix : l'hôtel est à peine à cinq cents mètres de distance. Je n'y avais jamais mis les pieds. Gardé par les Nations unies, c'est le seul endroit où l'on peut encore espérer une certaine sécurité au Rwanda. Je me rends au bureau des agents de la Minuar, la mission internationale des Nations unies au Rwanda, aménagé dans une chambre du rez-de-chaussée. Ils boivent du café. Tout à coup, j'en ai une envie folle mais j'ai parfaitement conscience que c'est une envie de luxe parce que celle d'un humain, et j'éprouve cette même impression que lorsque j'attendais l'ouverture du couvent, pour les médicaments de Stéphanie, cette même et terrible impression que je ne suis personne. Qu'eux et moi, on n'est pas du même monde mais surtout, que, moi, je ne fais plus partie du monde, tout simplement. C'est bizarre ce que cette odeur de café a pu soulever dans ma tête... Je me rappelle aussi d'avoir brusquement eu l'image de mes copains de l'université de Louvain et que je me suis mise à leur en vouloir, là, dans ce bureau de la Minuar, parce que ce sont eux qui m'ont appris à aimer le café. Avant, au Rwanda, je me contentais de le soigner dans les champs, le cueillir lorsqu'il était mûr puis de le décortiquer et le sécher afin de le vendre pendant la belle saison d'été. Et voilà qu'à travers cette odeur, nombre d'histoires sur les privations de la Seconde Guerre mondiale me revenaient, des histoires sur les envies de ces petits riens de la vie ordinaire, la cigarette, le café... et qui, en temps anormal, nous apparaissent soudain comme des trésors.

Les agents de la Minuar m'informent que, si les Interahamwe les laissent faire, ils évacueront peut-être les personnes à condition que celles-ci séjournent au Mille Collines. Une semaine plus tard, je négocie un second passage en voiture avec le lieutenant pour qu'il m'évacue à l'hôtel; je demande une chambre au directeur. Je fais tout mécaniquement: j'ai été amputée de ma moitié, je me sens diminuée, je sais être laide, vieillie d'un coup, mais tout m'est égal sauf mes enfants. J'ai donné mes derniers dollars au lieutenant, la clé de ma maison au sergent du lycée, en lui faisant promettre de me ramener plus tard Muhoza, la cousine d'Innocent, qui restera dans notre cachette aux côtés de Jeanne, une dame blessée par une bombe. Il ne l'a pas fait. Et s'il y a eu un moment difficile dans ma vie, ce fut de quitter Kigali sans Muhoza. Je me sentais indigne d'abandonner la seule parente d'Innocent peut-être encore vivante de ce monde. Le sergent qui a récupéré ma maison et tous mes biens n'a jamais ramené Muhoza. Je me suis sentie lâche, je n'ai pas eu le courage de ne pas partir, je suis partie, et je l'ai laissée. Heureusement elle a survécu. Je ne sais pas comment j'aurais survécu moi-même, sinon.

À mon arrivée à l'hôtel des Mille Collines, j'ai retrouvé une camarade de lycée. Elle venait de perdre son mari, était également réfugiée et m'a gardé tous les enfants pour que je puisse trouver une chambre auprès du directeur. De tels gestes de solidarité, j'en ai vu beaucoup durant les trois mois. Mais ils côtoyaient d'autres gestes d'une telle lâcheté que tu te demandais si tu vivais toujours dans le même monde et qu'à la fin, pour ne pas perdre la raison, tu te disais que justement, c'est peut-être ça, le propre de notre monde: que l'extrême beauté côtoie l'extrême cruauté, et que l'extrême lâcheté côtoie l'extrême don de soi… et puis, quand tu sentais que tu allais trop loin dans ces pensées qui te venaient malgré toi, sans les contrôler, tu te disais: surtout ne pas penser, avancer, avancer…

Ce qui était bizarre, aussi, c'était de loger dans cet hôtel, dans une chambre double que le directeur nous a accordé à quatorze personnes, où des Interahamwe viennent quand ils veulent et repèrent qui s'y réfugie. Le soir même de notre arrivée, le lieutenant Jean Damascène nous rend visite, accompagné du curé de la paroisse Sainte-Famille, Padri Wencislas Munyeshyaka, pour lui montrer ses dernières recrues. Tous les deux sont munis de pistolets et de gilets pare-balles. Cette visite me fait peur: il y a avec moi deux jeunes et jolies filles, elles risquent de… Après, ils prétendent que la

171

fille était consentante puisqu'elle n'a ni crié ni fui. Mais ce soir, bizarrement, le prêtre va donner une bénédiction. Il commence par insulter les *inkotanyi* – et nous, on approuve, oh, oui, ces ordures de *inkotanyi*! – il prévoit leur défaite tout proche – et nous, on approuve, oh, oui, ces ennemis du pays vont bientôt être finis... – et il continue – et nous aussi. C'est fou ce que tu peux jouer comme jeu quand tu ne penses qu'à sauver ta vie. Puis le prêtre dépose son pistolet sur la table et demande à ses ouailles de s'agenouiller. La situation est des plus surréalistes. Je me souviens m'être dit que, non, vraiment, je ne pouvais pas me mettre à genoux devant **lui. Pas** à genoux. «Excusez-moi, mon père, je suis protestante», et je reste debout. Et je le vois bénir ceux-là même qu'il n'hésiterait pas à achever. Voilà, c'est fait, il va se retirer avec le lieutenant et demande à l'une des jeunes filles de les raccompagner. Elle blêmit, elle sait d'avance ce que signifie cet «Accompagnez-nous». Soudain une idée me traverse, je tends Babiche à la jeune fille et dis aux deux hommes: «C'est la seule qui arrive à endormir mon bébé et il doit absolument se coucher. Mais je vais vous accompagner, ne vous inquiétez pas.» Pourquoi n'ont-ils pas réagi? On est sortis tous les trois, je n'avais aucune peur, je savais être trop vieille pour les intéresser et j'ai su, tout le long du chemin, entretenir la conversation: et quel espoir de gagner la guerre, et quand seront exterminés ces ennemis du pays, et, et... Arrivés à la réception, je les quitte sans heurt.

À l'hôtel, un soir où il y a encore de l'électricité, je regarde la chaîne CNN à la télévision. J'ai un choc: je ne vois rien de spécial, justement. Des gens vont et viennent, font des achats, sans que l'on contrôle leur carte d'identité, sans qu'on les tue. J'ai mal de ces

172

images, je me jure d'éviter de regarder la télévision. De toute façon, le courant est coupé peu après. On est le 17 juin : autour de notre hôtel, à quelques mètres, se trouvent une église et un séminaire, Saint-Paul et Sainte-Famille. Des Tutsi y sont réfugiés et chaque soir, des miliciens viennent en sélectionner, avec la complicité du père Wencislas, responsable de Sainte-Famille. Le FPR effectue un raid impressionnant sur Saint-Paul et Sainte-Famille afin de les libérer. Ça a été terrible parce que ceux abrités à Sainte-Famille n'ont pas compris qu'on voulait les sauver, contrairement à ceux de Saint-Paul qui ont été évacués. Le lendemain, les Interahamwe ont massacré tous ceux qui étaient restés. Furieux, ils s'attaquent même à l'hôtel des Mille Collines, jusque-là totalement épargné : ils débarquent, fracassent les portes, terrorisent les fugitifs qui s'y cachent... Dans leur excès, ils menacent même des officiers de la Minuar présents. Ça a été notre chance : la Minuar décide alors d'évacuer tout le monde vers la direction souhaitée : soit la zone de l'armée rwandaise, soit celle du FPR. Je fais très vite mon choix.

*

On fait nos bagages de suite. Les camions de la Minuar arrivent, des négociations à haut échelon ont été conclues avec les chefs de miliciens : les camions seront assurés de passer sans encombres leurs barrières de tueurs et, d'autre part, la Minuar a la tâche d'évacuer les réfugiés qui veulent quitter la zone gouvernementale pour celle du FPR, et vice versa. On est le 18 juin 1994, je tiens mes filles par la main, Babiche toujours sur mon dos. Quand on passe l'entrée, des employés de l'hôtel nous insultent: « Traîtres ! Traîtres ! », ils exigent de fouiller nos bagages, puisque des traîtres à la patrie sont forcément des voleurs. Je ne bronche pas quand ils jettent mes affaires par terre mais… oh misère ! une taie d'oreiller se trouve sur la pile des langes en coton de mon bébé. De couleur blanche aussi, j'ai dû la plier par mégarde. Ils exultent, je me fais traiter cette fois de tous les noms et mon bagage est fouillé de fond en comble. Je n'arrive même plus à refermer la valise ; les enfants, effrayés, commencent à pleurer ; les insultes pleuvent… Un soldat ghanéen de la Minuar, qui a suivi la scène, s'approche compatissant. M'aide à fermer la valise, soulève Anna et Amélia dans ses bras et les installe sur le camion. Marie-Bonne, Éric et Françoise montent aussi. Je suis obsédée par Muhoza que j'ai laissée… Le lieutenant Jean Damascène, dans le hall, est là aussi ; il me dit d'un ton sec : « Si j'avais su que c'était pour rejoindre l'ennemi, je ne t'aurais jamais aidée ! » Le camion démarre. On n'est pas trop serrés, l'Onu respecte les mesures de sécurité : pas plus de sept personnes sur la banquette. J'aurais tellement préféré qu'on nous entasse et que tous ceux qui voulaient partir puissent le faire ; je me retourne vers ceux qui restent en se demandant si leur tour viendra. Et si les miliciens refusaient l'échange négocié avec la Minuar ?… Mais on passe sans embûches. Enfin… À chacun de ces barrages, les miliciens nous insultent : « *Inyenzi, inyenzi !* » Cancrelat, toujours. Ils sont nombreux, habillés en militaire ou en civil, avec des ceintures bardées de cartouches de balles et surtout, surtout cette haine dans leurs yeux exorbités. Ce n'est pas une image, c'est vraiment comme ça qu'ils nous regardaient : avec une expression fiévreuse de haine ou de boisson ou de tout à la fois, je ne sais pas... Mais tu sentais vraiment que nous voir sans nous tuer, c'était leur défaite, ça leur faisait rage.

Ils hurlent «Mort aux traîtres» et la consigne de leurs supérieurs doit venir de bien haut pour les empêcher d'attaquer notre convoi. On descend la colline de Kiyovu, on remonte celle de Kimihurura. Je regarde en arrière, je veux m'imprégner pour la dernière fois de mon pays, je vais garder en mémoire ces collines d'une beauté tragique. Je me remémore que d'autres camions de l'Onu, trente ans auparavant, ont transporté des familles entières de leur foyer vers l'austère et meurtrière région de Bugesera, à l'est du pays. Une région où on avait déporté des Tutsi du Nord, rescapés des massacres de 1959, parce qu'on était certain qu'ils n'y survivraient pas. Les marais sont infestés de moustiques, de bêtes sauvages et surtout de la fameuse mouche tsé-tsé: la mort par la malaria y était fréquente. On est maudits, nous les Tutsi, on est maudits. Je ferme les yeux. Surtout ne pas pleurer. Ne pas pleurer sur le Rwanda, et surtout pas en présence des enfants.

Tout d'un coup, on entend des cris de joie, des chants. On vient de passer la ligne de front, en territoire occupé par le FPR. Pourtant, on est toujours sur la même colline de Kimihurura, c'est encore le Rwanda... Ça ne me quittera jamais, l'impression folle de ce moment: ces soldats qui nous sourient sont aussi des Rwandais mais sont, eux, tellement heureux de nous voir... Alors que tout à l'heure, il y a... quoi? cinq minutes à peine, à cinq cents mètres seulement, d'autres nous hurlaient dessus... Rwandais, eux aussi... Et sans l'ordre de leur chef, ceux-là, ces derniers nous auraient achevés comme ils viennent de le faire avec tant des miens. Or je ne connais personnellement ni les uns ni les autres... Je sais, aujourd'hui, les polémiques qui entourent le FPR, et je fais le choix de ne pas les développer dans ce livre. Si j'avais à en débattre un jour, ce serait, en tout cas, à la condition que ce propos ne serve pas à « relativiser » le génocide. Je m'explique : la tentation a été grande – puisqu'une majorité de l'opinion internationale y a cédé et y cède encore – d'amalgamer les victimes du génocide avec les victimes des exactions du FPR. Dès la fin du génocide, en voyant les réfugiés majoritairement Hutu qui fuyaient vers les pays frontaliers, on a parlé de nous, Tutsi « les victimes de la veille », comme étant devenus « les bourreaux du lendemain ». Or il y a eu, au Rwanda, une guerre depuis 1990, et il y a eu, au Rwanda, un génocide en 1994. Dont nous avons été strictement et indiscutablement les seules victimes – nous Tutsi, ainsi que les Hutu qui s'opposaient à toute discrimination à notre égard. Moi, je n'oublierai donc jamais que, durant ce génocide de 1994, beaucoup des soldats du FPR se sont battus pour nous. Souvent jeunes, à peine âgés d'une vingtaine d'années, ils sont morts pour qu'au Rwanda, il reste des survivants à ce génocide. Sans leur engagement, je serais morte, et il n'y aurait plus aucun survivant dans ce pays…

Les uns me veulent en vie, les autres me veulent morte… Et tous sont Rwandais, nés sur une même terre, dans un même pays. Je me mets à penser à tout ça. Non, surtout ne pas penser. Je refuse de penser. Je regarde à nouveau la route, devant, je regarde mes enfants à côté de moi ; Babiche a faim, je lui donne le sein. Je prends la main d'Amélia qui pose son visage contre le mien, je souris à Anna qui serre très fort sa poupée Bruno que mon amie Françoise lui a envoyée de Belgique et qu'on a pu traîner partout. Bruno, c'est une poupée qui fait pipi. Mais pour ce voyage, Anna m'a expliqué qu'elle ne lui avait pas donné à boire pour qu'il ne fasse pas dans sa culotte, dans ce camion. Ah, d'accord, ma petite Anna, bien sûr, tu as raison, je fais comme si tout était normal, comme s'il y avait quoi que ce soit de normal dans cette irréalité...

Je m'accroche à cela, ces gestes évidents de maman, je ne veux surtout pas penser. De toute façon, mes pensées ne mènent nulle part. Le long de la route jusqu'à Kabuga, on croise des soldats du FPR qui nous saluent toujours chaleureusement. Ils semblent nous dire : « Allez, tenez bon, vous êtes sains et saufs. » Et c'est exactement ce que le chef de Kabuga, accueillant notre nouveau convoi de rescapés, nous confirme : « Maintenant, n'ayez plus peur. Vous êtes en sécurité. La guerre n'est pas encore finie, mais ici, personne ne vous attaquera. »

*

Il m'arrive quelque chose que je n'avais pas prévu, sur cette colline de Kabuga : j'ai l'impression que je ne tiendrai plus le coup, ni physiquement ni psychiquement. Je commence à m'inquiéter de perdre la raison.

En fait, tu ne t'habitues pas vite à la sécurité. Alors qu'en revanche, c'est fou comme tu t'accoutumes à l'inhabituel. Aux sifflements de bombes Katioucha, au danger, à la faim, à l'abandon des autres. Ici, l'endroit est désert : depuis avril, les Tutsi ont été tués, les Hutu ont fui, à part de rares familles. Même si on n'entend plus des coups de feu chaque soir, la vie dans le camp est très dure. On a trouvé une maison, mais elle sent tellement mauvais que je soupçonne qu'il y a des cadavres dedans. Je ne le vérifierai jamais. Comme je n'ai pas le choix, j'installe ma tribu dans deux chambres et j'interdis qu'on ouvre les portes des autres pièces. On passe nos journées à « fouiller », comme on dit : dans les champs, on tente de repérer un régime de bananes à cuire, déterrer des patates douces, cueillir le sorgho, dégoter des denrées dans les magasins abandonnés et, bien sûr, chercher l'eau et le bois de cuisson. Le seul avantage est que le soir, je suis tellement fourbue que je dors comme une masse. Pas le temps de penser... Parfois, je me sens devenue voleuse à récolter ce que je n'ai pas semé. Mais le Rwanda en ce moment est devenu quelque chose que je ne sais pas décrire : soit on est mort, soit on est en mouvement. Et tant qu'on est en mouvement, qu'on bouge, qu'on se cache, qu'on vole pour survivre, c'est qu'on est vivant... Les maisons changent de propriétaires, les meubles circulent de l'une à l'autre, des villages entiers sont vidés... Tout est étrange, à Kabuga, tout est horrible, et de moins en moins sûr. Heureusement, la solidarité est vraiment grande entre réfugiés.

Un jour, un enfant me donne un parapluie multicolore, cadeau si précieux sous le soleil de plomb. Et puis, j'ai eu la chance de retrouver une cousine de ma mère et un cousin de mon père. Me voilà donc sûre de reconstituer un bout de famille : j'ai un oncle et une tante, ainsi qu'une petite nièce, Delphine, accompagnée de sa grand-mère, mais qui ne parle plus depuis qu'elle a vu ses parents tués.

Je n'ai pas renoncé à quitter le Rwanda. Il me faut une autorisation de sortie du camp. Grâce à un message qu'un journaliste a transmis à Oxfam, un collègue Hutu veut nous récupérer mais se heurte à plusieurs difficultés.

D'abord, après une panne, sa voiture doit être remorquée en Ouganda. Une autre fois, on lui refuse l'entrée du camp. Il laisse quand même un colis avec pain et biscuits, spaghetti, bougies et savon. Je n'en reviens pas d'apprendre qu'en dehors de cet enfer, on n'ignore pas qu'on vit encore. Je redouble d'efforts pour obtenir la permission de sortie. Chaque jour, je me présente à l'entrée du camp. Personne n'est venu pour moi? Aucune Jeep avec un nom d'ONG dessus, vous êtes sûrs?... Je préviens que je repasserai le lendemain, et je repars, Babiche sur le dos. Je désespère, c'est la première fois que j'ai peur de ne pas tenir le coup.

*

Je le sentais mais je ne le voyais pas. Je ne savais plus à quoi je ressemblais et je l'ai su le jour où un jeune cousin, Cyuma, rescapé qui avait aussitôt rejoint les troupes FPR, m'a retrouvée dans ce camp. Dès qu'il me voit et me salue, il a les larmes aux yeux. «C'est ça que tu es devenue, mama Anna?... » *(ndlr : on nomme une mère par le nom de son aîné.)* Il avait appris que j'avais survécu avec mes filles et le voilà plein de trésors: bonbons, dentifrice, brosses à dents, papier de toilette, boîtes de nescafé et de lait, sucre, sel, jerrycans remplis d'eau... Tous ces cadeaux, c'est encore possible?... On essaie de se réjouir d'être en vie, mais c'est dur. Et là, pour la première fois, j'ai brusquement une envie folle de pleurer, d'éclater. Pleurer sur ceux que j'ai perdus, sur ce que je suis devenue, vieille, amaigrie, veuve, orpheline, pauvre. Dans les yeux de Cyuma, je sens de la compassion, de la pitié mais de lui, je l'accepte, je n'en suis pas humiliée; je le sais sincère, présent. Mais

179

je réalise encore plus que je dois partir, plus que jamais. Avec toute ma tribu, on est neuf personnes – filles, tantes, cousine, amie. J'obtiens enfin nos laissez-passer, je cours pour le leur annoncer et, au dernier moment, je décide de faire le détour par l'entrée du camp, on ne sait jamais si on est venu pour moi... Juste, juste au moment au j'arrive... – oh, un film! c'est un film! – une Jeep d'Oxfam est en train de faire demi-tour et s'en va. Je reconnais un de mes anciens collègues au volant. Je ne m'entends même pas hurler, j'agite les bras, je cours dans tous les sens puisqu'une barrière me barre le chemin, et je crie à nouveau, je crie, je crie... crier, crier encore... Le collègue, qui s'appelle Innocent comme mon mari, freine pile et revient en arrière. Je supplie les soldats, m'emmêle dans mes explications, partir, partir, j'ai le droit de partir... Finalement, ils comprennent que j'ai à peine obtenu mon autorisation; ils me donnent *seulement* dix minutes pour réunir ma tribu et filer.

*

L'émotion est trop forte. On est en train de partir, en train de quitter le Rwanda, en train de s'exiler: Innocent nous conduit en Ouganda. C'est une joie mêlée d'une atroce tristesse. Ça y est, c'est fini avec le Rwanda. C'est le 28 juin. J'ai l'impression qu'il s'est écoulé une éternité depuis le temps où on vivait encore normalement. Pourtant, même pas trois mois. Trois mois durant lesquels j'ai perdu tous les miens et maintenant, mon pays. J'ai envie de hurler. Je me retiens.

*

On a roulé vite pour arriver avant la nuit à Gahini, en territoire FPR, et passer une nuit ou deux là-bas. Mon collègue ira de là dans le Bugesera pour chercher Christine, une autre Tutsi de notre équipe d'Oxfam, récemment localisée. Gahini, ancien centre de l'Église anglicane avec hôpital, école, est devenue un centre d'accueil pour rescapés. L'hôpital est bondé de survivants blessés. Le lieutenant Emmanuel, inoubliable pour sa gentillesse, est tellement ému de nous voir anéantis qu'il demande à ses soldats de nous préparer des chambres dans sa propre maison, avec des draps frais. Les enfants ont droit à du lait et le repas du soir nous semble un festin. Cette normalité, qui me semble si extraordinaire, c'est trop, je ressens à nouveau une envie folle de pleurer. Ce jeune soldat si bon sans nous connaître, mon collègue Innocent qui a couru tous ces risques pour nous sortir de l'enfer, les yeux tristes de mon cousin Cyuma en découvrant ma déchéance, ça me rassure, bien sûr, je retrouve des humains, des réactions normales, je me retrouve humanisée et regardée comme normale mais bizarrement, ça me donne une terrible envie de pleurer, aussi. Cette nuit-là, enfin, je pleure silencieusement dans mon lit. Je voudrais tellement hurler… Mais je me retiens, je me mouche, j'arrête mes pleurs, je me parle : « Esther, tiens le coup, continue. » Avancer, avancer. Pour les enfants. Avancer pour les veuves, vieilles et jeunes… Avancer pour ne pas mourir. Avancer pour ne pas réfléchir, ne pas réfléchir. S'étourdir pour ne pas être folle. Oui, la folie est en train de me guetter. Mais tant qu'on avance, qu'on travaille, qu'on s'occupe, qu'on court, court, on ne sombre pas.

Mon collègue Innocent a retrouvé Christine dans le camp de Rilima. Elle est méconnaissable. Éric, son fils, en la voyant, se met à pleurer et crie que, non, ce n'est pas vrai, cette dame n'est pas sa maman. Christine est un miracle : elle vient de faire au moins quatre cents kilomètres à pied depuis avril, entre un camp du FPR et un autre. Ses pieds sont gonflés, sa tête rasée à cause des poux, elle n'a point de nouvelles de son second fils Pacifique, parti avec son parrain. Avant que je ne parte pour l'Ouganda, vers Kabale, le 1er juillet, Christine m'apprend que ma sœur Marie-Josée et ma cousine Christine sont vivantes. Elles étaient ensemble dans un camp. Elle les a vues, de ses yeux vues.

*

J'ai du mal à le dire tellement c'est difficile à admettre et, pour toi, sans doute incroyable : me retrouver au Highland Hotel, en Ouganda, a été un des plus durs moments de ces dernières semaines. Parce que j'approchais vraiment la folie. Écoute… Hier encore, on te chasse, tu te laves à peine, tu voles la nourriture des autres et, tout d'un coup, tu te retrouves dans une chambre confortable, on te fait même ton lit, tu te douches à l'eau chaude, tu reçois une carte, au restaurant, avec différents menus… C'est à devenir fou, je vais devenir folle. Est-ce que je suis bien la même personne en l'espace de deux jours ? Hier, j'étais bonne pour mourir et je croyais que le monde s'était arrêté de tourner. Mais non, tout a continué. Sauf que je ne suis plus la même, je n'arrive pas à entrer à nouveau dans le mouvement. Je regarde les choses de loin. De là où sont partis les miens. De là où je ne suis pas allée. Ça s'appelle la culpabilité. Je sais. Mais je me dis qu'au moins, les enfants semblent insouciants, ils ont recommencé à jouer. Par téléphone, je communique avec tous les amis qui sont à l'étranger et attendent de nos nouvelles depuis trois mois. J'en prends aussi des autres, et je réalise l'étendue de la destruction. On a touché le fond, oui, c'est vraiment le fond. C'est l'extermination.

On suit les nouvelles de la progression du FPR à la télévision. Trois jours après notre arrivée à Kabale, le 4 juillet, Kigali est prise par ses troupes. Kigali est libérée! Ma décision est prise: je rentre. Je dois retrouver Marie-Josée et Christine. Peut-être que, par miracle, il y en aura d'autres? Je dois y aller. Le plus vite possible. Enfin, le 8 juillet, on reprend la route, avec Innocent et Christine. Oxfam nous prend pour des fous parce que c'est risqué. Mais pour moi, rester à l'hôtel serait beaucoup plus risqué, parce que vraiment beaucoup plus fou.

16
Les impossibles funérailles

Je n'ai jamais pu voir le corps d'Innocent, il a été jeté dans une fosse commune avec le reste du groupe des hommes. Je n'ai pas su tout de suite comment il avait été tué. Au début, je crois que je ne voulais pas le détail de sa mort. Mais, en fait, si. Je voulais savoir.

On ne l'a pas tué tout de suite. On lui a d'abord coupé les tendons du pied. Parce qu'un des détenus de leur groupe s'était échappé, les tueurs ont coupé les tendons de tous les autres pour qu'ils ne s'enfuient pas à leur tour. Et ils sont restés comme ça, toute la nuit, dans cette souffrance. Alors, même si j'avais pu voir le corps, je ne sais pas si j'y serais allée. Je me dis que, peut-être, oui, mais je me dis aussi : à quoi bon, vraiment ? Quelle utilité d'ajouter de l'horreur à l'horreur ? Savoir qu'Innocent a été tué, c'était déjà bien assez dur, j'avais déjà tellement de mal à l'admettre. Pourquoi est-ce que je serais allée le voir mutilé, en plus ?... Ça me suffit, j'en connais assez.

...Mais, en fait, je me mens : cela ne me suffit pas, j'en veux encore, j'ai besoin de son dernier moment. C'est dérisoire mais je me dis que si on a coupé les pieds d'Innocent, je veux aller jusqu'au bout avec lui, en pensée. J'aurais voulu que les miens soient partis d'une mort où tu peux les assister et leur tenir la main, plutôt que de l'imaginer. Alors, je veux être avec Innocent en pensée jusqu'à la fin, comme si j'avais réellement pu être là, à lui tenir la main. Je veux son dernier moment.

Alors, avec d'autres rescapés du lycée, on a cherché, et on a eu au moins vingt histoires différentes. On te montre des directions – différentes à chaque fois – tu allais vérifier, tu te rendais compte que tu t'étais trompé. Ça, c'était le pire : quand on te disait une vérité et qu'elle n'était pas vraie. Pour la mère d'Innocent, on en a ouvert des trous, je ne sais plus combien… Chaque fois en vain. Les gens te mentent volontairement pour brouiller les pistes. Si la vérité sort par quelqu'un, on risquerait de lui demander plus, peut-être, après… Alors, on te trompe. Avec les sœurs d'Innocent, on a donc fait semblant de ne plus être intéressées par ce sujet en ne posant plus aucune question à qui que ce soit, et on faisait discrètement des recoupements entre une information et une autre. Parfois, tu tombais quand même sur une bonne volonté, qui avait pitié de toi. La mère d'Innocent, on l'a finalement trouvée dans les toilettes, grâce à une voisine qui savait. On avait eu vent que les corps des parents d'Innocent avaient été enfoncés dans les latrines, dans le jardin de voisins également décimés. Avec mes belles-sœurs et des amies d'Avega, on est allées creuser, creuser. Rien. On a compris une fois de plus qu'on cherchait vainement, on n'en pouvait plus, on allait abandonner. Alors, une voisine, qui a vu notre détresse, nous a dit : « Non, non, continuez ! Je suis sûre que c'est là !… » Elle a parlé très bas, pour ne pas être entendue par d'autres, elle avait peur de la réaction des autres. Sa famille et son entourage risquaient de la prendre pour une traître, s'ils apprenaient qu'elle parlait à des rescapés. On s'est remises à la pelle et on a enfin retrouvé les corps de la mère d'Innocent et de sa sœur, avec son petit-fils encore attaché sur le dos. Ça m'a fait mal, tu te dis qu'ils ont beau être morts, les savoir dans les excréments... C'est pourtant grâce à cela que les corps ne se sont pas décomposés, on les a récupérés intacts.

Lorsque, enfin, on a réuni les corps de certains de nos disparus, on est allé voir l'abbé Pierre. Un prêtre rescapé qui ne faisait presque plus que ça: des enterrements des restes des survivants. Quand il est arrivé le lendemain pour dire la messe dans notre maison de Kacyiru, nos voisins venus d'Ouganda étaient en train de célébrer une cérémonie de dot pour un mariage... Et nous, plongés dans nos funérailles, et eux excités par leur fête, et la vie qui continue... Je l'admettais, sur la parcelle d'à côté, les voisins n'allaient pas se dispenser de fêter la vache offerte en dot, juste pour nous! Mais le prêtre, lui, a dit: «Non, on ne peut décidément pas rester là pour la messe de funérailles!» et on est tous partis dans la brousse, là où jadis la famille d'Innocent habitait et où les corps allaient être enterrés. D'habitude, on enterre nos morts au cimetière bien sûr, mais dans notre situation, on tentait de le faire là où ils avaient vécu. La scène était complètement surréaliste: on était en 1998, les maisons avaient été complètement détruites, la nature laissée à elle-même depuis cinq ans avait tout dévoré, sans un seul endroit où s'asseoir. Et dans ce décor de brousse totale, tu avais l'abbé Pierre, les bras levés au ciel, qui nous disait: «Il n'y a que la nature! Chantez fort! Élevez vos voix maintenant, le vent, les buissons vont porter les prières au Seigneur!» Aujourd'hui, c'est tout ce qui reste du passé: une petite parcelle parsemée de tombes et tout autour, rien que des buissons.

Il était rare d'enterrer quelqu'un seul, on a plutôt fait des sites communs. Pendant le génocide, les corps ont été abandonnés tels quels puis, pour des questions d'hygiène, ont commencé à être enterrés sommairement. Pendant un an, Innocent et les treize autres personnes tuées avec lui sont restés sommairement enterrés dans un trou, le long de l'avenue de la Justice où on les avait exécutés. Chaque fois que je passais devant ce trou en voiture, je freinais pile. Impossible de ne pas m'y arrêter. Puis, un an après, lors de la première commémoration du génocide, leurs corps ont été transférés, avec des centaines d'autres, sur la colline de Rebero, à Kigali. Un collègue m'avait prévenu que les autorités avaient décidé d'ouvrir le trou où mon mari avait été jeté ; avec les autres rescapés du lycée, on a assisté à l'exhumation. Mais les corps étaient déjà fort décomposés et, à l'époque, on n'était pas habitués : c'était les premières fosses ouvertes. Pour établir des statistiques, on comptait les crânes. Il y a en avait bien quatorze. Mais te dire que j'ai vraiment reconnu Innocent, ce serait mentir. J'ai vu un squelette recouvert d'un jean aux jambes très longues. Or Innocent était si élancé, alors peut-être... Je n'ai pas emmené les filles ce jour-là.

Un mois après, l'enterrement « officiel » a eu lieu : dans des cercueils communs, on avait regroupé les cadavres retrouvés dans diverses fosses. En première ligne, ceux des dignitaires tués dès le déclenchement du génocide. Et, juste en face, dans une tribune abritée d'une bâche protégeant bien du soleil, une rangée d'officiels – vivants, eux. Ils en faisaient une affaire politique, nous de cœur. Or, quand tu arrives, simple rescapé, tu es tout de suite mis de côté, tu ne vaux rien, ne signifies rien – même si tu es là pour enterrer ton mari et que cela constitue quand même une excellente raison, non?... Des policiers surveillaient les personnalités et nous poussaient sans ménagement. Une fois de plus, on dérangeait. Du coup, je me suis éloignée, comme en observation de toute la scène. Je me souviens qu'à un certain moment, j'ai même souri parce qu'avec Innocent, on blaguait souvent et j'ai vraiment eu l'impression de l'entendre me chahuter: «Alors, vous êtes venues nous enterrer et vous êtes chassées par des gourdins, pour ne pas déranger les notables... Oh, mais qu'est-ce que vous faites là?» Les filles m'accompagnaient, cette fois. Je leur ai dit la vérité: où on avait tué leur père, mais pas où il gisait exactement. Alors, ensemble, on a choisi une tombe au hasard et on y a déposé des fleurs: la troisième à partir du haut, et sur la gauche. Elles ont voulu le côté avec le plus d'ombre, tout près des grands eucalyptus. Au retour, elles étaient tranquilles, même si elles ont beaucoup pleuré. Et je n'ai pas cherché à les arrêter. Je les ai enlacées, serrées très fort et pleuré avec elles. Jusqu'à présent, on y va souvent. C'est devenu un rituel, elles y pleurent toujours beaucoup.

Pour mon père et ma mère, il a été moins difficile d'identifier les corps, puisqu'ils étaient tous dans une fosse commune près des ruines de notre maison, tués avec les quarante-cinq autres. Je ne connais pas non plus tous les détails de leur fin. Je sais qu'il n'y a eu aucun fusillé, c'est donc par haches et gourdins que... J'aurais voulu savoir exactement. Oh, mais je pense une chose et une autre toute contraire! Je dis que je veux savoir mais je ne vais pas insister pour connaître les détails, si on ne me raconte pas. Or les témoins ne veulent presque jamais raconter. Aussi, je me donne d'autres priorités : je veux d'abord du pain pour ceux qui ont survécu. Pas du tout pour user de ce cynisme qui veut que les morts soient déjà morts, mais parce que je veux que ceux qui ont pu tenir continuent de vivre, ne périssent pas de faim, de maladie, ou de lassitude. Parce que la tristesse fatigue beaucoup.

17
Ma reconnaissance ambivalente

Je voudrais une page pour ceux qui m'ont aidée et que j'ai pourtant du mal à aimer.

J'ai déjà parlé des bons samaritains, les justes comme vous dites. Ceux qui ont pris un risque à tendre la main, à nous considérer, ou en tout cas à encore essayer, comme des égaux.

J'ai déjà parlé précédemment de ce premier sergent qui nous a prévenus que, bien que soldat, Hutu et gendarme, son rôle était de « protéger les populations civiles, quelles qu'elles soient », et qui s'y est tenu. Le premier sergent avait une morale, il était un Homme.

De cette jeune fille qui m'a donné son pagne quand je n'avais rien pour protéger mon bébé de la pluie, alors qu'elle-même grelottait de froid.

De cet officier du FPR qui nous a cédé, à mes filles et moi, sa propre chambre et a ordonné à ses soldats de changer les draps auparavant, après trois mois de génocide où je ne savais plus que j'étais quelqu'un.

De Munyarukundo, ce jeune garçon de notre colline doté de ce beau nom qui signifie « celui qui porte l'amour », dont les propres frères ont été génocidaires et qui a essayé de donner à boire à ma mère mourante lorsqu'on l'a exposée, pendant quatre jours et quatre nuits, nue, au soleil et à la pluie. Et à qui mes sœurs et moi avons légué le vélo de mon père.

De ma vieille Nyiragasage et du vieux Mwalimu Segatarama, nos voisins Hutu de toujours, qui nous ont cachés chaque fois et qui se meurent de chagrin, depuis le génocide, d'avoir perdu tous leurs amis Tutsi.

Pour celles-là, pour ceux-là, il n'y a aucune ambivalence, je n'ai qu'une reconnaissance éternelle.

Mais c'est des autres dont je voudrais parler dans cette page : ceux dont j'ai tendance à me rappeler tout ce qu'ils n'ont pas fait. Alors qu'ils auraient dû faire. Même si je reconnais tout à fait un geste inattendu, et salvateur parfois, de leur part, je ne peux m'empêcher de considérer gravement celui qu'ils n'ont pas eu et qui a été plus fréquent. Une religieuse, un voisin, un ami… Je voudrais cette page pour eux. Pour qu'elle dise mes contradictions : mes rages, en même temps que ma peur d'être ingrate. À l'égard des sœurs bernardines, par exemple, chez qui on était cachés, Innocent, nos filles et moi, avec cette centaine d'autres Tutsi. Mes rages, d'abord. Ou est-ce plus juste de dire, avant tout, ma reconnaissance ?

Par quoi commencer ? Leur assistance ou leur cruauté, leur cruauté ou leur assistance ? Est-ce qu'on peut loyalement oublier ceux ou celles, dans une vie, qui nous ont donné à manger quand on avait faim ? Mais ce sont bien ces mêmes sœurs qui ont refusé d'accueillir Stéphanie dans notre cachette alors qu'elle était en danger de mort chez elle. Je leur dois ma survie alimentaire en même temps que la mort de ma sœur adorée, Stéphanie. Mais je pourrais aussi très bien inverser la phrase… et dire que je leur dois la mort de ma sœur adorée en même temps que ma survie alimentaire.

Tu vois comme on peut apparaître ingrat aux yeux de certains et légitimement en colère, au regard d'autres.

Mais les rescapés en ont rencontré tant, durant le génocide, de ces individus qui te sauvent, toi, pour quelque obscure raison, et en sacrifient, en trahissent ou en tuent d'autres.

Alors, comment avoir le droit à la colère et rester mesurée ? Éviter de sombrer dans la caricature, en exprimant l'amertume accumulée pendant ces mois de génocide, quand j'évoque les religieuses avec leur ton mielleux – « on a déjà donné… » –, les Jeeps et les psychologues des humanitaires, et leur maladresse égale à leur bonne volonté ?

Comment rester juste, noble en refusant la misère des réfugiés Hutu dans les camps mais en ne trouvant pas le courage de penser à eux avant de penser aux miens, dont les corps ne sont même pas retrouvés ?

Comment ne pas paraître, comme certains l'ont prétendu, leur envers, soit des « génocidaires » à notre tour à cause des exactions, des massacres qui ont suivi notre extermination ? Oui, il y en a eu. Et comment pourrais-je, malgré tout, malgré les miens exterminés, approuver ces morts de Hutu ? Je ne les approuve pas, je ne les excuse pas. Je n'y ai pourtant pas réagi, non plus. Un rescapé, c'est quelqu'un d'exténué à qui on ne peut pas demander d'identifier son drame à d'autres drames au Rwanda, qui ne portent pas le nom de génocide. Il y a eu des tueries de Hutu, des vengeances. Il n'y a pas eu de génocide contre les Hutu.

Je suis parfois aspirée dans le paradoxe de toutes ces pensées. Je voulais une page pour le dire, pour oser écrire que, quelquefois, je pense une chose et toute une autre contraire.

Tu vois comme on peut apparaître ingrat aux yeux de certains, et légitimement en colère, au regard d'autres.

TROISIÈME PARTIE

18
Et maintenant,
quel tableau?

Les mots pour le dire. Voici, normalement, le principe d'une thérapie: trouver les mots pour dire sa souffrance, sa folie, l'horreur intériorisée. C'est bien sûr une question de capacité mentale, mais c'est aussi une question de vocabulaire. Or en kinyarwanda, il n'existe pas le mot de génocide ni le mot de viol, ni celui de traumatisme. On a dû les inventer depuis. Depuis le génocide de 1994.

Avant, le verbe « exterminer », plus proche de celui d'« éradiquer » existait déjà: « *gutsembatsemba* ». Mais pas le mot de génocide. Quand il a fallu le fabriquer, on a d'abord utilisé « *itsembatsemba* » qui veut dire « massacres ». Or, un génocide n'est pas un massacre. Cela ne convenait donc pas. Alors, on a construit le mot « *itsembabwoko* » qui signifie exterminer une ethnie (« *bwoko* » étant initialement le clan, devenu, au cours de la colonisation, l'ethnie). Aujourd'hui, l'association des rescapés *Ibuka*, qui signifie « Souviens-toi », propose

le mot de «*Itsembabatutsi*» – soit littéralement l'extermination ou le génocide des Tutsi. Une précision de
taille qui évitera tous les amalgames, intentionnels ou
pas, lorsqu'on parle de «génocide rwandais». Il n'y a
pas eu de génocide rwandais : il y a eu un génocide des
Tutsi au Rwanda.

Pareillement pour le mot de viol. Une fille au
Rwanda qui a été abusée dit, aussi discrètement que
honteusement : «Ils m'ont libérée» *(«Barambohoje»).*
Au moment du multipartisme, en 1991, lorsque des
leaders disaient, durant un quelconque meeting
politique, qu'il fallait aller «libérer» tel opposant, cela
sous-entendait qu'il devait passer dans leur camp mais
que, nécessairement, cette «libération» se ferait par la
violence. Pendant le génocide, les bourreaux ont repris
ce même terme de «libérer» : «*kubohoza*». C'était leur
grande blague, ils aimaient à répéter, dans leurs
causeries, aux barrières, et pendant les sévices : «Nous
avons libéré les femmes Tutsi, nous avons libéré ces
arrogantes…», et tout le monde savait ce que cela
voulait dire. Personne, au Rwanda, ne prête plus à ce
mot son sens initial : on a tous intégré que, employé
pour et/ou par une fille, il ne peut qu'être associé au
viol.

Même sans l'existence du mot, le viol a mis longtemps à se révéler après le génocide. Aujourd'hui, dix
ans après, ça reste toujours un tabou. Nous-mêmes, à
Avega, notre association de veuves rescapées du
génocide, lorsqu'on a décidé de faire une étude sur le
sujet, quatre années avaient déjà passé. On s'était rendu
compte qu'il y avait de plus en plus de cas de viols, lors
d'entretiens individuels durant lesquels des jeunes filles
et des femmes nous confiaient leur contamination par

le sida. C'était leur façon de dire l'indicible. Le résultat de cette étude a été plus qu'accablant: quatre-vingts pour cent des femmes qui ont survécu ont été violées, et plus de la moitié d'entre elles est infectée par le sida. Les génocidaires les ont sciemment contaminées, ils leur ont inoculé une mort lente. Une grande partie de ces victimes y a déjà succombé. L'autre, survivante, n'a quasiment aucun moyen de se soigner.

Ces victimes vivent cet insupportable paradoxe: devoir leur survie à un viol. La plupart du temps, les tueurs avaient d'abord massacré leur famille en leur présence, avant d'abuser d'elles et de les épargner. Un paradoxe et une remarquable mise en scène de l'horreur: en effet, les tueurs les laissaient en vie pour qu'elles vivent, je l'ai déjà dit précédemment, un enfer pire que la mort. C'est-à-dire pour qu'une fois épargnées, elles ne fassent que regretter d'avoir été laissées en vie. Pour que – et le pire, je crois, est là – pour que *survivre ne leur ait servi à rien*... Elles ont tenu pendant le génocide parce que tu tiens, pendant un génocide, sans même le savoir, sans même le décider, un peu par réflexe machinal de vie, par instinct. Elles ont tenu pour surpasser cette horreur et maintenant qu'elles y sont parvenues, dix ans après, elles sont dans une mort continue. Elles agonisent. La puissance d'un génocide, c'est exactement cela: une horreur pendant, mais encore une horreur après. Ce n'est pas la fin d'un génocide qui achève un génocide, parce qu'intérieurement, il n'y a jamais de fin à un génocide. Il y a juste arrêt des tueries, des massacres, des poursuites – ce qui évidemment est essentiel – mais il n'y pas de fin à la destruction.

Je ne fais pas de pathos, je parle d'une réalité côtoyée de très près: thérapeute pendant plusieurs années au sein d'Avega, j'ai moi-même vu beaucoup de ces femmes mourir, et le plus pénible de mon travail de thérapeute a été de me heurter à mon impuissance quant à garder mes patientes vivantes. La première que j'ai perdue s'appelait Dafroza : elle avait dix-neuf ans à sa mort, quatorze lorsqu'elle a été violée. Rose, une de nos assistantes, l'avait remarquée dans un restaurant, elle y travaillait comme serveuse et dégageait une tristesse incroyable. Rose l'a conviée à venir nous voir. Elle était si frêle, si jolie, mais, en effet, avec un regard triste, triste à mourir. Elle en est morte, d'ailleurs, de sa tristesse, de sa maladie, de son désespoir. Elle avait été abusée par toute une bande de tueurs qui venaient de couper presque toute sa famille. En séance, elle voulait toujours se contenir mais tu sentais qu'elle était sur le bord d'éclater. Elle n'a explosé qu'une seule fois et encore, elle était prête à s'en excuser tout de suite. Mais, au moins cette fois-là elle a hurlé, avec des cris de bête. Je venais de lui prendre la main pour la première fois, je lui avais dit être moi aussi rescapée du génocide, j'avais ajouté qu'on allait essayer de se battre, de s'en sortir et que, désormais, elle n'était plus seule pour porter son terrible secret. Dans ma pratique, je dis régulièrement que je suis rescapée. Je ne prétends pas qu'une non rescapée n'exercera pas bien, car je ne le crois pas du tout ; mais dans mon travail, nommer ce vécu commun, sans jamais m'attarder sur mon histoire, s'est révélé un élément déterminant dans la construction du rapport avec le patient. Dafroza s'est mise à hurler comme une bête blessée. Elle hurle, hoquette et raconte en même temps, la tuerie de ses parents instituteurs, et sa maison brûlée, et son frère qu'elle a dû laisser, donc coupable de..., et comment elle a été

« libérée », « *barambohoje* » comme elle le dit littéralement... et elle a fini en disant que si elle était vivante
maintenant – vivante chez nous, signifie en bonne
santé –, elle ne pourra plus jamais avoir d'enfant et
qu'elle n'a donc survécu que pour mourir...

C'est le moment où je lui ai assuré qu'elle ne serait
« plus seule » avec son secret qui a déclenché son éclat.
Cela lui paraissait inespéré, un sentiment « d'impossible »
l'a submergée et, dans le même temps, elle éprouvait
l'ampleur de cette solitude, de façon extrême, comme
jamais, parce qu'elle venait justement de l'entendre
nommée. Si elle n'était plus seule, face à moi, c'est donc
qu'elle l'était bel et bien jusque-là... Et puis – élément
déterminant – ma présence lui certifiait que ce qu'elle
avait vécu était bien réel ; dans mon regard, elle trouvait
la preuve que ce qu'elle avait subi avait effectivement
été inouï. Mais cette fois, nous étions deux sur ce
chemin – elle et moi – et deux à supporter ses cris
d'épouvante, alors que quand cela s'est passé, elle était
toute seule face à ses bourreaux. Comme elle a hurlé !
Elle a sorti son mal, elle l'a prononcé mais son mal a
été plus fort. Elle en est morte. À Avega, nous l'avons
vue dépérir, impuissantes : on n'avait pas les cinq cents
dollars par mois nécessaires à l'époque, pour la maintenir
en vie grâce à une trithérapie.

Parallèlement, le tribunal d'Arusha, chargé de juger
les criminels de génocide, fournit gratuitement une
trithérapie aux détenus. Certains des tueurs qui ont
infecté Dafroza ont été arrêtés à l'étranger ; ils attendent
leur procès là-bas et, contrairement à elle, sont soignés
pour pouvoir déposer au tribunal. Mais Dafroza, personne
n'a pensé qu'elle devrait vivre pour témoigner. Elle est
morte, elle ne témoignera plus. Immaculée l'a suivie.

Puis, Murekatete l'a suivie. Puis Dativa l'a suivie. Puis Bernadette l'a suivie… Beaucoup d'autres la suivent encore. Et, entre temps, je le répète, je le martèle, je le ressasse, ceux qui nous ont contaminées reçoivent une trithérapie à Arusha.

Les malades du sida portaient de terribles infections, souvent purulentes et douloureuses. Une des premières urgences a été de les soigner en leur fournissant de puissants antibiotiques. Puis on a fait de la sensibilisation à la radio, avec un message direct: «Tu as survécu et tu meurs seule par honte, mais ce n'est pas à toi d'avoir honte.» La majorité de mes patientes, au Rwanda, ont le sida, avec seulement deux alternatives: soit elles meurent de cette maladie, soit elles agonisent de devoir la cacher. Comme Divine, une gamine de seize ans complètement traumatisée. Sa tante, qui me l'a amenée en thérapie, l'avait récupérée après le génocide et a cru bien faire en la remettant tout de suite à l'école. Elle voulait l'inscrire dans une vie normale, ça partait d'un bon sentiment. Mais, en classe, la gamine travaille très mal, on lui reproche de ne jamais suivre. Au cours des séances, après l'avoir mise en confiance, je lui parle simplement, je nomme le mot de génocide. Et elle finit par me raconter… Elle avait douze ans lorsqu'elle a été fort violée, au point qu'aujourd'hui, ses trompes sont définitivement endommagées. Mais elle n'avait rien dit à personne. Or, pendant les cours, certains de ses professeurs ressemblent terriblement aux hommes qui l'ont violée. Pour éviter la remontée de ce souvenir traumatique, elle détourne systématiquement la tête pendant les cours et regarde à droite, vers la fenêtre. Mais, à droite, à travers la vitre, elle voit les buissons du jardin: or c'est sous des buissons qu'elle a été abusée. Elle est donc de nouveau guettée par la réminiscence d'une scène traumatisante. Sa présence dans cette classe lui devient alors insupportable : dans sa tête, si elle regarde en face, il y a un violeur ; si elle regarde de côté, il y a les buissons meurtriers ; alors, pour calmer sa souffrance, elle fixe désormais le sol, de façon obstinée. Mais elle se fait gronder pour insolence et inattention, et, comme elle ne dit rien, n'explique rien de ce qu'elle éprouve, les professeurs pensent qu'elle se moque d'eux – alors qu'en fait, c'est le monde entier qui est en train de se moquer d'elle en lui prétendant qu'elle peut renouer avec une vie normale, comme si de rien n'était. Divine s'est donc de plus en plus murée dans son silence. Au cours des séances, elle a finalement pu raconter le viol, ou plutôt les viols puisqu'ils avaient été répétés. Par la parole, Divine a été sauvée. Je précise que, grâce à sa tante, elle bénéficiait d'un bon confort matériel, cela intervient aussi considérablement dans son évolution. Mais la possibilité de dévoiler sa honte et, surtout, de s'accorder le droit de haïr, est capitale. Taire le viol et, par conséquent, taire sa haine du violeur est ingérable. Je dis souvent, lors de conférences, particulièrement face à des religieux, qu'il faut laisser les rescapés nommer leur haine, les laisser la crier, la répéter, la vomir même. C'est une des possibilités de s'en décharger. Où rejaillira-t-elle cette violence, sinon sur soi ? Quand tu as ton bras ou ta jambe coupés, ton mal physique est aussitôt lisible. Le viol, tu le portes dans le silence, dans la honte sans que nul n'imagine ce que tu éprouves. Mais toi, il te semble toujours sentir une puanteur en toi et une crasse démanger ta peau.

Cette première écoute, en thérapie, est vitale pour les victimes. Une fois partagé, leur fardeau paraît un peu moins pesant. Car il faut que je précise que le mot de traumatisme, non plus, n'existait pas dans notre vocabulaire. Dans un premier temps, pour exprimer les troubles visibles, on a utilisé celui de «*guhahamuka*», qui signifie littéralement : «avoir ses poumons hors de soi», mais c'était fort péjoratif car un individu qui est «*igihahamuke*», soit avec ses poumons hors de lui, est quelqu'un qui ne sait pas se contrôler, sursaute pour un rien, parle trop fort, bondit sur les autres sans raison. Or ce terme sous-entend une responsabilité ou une notion de faute de la part de cet individu et cela pouvait tendre à le culpabiliser d'éprouver ces troubles. Cela ne convenait donc pas. On a alors choisi, dans le cercle des thérapeutes d'Avega ainsi que dans celui d'autres organismes rwandais, le mot de «*guhungabana*», qui signifie «être fort déstabilisé» mais avec l'idée essentielle que la cause de ce bouleversement est externe à l'individu.

Ce travail sur le vocabulaire, sa sélection fort réfléchie, ont permis de terriblement soulager nos patientes d'Avega car ces rescapées sont souvent convaincues que c'est elles qui sont folles. La peur d'avoir perdu la boule, c'est-à-dire dans notre langue, «*ubwenge bwarayaze*», littéralement «(avoir) l'intelligence (qui) a fondu», est des plus répandues chez les personnes traumatisées. Lorsqu'une d'entre elles, par exemple, sort pour se rendre quelque part puis oublie en chemin sa destination, et elle croit être en train de perdre la tête. Car il est très important de préciser la chose suivante : une personne traumatisée n'emploie jamais le mot de traumatisme en ce qui la concerne, car elle n'en a pas conscience. C'est justement ce décryptage que nous nous sommes fortement attachées à faire à Avega : la tâche nous était aisée, si j'ose dire, car on reconnaissait très vite nos propres symptômes à travers ceux des femmes qui venaient nous consulter. Un exemple, a priori banal : aucune rescapée – travaillant, sans emploi, veuve ou encore mariée, mère ou célibataire, bien seyante ou non, vaillante ou malade – aucune d'entre nous ne faisait jamais plus son lit le matin, et chacune pensait que cette incapacité lui était singulière. C'est au cours du temps mais surtout, au fil des entretiens recueillis et des échanges entre rescapées, qu'on a identifié une sorte de tableau des traumatismes, ou plutôt de leurs expressions. Au palmarès : la fatigue, une immense fatigue. Et puis maux de dos, essentiellement, et maux de tête. Une expérience nous a particulière-ment éclairées : aussitôt après le génocide, une des premières batailles d'Avega a été de vouloir reloger des veuves désormais sans abri ; nous sommes ainsi parvenues à la construction d'un village dont je reparlerai plus tard. Les rescapées qui s'y sont installées vivaient de petits commerces au marché, grâce à des projets de crédits élaborés dans le cadre de notre association : l'une, par exemple, vendait des tomates et, avec l'aide financière obtenue, a pu louer une table au marché et racheter de la marchandise ; une autre faisait de l'élevage de poules ou bien encore de la vente du charbon de bois, et chacune devait rembourser son prêt avec le gain de ses ventes. Toutes ont été travailleuses, très travailleuses, mais le problème, c'est que la plupart tombaient malades et ne pouvaient plus assurer leurs remboursements. Mal de dos, comme je l'ai souligné, mal à la tête et mal au ventre. Et surtout, cette fatigue, cette immense fatigue, avec l'impossibilité de se lever de son lit le matin. Donc, pas de travail, pas de remboursement. Ces maux physiques ou maladies étaient bien réels car les conditions de vie étaient très dures, et souvent doublées de malnutrition. On évoquait régulièrement la malaria, mais on savait fort bien qu'il s'agissait aussi d'autre chose car le symptôme de lassitude revenait de façon trop fréquente. On a alors compris que la santé primait sur l'organisation de vie, et on a bataillé afin d'obtenir l'ouverture d'un dispensaire qui traiterait de la santé physique et mentale.

Nous nous sommes d'abord attachées aux séquelles visibles et à la réhabilitation des handicapés grâce à l'acquisition de prothèses ou même parfois des opérations chirurgicales. Aujourd'hui encore, tu n'imagines pas combien de femmes souffrent de blessures résultant des coups de machette. La consigne des génocidaires, diffusée par la radio de haine, précisait de porter le coup à hauteur de l'oreille. L'une de ces rescapés avait été, elle, complètement coupée des deux côtés de la mâchoire ; d'une part elle ne pouvait plus rien mastiquer, d'autre part, elle ne pouvait jamais évacuer le moindre vomissement. On a finalement pu la faire opérer. Je me souviendrai toute ma vie du jour où je suis allée la voir à l'hôpital, après avoir commandé et réglé d'avance tous ses repas. Elle était tellement démunie que, le premier soir, elle a refusé l'omelette que l'infirmière lui apportait, persuadée qu'elle devrait la payer. J'en étais malade… Une fois de plus, je me suis dit : « Mais comment, nous rescapés, a-t-on pu imaginer qu'après ce génocide, on allait être gâtés, chouchoutés, que le monde entier allait se repentir de notre malheur auquel il avait assisté en direct à la télévision ? Mon œil ! » L'opération a été un succès. Ah, ça ! *(rires)*, je n'aurais jamais imaginé que voir une mâchoire fonctionner et enfin pouvoir vomir pourrait me procurer autant de joie ! La première fois que je l'ai revue après son intervention, elle n'arrêtait pas de l'ouvrir et la refermer, comme un crocodile *(elle imite la scène)* et pour bien me montrer que l'opération avait réussi, elle répétait : « Esther, Esther, regarde !... » Tu te rends compte qu'un génocide peut même t'enlever le droit de vomir ! Eh bien voilà, au moins une fois dans ma vie, j'ai pu goûter au plaisir d'une mâchoire vivante.

Une fois la décision prise d'investir le champ de la santé, notre volonté était de regrouper en un seul centre, deux départements de soins : mentale et physique. Pour le premier, les dispositions des bailleurs de fonds se sont avérées plutôt faciles, et même avec une réelle volonté d'agir vite. Mais trouver des soutiens pour un suivi de la santé physique traitée en parallèle a été très compliqué : ces mêmes financiers nous répondaient qu'Avega ne devait pas se substituer aux structures hospitalières déjà existantes. Ils n'acceptaient de ne financer, précisaient-ils, que les soins liés aux séquelles du génocide. Mais qu'est-ce qui relève des séquelles du génocide ?... Ou plutôt, je pose la question à l'envers : qu'est-ce qui ne relève pas des séquelles du génocide ? Quand une veuve vient consulter pour la malaria, ou pour une immense lassitude qui lui donne envie de rester au lit toute la journée, que lui dis-tu ? Non, désolée, ça, ce n'est pas une séquelle du génocide... C'est une discussion qu'on a fortement soutenue avec ces bailleurs de fonds lorsqu'ils entendaient séparer les maladies « normales » ou habituelles des maladies traumatiques. Certains d'entre eux prenaient compte de toutes ces nuances et nous ont soutenues ; mais la plupart y sont restés sourds, car trop avides de solutions globales et hâtives. Pour la malaria, que cette femme aille donc à l'hôpital, disaient-ils. On a tenu ferme notre position sur l'impossibilité, ou tout simplement le refus de notre part, de faire une distinction aussi faussement nette : la fièvre de cette malade, aujourd'hui, elle vient de la malaria, ou du malheur d'avoir tout perdu ? Ses symptômes, c'est vrai, résultent de son état de pauvreté. Mais elle est devenue pauvre parce qu'elle a perdu sa maison, son champ, son revenu, vu massacrer les siens – et tout ceci non pas en raison d'une catastrophe naturelle, mais d'un génocide. Alors, sa fièvre, sa lassitude, sa dépression : séquelles ou pas ?... Et puis, la veuve qui vient nous voir, elle ne croit plus en elle. Imaginons qu'on la dirige vers l'hôpital, soit. Mais il faut avoir un certain souci de soi-même pour se rendre dans un hôpital. Sinon, si elles parvenaient seules à cette démarche, pourquoi viendraient-elles nous visiter ? Elles y iraient directement, elles n'ont pas besoin de nous pour cela ! L'hôpital est précisément le lieu qui soigne tes symptômes physiques, et point final. Or, lorsqu'une rescapée arrive à notre local pour une visite médicale, elle peut s'asseoir ou s'allonger dans le jardin en attendant son tour auprès du médecin. Et une de nos employées viendra toujours la saluer, demander si tout va bien et, ainsi, élargir la conversation pour mieux comprendre sa situation. Car en venant chez nous, ces femmes nous expriment que leurs maux disent aussi autre chose, même si elles-mêmes n'en ont pas conscience.

C'est justement à cause de cette ignorance de ce que signifie un traumatisme qu'on a beaucoup milité, à Avega, pour la vulgarisation de ce concept. D'abord en le démystifiant. Avec un ton généralement contenu mais très anxieux, une patiente confiait ne plus se reconnaître car, habituellement patiente, elle était devenue intolérante avec les enfants quand ils faisaient du bruit; une autre, comment elle croyait voir les siens, qu'elle savait pourtant bel et bien morts, sur une route; une troisième ne supportait plus de boire un médicament en sirop parce qu'elle l'identifiait au sperme du viol; une dernière, partie visiter sa tante, s'était retrouvée au milieu d'un champ inconnu... À toutes ces femmes qui se croyaient folles à cause de la perte de leur mémoire, à cause de leur angoisse incessante, de leurs hallucinations, de leurs insomnies ou de leurs cauchemars, et sans jamais oser se dire que le génocide qu'elles avaient traversé était en soi une perte de raison, nous avons longuement expliqué que leurs symptômes apparemment anormaux étaient, en fait, des plus normaux et que la vraie anormalité, elle, résidait dans ce qu'elles avaient subi d'inouï. Et, dans cette explication, on soulignait à quel point il était impératif de dire le sentiment de folie qu'elles ressentaient, impératif de le sortir de soi parce que «si tu le gardes sans le nommer, ce mal cherche sans cesse son chemin en toi», leur disait-on à travers cette image souvent utilisée. Dans la culture rwandaise, on te dit toujours de garder en toi tes douleurs, tes malheurs. Un proverbe dit: *« Uhishe mu nda imbwa ntimwiba »* («Celui qui garde dans son ventre n'est jamais volé par les chiens»). À Avega, on a expliqué que, selon nous, la dictée de ce proverbe trouvait son sens auparavant parce que notre ventre pouvait alors contenir nos peines ou nos malheurs précédents, mais qu'aujourd'hui, ce qu'on a subi et survécu du génocide, personne ne peut le tenir dans un ventre – ou alors, tout éclatera à l'intérieur de ce ventre. D'une façon ou d'une autre: à travers un mal de dos, justement, ou la phobie de la couleur rouge; à un moment ou un autre : la nuit quand le travail n'occupe plus l'esprit, ou au milieu d'une foule… C'est ainsi, de façon très simple et imagée, qu'on a expliqué à ces mamans et à ces filles ce qu'est une somatisation et, par là, ce qu'est un traumatisme. Et elles écoutaient, attentives, soulagées. Après, régulièrement, tu voyais une de ces patientes se redresser sur sa chaise en se tenant le dos et en commençant à te dire dans un soupir, que, oui, le mal qu'elle a depuis des mois dans le bas du dos, c'est la mort de ses enfants, en fait… Mais surtout, à la fin de ces rencontres, ces personnes traumatisées se disaient que ce n'était pas leur faute si elles allaient si mal, la cause était ce qu'elles avaient subi. La cause était le génocide.

Il fallait que de plus en plus de rescapés reçoivent ce message. Pour leurs enfants aussi, ou ceux qu'ils avaient recueillis. Beaucoup de ces petits faisaient pipi au lit et les parents réagissaient de façon traditionnelle : ils les réprimandaient ou les secouaient. On devait les amener à comprendre que, comme les adultes, les enfants réagissaient de manière normale face à une situation anormale ; la catastrophe n'était pas qu'ils urinent au lit mais qu'ils venaient de survivre à un génocide. Mais seulement quatre thérapeutes ne suffisent pas à recevoir, avec une disponibilité égale, toutes les femmes qui frappaient à la porte d'Avega. Après la démystification du traumatisme, on est alors passé à la transmission de notre savoir. On s'était aperçu que plusieurs de nos membres avaient une capacité naturelle à écouter, voire apaiser, et qu'elles pouvaient servir de filtre pour canaliser certains cas plus bénins que d'autres. On a décidé de les former à l'écoute dans le cadre d'un programme intitulé *Helpfull Active Listening* (Une écoute efficace), selon la théorie du psychiatre anglais, le professeur Sidney Brandon, venu d'Angleterre nous former gratuitement au Rwanda. Il s'agissait de t'apprendre comment recueillir le récit d'une rescapée sans l'interrompre par des commentaires sur ta propre histoire vécue, puis de lui faire comprendre, simplement, la légitimité de sa souffrance. Une approche « de premiers soins », en somme. Nos réunions réunissaient près d'une trentaine de mamans. On partait toujours de cette peur si répandue de devenir folle, on énumérait les symptômes observés et les femmes présentes disaient à quel point elles s'y reconnaissaient. On confirmait ainsi, une fois de plus, que les rescapés ont volontiers une parole. Plus réaliste, la vraie question est : à qui dire ? On connaissait la réponse, on a osé la formuler : personne. Personne, sauf nous-mêmes. Aussi, on doit être attentives à ce que nous disent d'autres rescapées afin que leur ventre n'explose pas. Mais comment écouter ce ventre sans que le nôtre ne prenne autant d'importance ? On leur a alors expliqué comment elles devaient nous consacrer du temps, à nous thérapeutes, pour nous parler d'elles et pouvoir ainsi se contenir après, face à quelqu'un qui leur parlera de ses troubles. Elles ont ainsi appris que nous, mêmes professionnels, on se rendait chez un superviseur ; plutôt qu'utiliser le mot de superviseur, on a dit : « Quelqu'un à qui moi aussi, je dois parler de "mes choses" *(ibyange)*. » Mes choses, entendant par là mon histoire, et ce que j'en ressens. Avoir délégué certaines techniques de notre savoir s'est révélé vraiment efficace, pour des cas bénins, je le répète ; cela a permis également de valoriser les rescapées bénévoles qui se sont prêtées à cet exercice. On était de plus en plus réactives face à notre folle situation, de moins en moins victimes.

On a eu tout à fait conscience de bousculer les principes de la profession, avec ce travail d'écoute « de première aide », habituellement utilisé en secourisme; l'urgence nous a cependant obligées à innover. Les psys, en général, protègent tellement leur profession qu'on ne pouvait que leur apparaître transgressifs; mais nous, on voulait protéger nos membres avant tout, au risque de choquer les puristes. Tant pis pour les puristes: je n'accepterai pas pour autant qu'on parle de psychologie à deux sous, on voulait que les gens aillent mieux, et cela a marché dans un cadre clairement établi. Moi-même, je revenais de Grande-Bretagne où je venais de suivre une formation de thérapeute. Sans l'obtention de ce diplôme, je n'aurais pu exercer et surtout, je ne me serais pas retrouvée. Or, ce n'est que quand je me suis retrouvée que j'ai pu parfaitement être à l'écoute de l'autre.

19
L'année de répit en Angleterre

M'arrêter, m'arrêter… Il fallait que je m'arrête. Il fallait que je fasse une pause. Pour faire le point, pour un peu de calme, de réflexion. Deux ans venaient de passer depuis la fin du génocide et je m'étais jetée dans le travail comme une folle. La journée à Oxfam, puis à Avega après dix-sept heures, souvent jusqu'à des heures avancées. J'avais envie de moins fonctionner comme un automate, de ne plus m'endormir comme une masse, de ne plus courir. M'arrêter de travailler, donc, m'en aller du Rwanda puisque rester dans ce pays, même sans travailler, ce n'est pas s'arrêter. Je me sentais épuisée. Il y avait aussi la famille. Heureusement, ma sœur Joséphine prenait tout en main. Elle avait trouvé le courage de retourner à Mwirute, et glané les rares informations sur les derniers instants des nôtres. Elle a vingt ans de plus que moi et me donnait un peu le sentiment d'avoir une seconde mère. Elle m'aidait beaucoup, me permettant de consacrer du temps à ma nouvelle famille d'Avega. Il y avait toujours quelque chose à faire pour l'association, un projet à monter. Je me rappelle que chaque fois que j'«accrochais» un bailleur de fonds, je me répétais: «Esther, c'est possible, c'est possible, c'est possible…» Possible de trouver des crédits pour que les rescapés puissent revivre, possible qu'on construise des maisons, qu'on paie la scolarité des enfants, possible de rire encore... Mais la machine ne tournait plus, ou plutôt elle tournait de façon trop automatique. J'avais les bons réflexes mais j'avais peur de devenir une mécanique dans tout ce que je faisais : m'occuper des enfants, suivre leur scolarité, développer nos programmes à Oxfam, retrouver les veuves chaque soir, décider, agir, ne pas avoir le temps de trop réfléchir... Quand, pour ne jamais perdre de temps, je conduisais comme une folle la Land Rover prêtée par mon employeur, je songeais souvent que c'était par miracle que je n'avais pas d'accident : au volant, je n'étais jamais présente, la tête encore dans la réunion précédente ou déjà dans la prochaine, ou dans les devoirs des enfants, ou dans les séances de groupe avec les veuves rescapées, ou... Tout tournait bien dans ma vie, mais tout était mécanique...

Mes responsables à Oxfam aussi sentaient que j'étais à bout : de plus en plus irritable, mais toujours infatigable. Ils ont eu peur pour moi, et m'ont octroyé ce luxe tant espéré : une année sabbatique. Je voulais absolument suivre une formation en psychothérapie. Mais où ? Et laquelle ? Après avoir lancé des pistes en Belgique et en Afrique du Sud, peu convaincantes, j'ai eu connaissance du travail d'un certain professeur Brian Thorne, de l'université d'East Anglia, en Angleterre, autour d'une thérapie centrée sur l'individu (« *Person Centered Therapy* »). Un individu, aussi cassé soit-il, n'est pas définitivement mort. Sa part de vie est à découvrir, à travailler, écrivait-il, de façon apparemment simpliste mais efficace. Je me suis spontanément reconnue dans cette orientation parce que, somme toute, moi, j'étais, je suis née pour le meilleur : l'amour de mes parents, celui de ma famille, tout mon environnement immédiat, ce sont eux qui m'ont fait croire en moi, parce que c'est un amour qui a dépassé les préjugés culturels. Je suis née fille et ce que ma culture condamnait – « Une fille, bah ! » – mon père, lui, s'en est réjoui : « Une fille, tant mieux ! » Pareillement, ce que ma culture blâmait en dénigrant les Tutsi, me tentant ainsi de mentir sur mon identité, mon père, lui, m'a valorisé : « Tu es qui tu es et ce n'est pas un crime : ne t'en cache jamais. » C'est vraiment lui, ce père instituteur, qui m'a fait entendre que tout enfant peut comprendre les mathématiques. Si tu crois en quelqu'un, tu lui donnes vraiment ses chances, et mon père a su faire cela avec nous, autant qu'avec ses élèves. À sa lecture, la théorie de Brian Thorne ne m'est donc pas apparue si idéaliste puisque je l'avais vérifiée : mon enfance a été structurante. J'ai été valorisée par mon père et par ma mère, je n'ai jamais eu à courir derrière leur reconnaissance, jamais eu à marchander leur regard, leur considération. Et, plus tard, mon mariage avec Innocent n'a fait que me confirmer dans cette place : j'ai aimé et ai été aimée, de façon si constructive. Pour me laisser travailler – ce qui voulait dire voyager souvent, donc être absente souvent – Innocent s'est particulièrement occupé des enfants, sans jamais le moindre reproche ; cela lui semblait normal. Il tenait tant à me voir épanouie. Peut-être est-ce aussi, parce que témoins des discriminations qu'on avait subies tous les deux, on ne pouvait que se réjouir de l'accomplissement de l'autre ; on savait le prix que nous avait coûté cette réussite... De toute façon, Innocent était un homme très joyeux, comme toute sa famille ; chez eux, on dansait pour un rien : on leur rendait visite avec une caisse de bière et on se mettait à danser, uniquement parce qu'on se retrouvait ensemble. Dans notre vie, à titre personnel, on avait toutes les raisons d'aller bien, en fait : on était en train de faire construire une maison à Kigali, nos frères et sœurs étaient pris en charge pour leurs études, les mariages des uns et des autres se nouaient harmonieusement, on voyait notre famille bien évoluer et nos parents vieillir tranquillement. Et tant qu'ils étaient là, à chaque destruction de maison, à chaque massacre et à chaque perte, je pouvais tout recommencer parce que j'étais toujours pleine de l'intérieur. J'avais appris depuis longtemps que les objets et les biens sont substituables et que l'essentiel tenait dans cet amour que je portais, dans cette présence des miens qui me donnait toujours la force de tout reconstruire. Mais l'extérieur, lui, te casse. Dans mon existence rwandaise, cet extérieur contredisait violemment cette force intérieure. Mais, je le répète, tant que les miens étaient vivants, je remodelais, à travers eux, l'image dévalorisante et haïssable que ma société me renvoyait dans sa majorité. Mais une fois les miens exterminés…

Je lisais donc ce livre, attirée par sa théorie que je partageais, dans mon for intérieur, mais je le lisais au moment précis où, dans ma vie, tout mon intérieur était cassé, et ma foi en l'autre, broyée. Avec le génocide, je venais de faire l'expérience du pire chez des êtres humains. Je précise ce que signifie l'expérience du pire : ce n'est pas seulement avoir vérifié la capacité de l'humain à donner la mort – considérée « normalement » comme le pire dans la vie – mais c'est surtout de le voir déployer toute son intelligence et sa créativité diabolique pour imposer ce pire à son semblable. Quelque chose, en fait, qui serait encore pire que la mort en soi.

Un de mes oncles a demandé au bourgmestre d'être tué par balles: refusé. Si tu avais la chance de pouvoir payer une mort «moins» cruelle, tu payais. Sinon, tu étais découpé à la machette mais – et tout est là – pas d'un coup. On te coupait et on te laissait agoniser, soit parce que le génocidaire était fatigué d'avoir trop «travaillé», soit, plus couramment, sans raison sinon celle de te faire souffrir plus que de t'enlever la vie. On voulait justement détruire l'amour en toi qu'éventuellement tu avais pour toi, et pour l'autre. Ils arrivent ainsi, quand tu constates tant de cruauté, tant de soin à cette cruauté, ils arrivent à te faire admettre que tu y es pour quelque chose car leur traitement dépasse tellement l'entendement que tu finis par te dire, même un instant: «Écoute, ce n'est pas possible, ils doivent avoir leurs raisons...» Comme tu es tellement en train de perdre la tienne, de raison, tu te dis qu'ils doivent bien avoir la leur... Le génocide secoue fortement cette foi de toi, en toi, en l'autre. Cette haine gratuite de la part de nos génocidaires, cette haine totale à mon égard, moi Tutsi, alors que personnellement, j'avais reçu tant d'amour... Mais qu'avaient-ils donc à y gagner? Qu'en ont-ils gagné? *(silence)* Pourquoi, mais pourquoi avoir voulu nous exterminer ainsi?... Tu n'arrêtes pas de te poser cette question du pourquoi alors que tu sais – tu sais absolument – qu'il n'y a pas de réponse. Cette question, elle n'a pas de réponse, parce qu'elle ne peut pas en avoir, elle ne doit pas en avoir ni en trouver; sinon, ce serait arriver à justifier, d'une certaine manière. Ou alors, oui, d'accord, cherchons à comprendre, mais pour prévenir. Voyons un peu les mécanismes qui permettraient d'arrêter à temps de telles tragédies... Sauf que, on le sait, c'est trop tard: des rapports officiels par des

215

ligues de droits de l'homme avaient été publiés avant le génocide, des enquêtes menées – et rien n'a été empêché. Ce à quoi je pense de plus en plus souvent, désormais, c'est à tous les moyens que les génocidaires ont mis en place pour parvenir à leurs fins – c'est-à-dire la nôtre. Je ne réalisais pas que tout était planifié : j'écoutais pourtant la radio, j'entendais les discours, je sentais une tension monter en puissance et j'avais le fort pressentiment que ça allait trop loin car, contrairement aux crises précédentes où tout le monde savait mais faisait semblant de rien, en 1994, tout se disait clairement, se clamait, s'exhibait. Je sentais, de façon physique et non pas rationnelle, que cette fois, ils ne voulaient plus en laisser un seul vivant... Mais on ne mesurait pas, pourtant, que toute une organisation se déployait, préparée bien en amont, étape par étape. Et surtout, on a surestimé les casques bleus et les diplomates en place. On n'a jamais cru qu'ils laisseraient faire, tout d'abord parce que c'était leur mission de maintenir l'ordre et la paix au Rwanda, et puis parce que leur inertie équivaut à une non-assistance à personne en danger. D'accord, ils n'avaient pas souvent réagi lors des massacres précédents. Mais cette fois, il y avait eu des enquêtes alarmantes d'organisations des droits de l'homme, il y avait eu les accords d'Arusha suivis de la mission des Nations unies pour le maintien de la paix, la Minuar, présente dans notre pays pour éviter des débordements. Les gens font très souvent une confusion à propos de l'intervention de l'Onu durant le génocide : ils pensent, en effet, que le problème était d'envoyer ou non une mission. Mais elle était déjà sur place ! Il s'agissait seulement de la maintenir et d'en renforcer sa fonction. Jamais, jamais, je n'ai imaginé qu'ils laisseraient faire, en direct, sous leurs yeux… Car c'était vraiment sous leurs yeux. Certains soldats, de retour chez eux, ont brûlé leur casque en signe de protestation : ils n'avaient pas le droit de tirer, pas le droit de réagir même lorsque les premières exactions se sont déroulées en leur présence. New York n'avait pas donné l'autorisation. Jamais, je ne pourrai plus croire au « plus jamais ça », jamais ; c'est de la blague. Plus jamais ça, c'est de la blague. Un génocide peut arriver de nouveau, chez nous, ailleurs, chez toi…

Alors, quand tu n'as plus foi en rien, quand tu n'as plus l'amour des tiens en toi, quand il ne te reste que du vide, et de la colère, et encore du vide… tu n'as plus le désir de croire à cette belle théorie qu'on peut « encore y croire », comme le prônait l'ouvrage que j'étais en train de découvrir en cette année 1996. Moi, ma foi dans l'humain et l'humanité était complètement détruite, de même que ma foi en Dieu. Donc, comment adhérer de nouveau à cette théorie de Brian Thorne, que l'expérience du génocide démentait totalement, même si je n'oublie pas les quelques justes que j'avais rencontrés ? Mais est-ce que ces rares personnes qui par leur existence ont contribué, d'une façon ou d'une autre, à ce que je sois toujours en vie ont la capacité à elles seules d'entretenir le tout petit bout de confiance qui me restait encore dans l'humain ? La question est importante car il m'est arrivé de penser, à cette époque, que ma confiance antérieure en l'humain, avant le géno-cide, avait été une terrible erreur. Je m'explique : quelqu'un qui, avant 1994, était raciste ou terriblement méfiant à l'égard des Hutu ne lui faisait par conséquent jamais confiance, et donc ce quelqu'un a eu le réflexe plus rapide de s'enfuir et, peut-être, a pu être sauvé plus facilement. Alors que moi, j'ai beau avoir été témoin et victime de ce racisme contre les Tutsi toute ma vie, j'ai continué à préférer croire en l'humain. Pourtant, chaque fois, j'avais les preuves flagrantes que certains de nos voisins, ou de nos proches même, nous trahissaient, nous volaient. Mais je faisais comme si de rien n'était… *(long silence)* Mais est-ce que j'avais vraiment le choix ? Lorsqu'on a décidé, avec ma sœur Stéphanie, à l'adolescence, d'avoir une vraie colère et de ne plus parler à nos voisins, on n'a pas pu tenir bien longtemps. Parce que le problème, c'est que dans la vie quotidienne, par exemple, on va puiser l'eau ensemble, Hutu et Tutsi, et qu'il te faut toujours quelqu'un pour t'aider à mettre ton jerrycan sur la tête ; cette opération s'appelle « *kugukorera* », aider à monter un fardeau sur la tête, et elle représente le minimum des civilités. Si tu vas puiser l'eau seule et qu'un passant approche, tu l'appelles sans le connaître, pour lui demander de t'aider, et tu ne regardes pas si la personne alentour est Hutu ou Tutsi… Quelqu'un qui refuserait, ça n'existe pas. Alors, même en décidant de me rebeller et de ne plus parler à un Hutu, il ne me serait jamais venu à l'idée de ne pas l'aider à monter son jerrycan sur la tête ; je serais allée à l'encontre de moi-même, de ma culture. C'est exactement la même chose pour le descendre. S'il n'y a personne à la maison, tu dois demander à un voisin de t'aider : « *kugutura* ». Sinon, rester seule avec un jerrycan sur le crâne, c'est… impensable, tout simplement. À moins de renverser toute l'eau qui y est contenue. Alors, Hutu et Tutsi vivent ensemble, presque par la force des choses. Ils ont besoin de nous, nous avons besoin d'eux. En ville, oui, tu peux vivre sans ton voisin, l'eau est courante, tu peux fermer ta porte. En ville, tu vis aussi avec des Hutu mais tu peux éviter de parler à des tueurs ou des voleurs. Sur les collines, non. Or la grande majorité des Rwandais vivent sur les collines.

J'ai quand même contacté le professeur Brian Thorne avec qui je me suis longuement entretenue par téléphone. Il était très attentif et, de mon côté, je n'éprouvais aucune peur *(rires)*; c'est l'avantage d'un génocide auquel tu as survécu: tu n'as plus peur de rien, et plus personne ne t'apparaît plus grand que toi. Pendant cette conversation, qui se déroulait dans le bureau d'Oxfam, je regardais les fleurs à travers la fenêtre, j'avais envie de lui parler de ma fâcherie avec elles mais je me suis tue, en pensant qu'il allait trouver bizarre une femme qui se disputait avec de simples fleurs. J'ai préféré lui expliquer que j'avais besoin de suivre son cours pour être plus efficace dans mon travail auprès des rescapés et je lui ai confié m'être retrouvée dans ma quête de l'humain et de la vie à travers son ouvrage, et y avoir puisé un certain sens. À un moment, il m'a dit, exactement en ces termes: « Est-ce que cela ne sera pas difficile?... Je veux dire... Vous avez vécu l'extrême; est-ce qu'après, il vous sera possible d'accepter la souffrance des autres, comme celle de quelqu'un qui vient de perdre son chat, unique compagnon, sans qu'elle ne risque de vous paraître bien peu de chose par rapport à la vôtre? » Je me rappelle bien de l'exemple donné: la mort d'un chat qui représenterait le seul compagnon d'un patient. Je n'ai pas du tout été choquée parce que je crois que, très vite après le génocide, j'ai compris que ma souffrance à moi dépasse en effet toutes les limites, qu'elle ne peut pas se dire, ni s'entendre, mais que cela ne pouvait pas être une raison pour ne pas accepter la souffrance de l'autre. J'ai du mal à l'expliquer mais c'est une intuition que je portais depuis un bon moment déjà : le fait qu'une souffrance est personnelle, qu'elle n'est pas quantifiable et qu'il ne faut pas nécessairement chercher à la comparer à une autre... *(le regard se fait lointain)* Peut-être est-ce à cause d'Avega que j'ai compris cela... J'y ai rencontré des mères qui ont perdu enfants, santé, richesse, famille, et qui trouvaient la capacité de réconforter d'autres veuves... Et parallèlement, tu en voyais qui ne pouvaient pas supporter la simple perte de leur travail, alors que leur famille et leurs biens avaient été sauvés... Là, j'ai vraiment admis qu'il n'y a pas d'échelle, ou qu'en tout cas, elle ne se mesure pas à des événements objectifs. Un jour, une maman nous a dit : « Le malheur se prononce toujours au singulier. Mon malheur, c'est le mien, ton malheur, c'est le tien et ce qui s'applique à moi ne s'applique pas à toi... » C'est la force intérieure que tu as ou pas, qui peut te permettre d'accepter ton sort. Dans ces cas, c'est toujours l'image de Joséphine qui me revient, cette amie qui m'avait incitée à compter ce que j'avais gardé plutôt que ce que j'avais perdu. Mais il faut répéter que j'ai eu aussi la chance d'avoir des filles, j'ai pu les sauver plus facilement que des garçons, peut-être... Alors, quand ce professeur anglais me dit que j'aurai, face à moi, des gens bouleversés parce que leur chat est mort, alors que moi, ce seront mon père, ma mère, mon mari, mes sœurs... et que le cas le plus extrême que je puisse rencontrer serait quelqu'un dont la maison a brûlé, je le rassure. Pas à cause de cet éternel besoin que j'ai de rassurer les autres, mais parce que je le crois : je n'allais pas m'attendre à ce que tout le monde change sa façon de vivre parce que je venais de vivre un génocide...

Je me suis installée en Grande-Bretagne, à Norwich, au nord-est de Londres, au mois de septembre 1996. Tout comme j'avais eu la chance de ne pas voir des cadavres entassés pendant le génocide, j'ai eu la chance, cette année-là, de ne pas assister au retour en masse des réfugiés Hutu revenant du Congo dans notre pays. Cet événement a provoqué beaucoup de réveils de traumatismes chez les rescapés : certains se sont retrouvés confrontés aux propres tueurs de leur famille. J'ai travaillé à l'université d'East Anglia pendant un an, comme une damnée encore une fois. Au premier abord, ce cours ne semblait pas vraiment répondre à ma demande d'être formée pour suivre des personnes traumatisées. Mais, quoique à la fin, j'ai complété ma formation par un cursus spécifique au traitement du traumatisme, je reste convaincue que c'était idéal pour moi de travailler à partir de cette théorie centrée sur l'individu. Sa pratique amène de toute façon à réduire l'incidence d'un traumatisme mais, de plus, elle comble bien cette urgence, pour un rescapé de génocide, de se réhabiliter comme être humain qui doit dorénavant se reconstituer une autre identité, puisque la sienne a été complètement écrasée. L'urgence aussi de se reconstruire de nouvelles raisons de vivre et de les maintenir malgré la destruction complète de son univers. En plus des cours théoriques, on avait de fréquentes séances de groupe, d'environ une dizaine de personnes, où la parole était libre. J'avais beaucoup insisté. lors d'une première confrontation avec mes camarades de formation, sur le fait que je ne voulais pas qu'ils culpabilisent de mon histoire ou en ressentent une gêne. J'ai dit clairement : « Je ne veux pas être la superstar de la souffrance ; je ne veux pas en faire un joker », et jusqu'à aujourd'hui, je ne le souhaite pas, d'ailleurs. Je crois que cette demande, sincère, a été salutaire pour eux car tous craignaient que mon expérience les oblige à relativiser la leur. Cela les a rassurés que, pour moi, leur réalité et, surtout, la différence de nos réalités, étaient admises d'emblée. Je connais la culture européenne, je sais que certaines choses peuvent paraître dérisoires, voire capricieuses au vu des drames qu'on vit en Afrique, mais je sais bien aussi que celui ou celle qui pleure de se sentir gros ou moche, il n'invente pas sa souffrance, il a réellement mal de ce qu'il est. Il n'y a pas de baromètre à la souffrance.

C'est là, durant ces séances ensemble, que j'ai dit ma perte de foi dans l'humain, dans l'autre. Là que j'ai réussi à sangloter pour la première fois devant des étrangers. Je sentais une telle bienveillance en eux... Ce qui faisait trop émotion, au cours de cette année de formation, c'était justement cela : retrouver la bienveillance, l'attention de la part de personnes qui m'étaient inconnues quelques mois auparavant. Au début, c'était vraiment trop, parce que plus tu reçois de l'attention de certains et plus tu te demandes, et moins tu comprends, pourquoi tu as été l'objet d'un tel acharnement pour d'autres... Très vite, j'ai appris que ce « trop » ne l'était pas, c'était mon droit. Et puis, durant ces séances, pour la première fois depuis la fin du génocide, on me disait enfin : « Vas-y, raconte, ce n'est pas trop pour nous. Si pour toi, cela n'a pas été trop de le vivre, pour nous, cela ne l'est pas de l'entendre. » Or ça faisait des années que je me taisais ou que je m'interrompais au cours d'un récit. Et tout à coup, tu te retrouves dans un environnement où on t'aime, on t'entoure... Quel luxe ! Quel vrai luxe ! Et qu'est-ce que j'ai souvent, souvent pensé à toutes les amies d'Avega qui auraient dû, elles aussi, vivre cette expérience...

C'est là aussi que j'ai pu déverser cette peur de la folie qui s'emparait de moi chaque fois que revenaient ces questions obsédantes dont j'ai déjà parlé. Pourquoi, pourquoi... Je ne comprenais pas cet acharnement de haine à notre égard, nous les Tutsi, et ça me poursuivait. Je me disais : « Mais pourquoi, puisqu'on n'avait rien fait... » Parfois, je me disais aussi : « Mon Dieu, qu'est-ce qu'on a dû leur distiller comme haine de nous pour qu'ils arrivent à ce point à nous... » Mais, même avec toutes les explications du monde, tu te demandes constamment comment, pourquoi... Après un génocide, tu te sens complètement abandonnée. Tu ne peux pas savoir à quel point. Tu te dis que tu es vivante mais qu'en fait, puisqu'ils voulaient tout exterminer de toi, de ta famille, de ton ethnie, tu n'aurais pas dû être là. Tu n'aurais pas dû être là, et tu l'es pourtant. Mais est-ce que tu l'es vraiment ?... puisque tu n'as plus de support, plus de répondant, plus de miroir pour te renvoyer de l'amour de toi... En fait, tu n'es qu'un zombie, un mort vivant. Voilà, c'est ça : après le génocide, j'étais une morte vivante. Ce n'est que peu à peu que je l'ai vraiment compris. J'avais déjà fort ressenti, à travers nos échanges entre veuves rescapées, que la réussite du génocide n'était pas seulement d'avoir exterminé nos familles, nos existences, mais de nous avoir infligé une mort à l'intérieur de nous, dans notre propre vie. Et quand tu réalises cela, alors là... oh, tu éprouves vraiment une terrible dépression... Une dépression qui risque même d'être plus forte que ta colère. Heureusement, il m'en est resté assez, de colère, pour décider, au fil du temps, en y mettant des mots, que moi, je ne voulais pas être morte vivante mais vivante vivante. Voilà : le génocide, ainsi, n'aura pas accompli sa totale mission. Je ne suis plus une morte vivante.

C'est ce que cette année de formation en Angleterre m'a permis de conceptualiser. J'ai pu revisiter non seulement tout ce qui m'avait détruit, mais aussi prendre le temps de renouer les quelques fragiles fils qui me reliaient encore à l'humain. Cette année-là, parce que j'étais dans une ambiance de protection maximale, j'ai pu renaître. C'est aussi au cours de cette année que j'ai admis avoir le droit d'aimer de nouveau sans le sentiment de trahir Innocent. Je me suis finalement accordé mon propre droit à vivre, ce n'était plus le hasard qui me laissait en vie. C'est devenu un choix, mon choix, réel et profond. Et c'est en franchissant ce pas, considérable et douloureux avant d'être libérateur, que j'ai pu distancier ma souffrance de celle des patientes que j'ai reçues plus tard. Les journées passaient entre cours théoriques, réunions de groupes et une pratique au bout de quelques mois, en recevant des patients, soutenue par un superviseur. Un superviseur, c'est celui qui t'aide à éclaircir en toi les sentiments, les émotions et même, parfois, le rejet que les confidences d'un patient provoquent en toi. Tu apprends à bien distinguer ton territoire affectif du sien. Quand je suis rentrée au Rwanda, dotée de mon diplôme et avec un emploi de thérapeute assuré par Oxfam au sein d'Avega, je me sentais beaucoup plus armée pour écouter les rescapés sans que leur histoire ne ressuscite la mienne. Mes sentiments ne se confondaient pas avec les leurs, et ne débordaient donc plus. J'avais retrouvé un apaisement, j'étais de nouveau reconnue. Oui, les miens étaient décidément morts mais, cette fois, j'avais à nouveau un répondant, un miroir valorisant.

Attention, je ne prétends pas avoir tout réglé durant ce séjour britannique ! Face à un rescapé, le processus d'identification à sa souffrance reste le même pour moi, mais il est maintenant plus apaisé. Tu apprends à te calmer : avant, j'écoutais et je disais en même temps que l'autre : « Ah, le salaud, le salaud ! » sans réaliser que ce n'était pas sain. Je ne mesurais pas ma propre force à m'indigner ni l'éventualité que, peut-être, je criais plus fort que l'autre, même si j'utilisais ses mots. Aujourd'hui, je me tais, je n'empiète pas sur l'espace du patient. Il faut faire très attention de ne pas ramener mes propres histoires dans le transfert avec le patient sauf si, parfois, cela peut créer une dynamique. En ce cas, si j'interviens, c'est en fonction du besoin de l'autre, pas du mien. Comme avec cette gamine rwandaise témoin de la mort des siens puis violée et qui, un jour, en pleine séance, s'est mise à crier : « Je les hais ! Je les hais !... » Pour elle, chrétienne, c'était un tabou que d'éprouver de la haine pour son prochain, même s'il est un assassin. Alors, je lui ai dit : « Tu as raison de les haïr » mais je l'ai dit pour elle, pour légitimer sa parole et non pas ma propre colère. Car c'est sa colère à elle qui occupait l'espace de la séance. *(rires)* De toute façon, heureusement que j'avais appris à contenir parce qu'à plusieurs reprises, le patient qui te dit : « Dieu nous a abandonnés », il se réconcilie très vite avec... Ah, là, là ! Dieu en séance, c'est quelque chose... *(rires à nouveau)* Je me souviens de ce jour en Angleterre où, commençant à exercer, je suis tombée sur un patient qui avait une grande rage contre Dieu. Ah, comme j'avais envie de l'encourager ! « Ouais ! Ouais, vas-y !

225

T'as raison !» Là, tout à coup, j'ai éprouvé un brusque désir d'être à ses côtés lors d'une manifestation contre Dieu et de défiler, bras dessus, bras dessous avec lui, serrés bien fort, en scandant des slogans en chœur: «Dieu est un salaud, le peuple aura sa peau !» Mais – et cela a été salvateur pour moi d'apprendre cela – tu te contiens, tu es cadrée dans une autre relation et, même si ce sont des moments où tu te sens universel parce que, lui originaire d'Angleterre, toi venant du Rwanda, et de familles très différentes vous en voulez tous les deux pareillement à Dieu mais pas pour les mêmes raisons, toi désormais, tu sais que, non, pas question de blasphémer ensemble.

C'était bon de retrouver le Rwanda après un an. De toute façon, c'est toujours bon de retrouver le Rwanda. Même en juillet 1994, quand je suis revenue d'Ouganda à Kigali, alors que la capitale était sale, sale, et d'une terrible puanteur, c'était quand même bon de m'y retrouver. C'est ma saleté, c'est ma puanteur, celle de mes morts, des miens. Alors, j'ai besoin de me retrouver «là», au Rwanda, parce que c'est «là», point.

Mais c'était dur aussi, lors de ce retour, de mesurer combien la santé psychique des rescapés empirait. C'est normal, j'allais dire... Avec le temps, le rescapé meurt intérieurement de plus en plus et, avec une santé fragile ajoutée à la pauvreté, la faim, rien dans le présent ne lui permet de s'écarter de l'inouï qu'il a vécu. C'est normal, j'allais dire, d'un point de vue clinique. Totalement anormal, de tout autre point de vue.

Ma seule satisfaction a tenu à l'exercice professionnel de ce qu'auparavant, je pratiquais d'instinct: l'écoute des autres. Et surtout à la certitude, grâce à ce nouveau métier, d'être utile à Avega, toutes ces veuves du génocide d'avril dont beaucoup sont devenues de proches amies. Il est impossible de vivre au Rwanda sans clan. Le mien avait été exterminé, Avega en symbolisait un nouveau.

20
Le clan des veuves

Les visiteurs étrangers arrivent généralement sur la pointe des pieds, dans notre local d'Avega. Ils nous surprennent, parfois, prises dans des fous rires, se tapant les mains pour se féliciter d'une bonne plaisanterie. Ils n'en reviennent pas, ils sont déroutés. Des veuves du génocide rigolent, à peine quatre ans après ?

Il y a Chantal, têtue, forcenée, belliqueuse dans le meilleur sens du terme, qui croit ferme en la justice, point final – et nous explique de façon extrêmement rationnelle que, sans cadre juridique, sans garde-fou, sans procès des tueurs qui doivent être châtiés de leurs actes, le génocide ne pourra que se reproduire. Chantal ne veut aucun don de quoi ni qui que ce soit, elle veut seulement le droit, le droit, le droit... « Si on ne te le donne pas, tu n'y auras jamais droit. » Chantal, incessante indignée et excellente logisticienne, est la coordinatrice de l'association.

Il y a Pauline qui est une des rares à posséder une voiture. D'une grande bonté, Pauline est toujours, toujours disponible depuis le début de notre fondation. On veut se rendre quelque part, on appelle Pauline, on veut une porte, une fenêtre, on appelle Pauline chef d'entreprise, on a un enfant à faire adopter, on appelle Pauline... qui en a déjà dix chez elle.

Il y a tante Anastasie, celle qui nous calme quand nos esprits s'échauffent trop, en cas de désaccord ou d'indignation, et nous ordonne de nous asseoir avant de nous préparer du lait ou du thé.

Et puis, Rose, une tante qui a tout perdu et qui, comme je l'ai raconté, nous raillait : « Oh, oh, arrêtez avec vos maris aimants, attentionnés, et tout ça ! Dites aussi que vous êtes soulagées parce qu'ils vous trompaient, ils vous battaient… » Rose est la seule qui peut se permettre toutes les ironies parce qu'elle a tout, tout perdu, et tous. Et chacune rit en lui répondant que, non, non, son mari à elle ne la frappait pas et n'avait pas de deuxième bureau [1]…

Cette dérision nous est nécessaire parce qu'on a reçu beaucoup de méchancetés. Une veuve, au Rwanda, ça ne porte pas bonheur. Un proverbe dit : « *Uwo wanga aragapfakara, ibisigaye atunge ibyo* » (« Ce que tu peux souhaiter à ta pire ennemie, c'est d'être veuve, même si elle garde toutes les richesses »). On a fort bien compris le sens de ce dicton, après le génocide : on ne t'invite plus aux cérémonies. On ne te visite pas non plus, de crainte de te trouver nécessiteuse ; si, par exemple, ton hôte arrive et que tu lui dis que tu ne peux pas payer l'électricité… Pour qualifier notre veuvage, on nous surnomme les « occasions de Dubaï ou d'Europe », en comparaison avec les voitures d'occasion qu'on trouvait sur le marché. On s'est méfié de nous, aussi, parce que des épouses craignaient qu'on leur dérobe leurs maris. Les femmes n'ont pas toujours été les plus généreuses à notre égard : elles avaient une peur terrible

---

1. En Afrique, le deuxième bureau est une expression courante pour signifier une maîtresse.

que si leurs hommes nous rendaient visite, on les détourne d'elles. Même si je n'approuve pas cette réaction, je peux la comprendre pour la raison suivante : le génocide nous a donné, à nous femmes rwandaises devenues veuves, une place malgré nous dans notre société. On nous voyait partout parce qu'on courait partout. On avait une cause à défendre, et rien ne nous arrêtait ; et nous sommes apparues à de nombreuses réunions qui jusque-là étaient réservées aux hommes – dont les nôtres, lorsqu'ils étaient vivants ! Alors je peux comprendre l'inquiétude de ces épouses : on côtoyait leurs maris, c'est vrai, et dans des lieux où elles n'avaient pas coutume de se rendre. Mais nous, on le faisait pour notre cause, parce qu'on avait plus personne pour nous représenter. On était amputées de notre moitié : avant, quand tu avais un toit qui fuyait, tu avais l'habitude de t'adresser à ton mari ou à ton frère. Des mamans, qui maintenant devaient s'en charger elles-mêmes, nous racontaient comment elles suppliaient leurs défunts : « Je t'en prie, de là où tu es, dis-moi comment tu faisais !... » Mais désormais, tu devais te débrouiller. Toute seule. Toutes seules. On a dû assumer des tâches et prendre des décisions qui ne nous revenaient jamais traditionnellement, comme réparer la maison, prendre un prêt à la banque ou vendre une parcelle de terre pour assurer la scolarité des enfants ou encore enterrer des morts... Moi-même, avant 1994, je n'avais jamais touché un cercueil de ma vie.

Alors, très vite, on s'est dit : d'accord, puisque c'est comme ça, on va se débrouiller toutes seules, entre nous. On ne va détourner personne de son mariage, on va s'accompagner entre nous aux cérémonies, on va déterrer les corps des nôtres et porter leurs cercueils nous-mêmes, on va aller boire un pot ensemble quand on a envie de se changer les idées et tant pis pour les on-dit puisque, de toute façon, on ne sort avec aucun homme ; alors, sur quoi pourrait-on bien jaser ?... Et c'est ce qu'on a fait. Quand j'ai cherché le corps de ma belle-sœur Umutesi, je connaissais juste le nom de la zone où elle avait été jetée en terre. Après le massacre de ses parents, elle s'était enfuie avec une amie et elles avaient couru, couru jusqu'à ne plus en pouvoir. Elles se sont enfin arrêtées et quelqu'un est arrivé. Rassurée, Umutesi a reconnu un de ses camarades d'école. Son amie, elle, a repris sa course, elle lui disait : « Cours, cours, Umutesi, même si tu le connais, il va nous tuer... » C'est bel et bien ce camarade d'école qui a tué Umutesi. On a cherché le trou, en creusant un peu au hasard dans les environs, et pendant assez longtemps. Au début, on croyait que les gens allaient nous aider et, en effet, ils le faisaient volontiers. Mais comme on se trompait et qu'on devait refermer le trou où on n'avait rien trouvé, en ouvrir un autre sans plus de certitude, et parfois le refermer encore... Les gens perdaient alors patience ou énergie. Les amies d'Avega, elles, ne se lassaient jamais, et c'est grâce à elles que j'ai finalement retrouvé le corps d'Umutesi. Je l'ai aussitôt reconnu, à cause d'un T-shirt rayé que je connaissais bien. Pour faire une sépulture décente et lui donner un emplacement, c'était la même chose : tu appelais les femmes d'Avega et elles étaient toujours disponibles. Chacune de nous se disait : bon, ça ne se fait pas dans la tradition, mais on n'a pas le choix. Moi-même, je n'aurais pas voulu le faire, mais je ne veux pas non plus quémander d'aide auprès d'un homme pour faire ce que mon mari aurait fait pour moi. Alors, on se mettait à quatre femmes pour porter le cercueil, et courage! C'est ensemble aussi qu'on a décidé de réhabiliter les veillées de deuil. On se cotisait pour assurer le minimum et nous restions ensemble toute la soirée, en chantant, parlant, buvant...

Il y a eu des moments de contentement aussi. Après une réunion, l'une d'entre nous proposait: «Allez, on va s'offrir un verre!» Sortir, au Rwanda, c'est boire un verre et manger une brochette de chèvre ou un poulet. Mais les femmes n'y vont jamais sans hommes. Nous, on arrivait ensemble: on n'allait pas attendre d'être accompagnées... Alors, on s'organisait: celles qui avaient une voiture amenaient les autres, et on était tellement contentes, après; ça faisait un semblant de vie, à nouveau. Ainsi, tu ne meurs plus d'envie d'une petite brochette mais, surtout, tu n'es pas seule. Ça contredisait toutes les coutumes de notre tradition: les femmes seules au café sont considérées comme de mauvaise vie, mais nous, on y allait sans chercher ni attendre personne. D'ailleurs, une association de veuves de Butare a fini par monter son propre café pour boire des pots entre femmes, sans préjugés ni mauvais regards.

À force de se réconforter, on s'est donné confiance. Et puis, on s'est rendu compte que nos actions, en groupe, prenaient de l'importance et on en a usé. Quand l'une de nous était spoliée, ne pouvant plus récupérer sa maison occupée par des réfugiés, on se rendait à la mairie à une dizaine. On prenait soin de toujours revêtir nos plus beaux pagnes du dimanche, pour être des mamans dignes, et que le plus impoli des bureaucrates n'ose pas te mettre à la porte, surtout quand tu étais à plus de dix... Des femmes du sud du pays, d'ailleurs, nous avaient raconté que, dès leur première rencontre, elles avaient décidé d'être toujours présentables: pour oser sortir de ton trou et te montrer, sans honte. Alors, tu partageais tout ce qui te restait: si tu avais deux paires de pagnes, de chaussures, tu en donnais une, et à la fin, toutes avaient quelque chose à porter. Elles nous avaient expliqué: «C'est notre premier défi: être veuves, mais pas indignes.»

Une fois, une veuve d'un quartier central de Kigali n'arrivait pas à récupérer sa maison. Notre logique était pragmatique: là où tu habites, les membres d'Avega de ton quartier deviennent tes sœurs. On était bien nombreuses, on a mis nos plus beaux habits et, à la préfecture, on a envahi le bureau de l'officier, et on s'est annoncées au secrétariat. C'était parfois comique, quand même... Tu avais le secrétaire qui te demandait, inquiet: «Et c'est pourquoi?» et nous, en parlant toutes en même temps «C'est pour notre sœur qui a un problème, et la commune ne veut pas l'aider», certaines entrecoupant, «alors, on vient demander justice», etc., et on piaille, on piaille, on reste toujours polies, bien sûr, mais bien, bien déterminées. Alors, le secrétaire disparaissait et tu entendais sa voix de loin, encore plus inquiète, «Monsieur, monsieur, il y a "des" femmes qui demandent à vous voir, elles sont nombreuses, monsieur, et elles sont veuves!» Et le responsable finissait par ouvrir sa porte. D'habitude, tu reçois dans ton bureau une personne ou deux, mais pas dix d'un coup... et pas en pagne du dimanche, en plus. À ce moment précis, on savait qu'il fallait dédramatiser la situation. Alors, une seule d'entre nous prenait la parole et le rassurait, toute gentille: «N'ayez pas peur, on ne vient pas pour vous porter la guigne...», puisqu'on savait que c'est exactement à ça qu'il pensait. Et on expliquait qu'on venait réclamer justice dans une affaire où les gens sont plus forts que nous, victimes sans protection et que «comme vous représentez l'autorité, monsieur...». Là, bon gré, mal gré, le type doit te répondre, parce qu'en face de lui, il n'a pas une mais dix interlocutrices, et pas vraiment normales. Leur beau pagne du dimanche leur donne une image maternelle et contrecarre celle de la veuve qui porte malheur. Tu es là, droite, face à lui, et tu es une femme respectable lui disant, d'une certaine manière, que ce n'est pas toi qui as cherché ce rôle de veuve ; qu'avant, toi aussi tu étais un humain, une épouse, une mère et que tu demandes à être réhabilitée dans cet état «d'avant»...

On a ainsi gagné quelques parties. On a réussi à montrer qu'une veuve qui n'a plus personne a, au moins, Avega derrière elle. Je dois dire que notre tâche la plus urgente était celle de refaire des familles, retisser des liens sociaux tellement détruits par ce qu'on avait traversé. On avait donc des principes de base : si l'une d'entre nous est à l'hôpital, il y en a toujours une autre pour la visiter et la nourrir ; si l'une marie un fils ou une fille rescapé, il y a quelqu'un pour se réjouir et danser avec elle : si quelqu'un a faim, il y a en d'autres qui partageront des haricots... Pour que, veuve, tu revives une existence non pas normale – après un génocide, rien n'est plus normal – mais avec des habitudes qui te rappellent que tu as été quelqu'un.

Mais tu sais, on riait, on essayait d'être joyeuses mais on avait du mal à trouver des raisons pour. Car le visiteur étranger qui croyait se rassurer avec cette ambiance vivante, n'avait pas tout vu, pas tout entendu. Il y avait le pire, aussi, il y avait le pire, surtout. Ce visiteur voulait des exemples ? D'accord : par quoi commencer ? Les orphelins? Les enfants non scolarisés? La faim? Le viol, donc le sida? Les tueurs en liberté et qui menaçaient certaines d'entre nous? La justice à laquelle on ne croyait plus? Les veuves sans toit? Oh, il y avait du choix, un triste choix.

Un jour, nous étions parties à Butare pour visiter un groupe de femmes rescapées dans la commune de Runyinya: elles avaient survécu en fuyant dans les buissons mais, désormais, n'avaient plus d'endroit où aller. C'était une de nos principales activités: rencontrer d'autres veuves et leur expliquer que, comme elles, on avait été désespérées mais que, unies, ensemble, on avait tenu le coup, réappris à vivre et même à militer. Nous nous étions donc rendues à notre lieu de rendez-vous qui, bizarrement, était une porcherie moderne. On avait d'abord cru à une erreur d'adresse. Puis, là, on avait découvert que ces veuves dormaient dans les boxes réservés aux animaux tués pendant le génocide. On était complètement abattues... Tu viens voir d'autres veuves pour leur dire que toi aussi, tu as désespéré et que, grâce à la solidarité, tu as pu tenir le coup, et tu les trouves dans les mêmes conditions que des cochons et des lapins... D'accord, on était moins que rien, nous les rescapés, on avait tout perdu; d'accord, personne ne s'intéressait à ce qu'on avait vécu, on le savait bien... mais de là à vivre comme des animaux, dans une porcherie... Grâce à une amie britannique très efficace, on a très vite monté un projet de construction de maisons. On n'y connaissait pas grand-chose, on restait assez approximatives dans nos chiffres mais on était enragées: on se disait que cela ne nous servait à rien d'avoir survécu et de prétendre encourager ou aider d'autres... si elles dormaient sur la paille, dans leur porcherie. On n'allait quand même pas leur apporter des vivres et des habits dans ces cages, dans cette... Ah, cette porcherie, pour moi, ça reste le traumatisme du traumatisme des rescapés... Celles d'entre nous, à Avega, qui disposaient d'un logement se retrouvaient volontiers à vingt ou plus dedans, mais au moins, c'était une vraie maison. Mais là... Et tu ne sais pas le pire ? Cette porcherie était sur la route d'un camp de réfugiés Hutu qui avaient fui dans la zone turquoise, et toutes les ONG étaient là, toutes les organisations telles la Croix-Rouge, le HCR, les journalistes... Elles étaient là pour eux, mais aucune ne s'arrêtait sur la porcherie de cette même route. Et ces veuves elles-mêmes n'ont jamais pensé un instant qu'elles avaient droit à de l'attention à leur égard, et à ce que quelqu'un puisse se pencher sur leur sort. Elles continuaient de penser qu'avoir survécu était un privilège et non pas un droit, puisque, à côté, on construisait des toilettes pour les génocidaires en fuite... Notre faute, à nous rescapés, c'est qu'on avait survécu en minorité : on n'était pas aussi visibles que les grandes masses de fuyards Hutu vers le Congo. Or les grandes masses, c'est cela qu'on filme. Mais on ne va pas filmer une porcherie avec une vingtaine de femmes qui ne savent même plus qu'elles ont le droit le plus normal d'exister. Ah, cette visite chez les veuves de Runyinya, ça a vraiment été la révélation du « deux poids, deux mesures », pour moi... C'est nous qui sommes allées chercher l'humanitaire, et non pas l'humanitaire qui est venu nous chercher... Là, je me rappelle avoir pleuré. Je savais qu'on était tombés bien bas, mais pas... Pas au niveau des porcs, quand même.

La majorité des rescapées, dans le pays, n'avaient plus d'abri, et celles originaires des collines avaient peur de retourner sur les lieux du génocide et voulaient rester en ville. L'insécurité n'était pas fantasmée, elle était réelle : certaines veuves avaient dénoncé des tueurs, lors de procès dans les tribunaux rwandais, et en avaient récolté des menaces. Mais quand on obtient un crédit pour une vache, comment faire si on habite en ville ? Un à un, il nous a fallu affronter ces problèmes et chercher des solutions, ou des bouts de solution. Grâce à des bailleurs étrangers et au gouvernement, on a finalement obtenu des fonds pour construire des maisons pour une bonne trentaine de veuves dans un village, à Kimironko, pas trop loin de Kigali pour qu'elles puissent faire du commerce, pas trop près pour que le terrain ne coûte guère. Les parcelles de terre qu'on a obtenues se tenaient sur une zone inhabitée où beaucoup de Tutsi vivaient avant d'avoir été tous tués. Mais les constructions, financées et menées par une ONG américaine, n'avaient pas été conçues avec suffisamment de ciment : les maisons ont commencé à s'effriter. Les femmes s'y sont quand même installées car elles ne savaient où habiter. Jusque-là, elles avaient occupé des maisons de Hutu enfuis vers la Tanzanie ou le Congo mais à leur retour, deux ans après le génocide, ces derniers ont exercé une grande pression pour les récupérer, soutenus par un décret officiel qui stipulait qu'elles devaient effectivement leur être restituées.

La zone de Kimironko était assez triste, avec juste un paysage de buissons et de ruines, inhabité et inquiétant. Mais, surtout, la prison où étaient détenus des miliciens Interahamwe n'était pas loin, ça faisait assez peur. Tu as la prison en hauteur, et ton village juste en dessous… Les femmes d'Avega hésitaient à s'installer à Kimironko, surtout que lorsqu'elles allaient repérer les lieux, les prisonniers qui sortaient travailler sur des chantiers, dans leurs beaux costumes roses bien repassés, les insultaient dès qu'ils les voyaient. Un jour, en l'absence d'un gardien, plusieurs leur ont crié : « On vous finira. » Elles ne répondaient rien mais, du coup, aucune n'a voulu venir s'installer : leur traumatisme repartait trop vite. Aucune, sauf Beata. Cette jeune veuve d'une trentaine d'années avait encore moins le choix que d'autres : il ne lui restait personne d'autre que son enfant, rescapé comme elle. Elle n'avait absolument nulle part où aller, elle a été la première à habiter à Kimironko. Elle a commencé à débroussailler la terre, donnant du courage à une autre, puis deux autres, puis trois, et plus...

En cette année 2004, le village est aujourd'hui peuplé d'une centaine de maisons. Il est très animé, avec beaucoup d'enfants, mais très pauvre. Et sans presque aucun homme. Quand le village s'est construit, le gouvernement a exigé de nous qu'on y installe également des hommes. Il nous a été dit d'éviter de faire un « ghetto des veuves ». Nous, on était bien d'accord, mais où les trouver ? Si on était une association de veuves, c'est bien que la grande majorité des hommes avait été exterminée. Alors, où les trouver ? Certains bailleurs de fonds étrangers, de leur côté, nous ont reproché de ne regrouper que des Tutsi. Ce qui était faux : des femmes Hutu mariées à des Tutsi ou à des opposants Hutu nous avaient rejointes. On en a informé ces bailleurs qui ne semblaient pas nous connaître et, dans un premier temps, on a marché : on leur a détaillé la liste de nos adhérentes, précisé les noms des Hutu appartenant à notre conseil d'administration ; mais très vite, on a ressenti une forte impression de devoir nous justifier. Alors, on s'est dit – et on leur a dit – que s'ils ne voulaient plus nous financer, tant pis, mais plus question de montrer patte blanche.

Une autre organisation, pour sa part, nous a fait la proposition suivante : « Puisque vous êtes seules et que les épouses de miliciens et militaires détenus le sont aussi, pourquoi vous ne faites pas une association commune ? » On a répondu : « Merci de l'idée, mais on n'y est pas encore. » Avega n'est pas une association de femmes normales, on existe uniquement pour tenir le coup après ce qu'on a vécu de commun : un génocide qui devait nous exterminer et dont on est miraculeusement rescapées. Et à toi qui rejoins cette association juste pour ne pas devenir dingue après ce que tu as vécu, on dit que ce serait bien que tu le fasses avec l'épouse de celui qui a tué les tiens. Et on imagine qu'avec ça, tu vas guérir ou, même, plus simplement, aller un peu mieux… Je ne sais pas pourquoi les étrangers tiennent tant à ce qu'on se « réunisse ». C'est peut-être leur culpabilité d'avoir laissé faire sans réagir qui produit, chez eux, ce fantasme de nous apporter des solutions miracles ? Pfffff, comme de la magie ! : on serait tous bons après avoir été si odieux, et, grâce à eux, on se rapprocherait pour tenter de revivre ensemble. Pourquoi y tiennent-ils tant ? Mesurent-ils bien ce qu'est un génocide ? Une telle organisation aurait-elle demandé la même chose à des femmes juives rescapées : se regrouper avec des épouses de nazis ou de collaborateurs ? Cela me paraît impossible, impossible. Mais nous, Rwandais, sous prétexte qu'on est pauvres et qu'on leur demande une aide financière pour reconstruire nos maisons, on nous suggère de réaliser l'irréalisable. Les bailleurs de fonds sont tombés des nues quand on a renoncé à cette éventuelle aide de leur part: ils n'ont pas l'habitude qu'on refuse de l'argent quand on est pauvre. Heureusement qu'on avait la chance d'avoir encore notre colère très vivante pour leur dire non merci, et au diable votre culpabilité, on n'a pas à l'apaiser sous forme de remboursement. Quoi? Parce que je n'ai pas de quoi vivre, j'aurais des sentiments différents de ceux des autres? Parce que je n'ai pas de quoi vivre, je dois aller embrasser la veuve d'un tueur et grâce à cela, je pourrai manger? Ah, non, plutôt me débrouiller autrement. De toute façon, ce ne sont pas eux qui m'ont sortie du génocide, alors... Ce que je dis n'exclut en rien que la femme du collaborateur ou celle du génocidaire éprouve une souffrance, mais c'est son histoire. Et la mienne en est une autre, bien distincte. Car il y a une chose très importante à dire: jamais aucune d'entre nous n'a reçu de parole de consolation ni de remords de la part de ces épouses de tueurs. Celles qui sont venues nous visiter sont celles qui n'avaient pas trempé dans le génocide, et elles nous avaient déjà aidées pendant, en nous cachant ou en partageant notre peine. Mais tant d'autres n'ont même pas mesuré ce qui s'est passé pour nous... Ah, certaines pouvaient être bien méchantes... Il est arrivé que lors d'accrochages avec des rescapées qui les croisaient dans la rue se dirigeant vers la prison, un panier plein de nourriture pour leur mari, ces épouses de tueurs leur disent: «Moi, le mien au moins je le vois, et un jour, il sortira! Toi, le tien, tu ne le reverras plus jamais.» Des soldats devaient intervenir pour les séparer. Alors, que je ne m'épuise pas en justifications... Je peux juste m'expliquer. Or, la plupart des bailleurs de fonds et humanitaires sont des gens pressés et, comme tous gens pressés, jugent souvent avant d'écouter : ils veulent des solutions rapides, efficaces comme des mécaniques d'automobile mais qui ne peuvent pas marcher avec des humains, encore moins des humains qui sortent d'un génocide. Ils veulent lever leur culpabilité par des programmes expéditifs. Pour ceux-là, les veuves d'Avega n'étaient que des racistes. Mais ceux qui prenaient le temps de s'asseoir et de nous écouter, comprenaient, eux, qu'on n'était en rien des furies racistes mais dans quelle réalité on vivait et pourquoi de telles propositions étaient au-dessus de nos moyens psychiques. On a donc parfois fait avec, parfois sans.

Aujourd'hui, Avega regroupe entre vingt-cinq mille et trente mille veuves membres, réparties dans tout le pays. Elle est devenue une des associations de femmes les plus importantes au Rwanda et concentre ses batailles sur la santé, le logement, la justice et la mémoire. Elle est la première, et une des rares, à fournir des trithérapies aux rescapées violées et testées positives du sida – même si, jusqu'à aujourd'hui, elle n'a pu en obtenir vingt sur les sept cents en liste d'attente. Sans compter toutes celles qui ne sont pas encore recensées par notre association, soit parce qu'elles n'ont pas encore fait le test, soit parce que, de toute façon, elles n'osent pas en parler. Mais avec ce chiffre aussi dérisoire, on a pu prouver qu'une femme pauvre et malade est tout à fait capable de retourner dans son bout de champ ou sur son étal de marché, si on l'aide à vivre. En dix ans, on a également créé des groupes de parole entre malades, sur le même principe que celui qui nous a tant soutenues, dès la fin du génocide : se réunir, se raconter, comprendre qu'on n'est pas la seule dans sa situation et, surtout, qu'il y a moyen de s'en tirer... À condition, encore une fois, de traitements! Je me répète, et je sais que je peux paraître lassante. Mais ne crois pas que c'est du harcèlement, juste la volonté de faire comprendre à quel point notre mieux-être dépend de si peu, si peu...

Un des points irrésolus aujourd'hui reste celui de l'assistance sociale. Le gouvernement rwandais a mis en place un fonds d'assistance aux rescapés du génocide en 1998, soit quatre ans après le génocide, auquel il verse cinq pour cent de ses recettes. Parvenu à subventionner la scolarité des enfants, la construction de logements ainsi que, de façon moindre, la santé des rescapés, ce fonds manque cruellement... de fonds. Il ne reçoit aucune aide extérieure, les promesses de financements internationaux sont restées lettre morte. À nous de se débrouiller... Soutenir des malades – avec des limites quand même, aider à la reconstruction de logements – même sans génocidaires comme voisins, s'inscrit dans la démarche logique des assistances internationales, résumée par une sorte de dicton, légitime: «Au lieu de donner du poisson, apprends à la personne à pêcher.» Mais épauler des invalides du génocide qui ne peuvent entrer dans cette dynamique de développement demeure inconcevable. Or il y a des rescapés qui, jamais plus, ne pourront pêcher, ou faire quoi que ce soit d'autre. Ceux restés aveugles du coup de machette, ou dont la colonne vertébrale a été brisée lorsque, vivants, on les jette dans une fosse commune, des personnes âgées qui vivaient grâce à l'assistance de leurs enfants ou petits-enfants, des mineurs improvisés chefs de famille dont la scolarité doit pourtant se poursuivre... Aucune subvention régulière; un don parfois, comme un geste de charité. Or, on souffre mal ce mot de charité à Avega... Dans les pays de ceux qui nous dictent notre conduite, des services sociaux prendraient en charge ces citoyens... Le Rwanda est un des pays les plus pauvres du monde, qui ne dispose pas de sécurité sociale et dont le principal budget est englouti dans la dette extérieure. Alors, on se débrouille, une fois encore. Mais, à force d'avoir de plus en plus à se débrouiller, on s'éreinte. Celles parmi les plus acharnées du début d'Avega, plus particulièrement.

On s'est éreintées à être dans une incessante urgence pendant toutes ces années, tandis que les autres considéraient que cette urgence était dépassée.

On s'est acharnées à vivre, et on en a oublié nos propres limites, et on a en perdu le sens de l'existence alors qu'on bataillait pour, justement, renouer avec le sens de l'existence, pour le réinventer, et on s'est fait peur. Le génocide, en fait, était de plus en plus loin dans la mémoire universelle. De plus en plus vif dans la nôtre. On touchait de trop près ses conséquences.

Chacune d'entre nous a déculpabilisé les autres, et *vice versa* : tu as le droit d'aimer à nouveau, le droit de reprendre tes études, le droit de désirs plus badins, ou celui d'émigrer. Celui aussi de ne plus vouloir parler que de « ça » avec tes enfants, ainsi que celui de, et de, et de... Mais eh, oh ! ce n'est même pas un droit, d'ailleurs, c'est une normalité, tu entends, une normalité... Eh, oh, mon amie, tu as enfin le droit d'être toi, normale ; comme tout autre humain.

21
Une brusque inquiétude

Je n'avais pas imaginé, ou tout simplement je n'y ai pas réfléchi, que la fin de ce livre allait me donner un tel sentiment d'inutilité.

Je crois que c'est à cause de cette X^e commémoration du génocide. Tant que je racontais l'avant, le pendant de ce génocide, ou son après immédiat, je maintenais un fil vers un but très précis : d'une part, celui de dire comment on parvient à une situation si exceptionnelle par un crescendo d'événements historiques, puis comment on tient lorsqu'elle advient, comment on y survit, coupable et ahuri, broyé en tout cas, et enfin celui de faire comprendre ce qui se trame dans l'esprit d'un rescapé et dans les silences de sa parole. Jusque-là, cette détermination à témoigner de ce que j'ai vécu de l'extermination des Tutsi, mais aussi à témoigner de notre difficulté ou impossibilité à en témoigner, cette détermination rivalisait suffisamment avec le pénible effort qu'exige le souvenir des conditions de tuerie des siens, mais surtout le sentiment d'aberrance cruelle de leur anéantissement.

C'est-à-dire que tant que j'expliquais comment j'ai pu résister à l'annihilation, je ne me sentais pas annihilée. J'ai raconté ce qui s'est passé ensuite : comment, rescapée, je me suis reconstruite et ai décidé de croire encore en l'Autre, quand même... et puis, tout à coup, là, je me dis que je suis en train de me leurrer. Je me raconte que tout avance, qu'on va s'en sortir mais, fondamentalement, notre réalité est indicible parce que ce qu'on a vécu l'a été. Par quel miracle voudrais-tu que dix ans après, cela ne le soit plus ? Dix ans après, il y a moins de raisons de résister au découragement que dix ans avant... Comment dire ? Parler d'aujourd'hui, d'une certaine manière, m'annihile plus qu'hier. Dix ans, tu te rends compte, dix ans ont passé et la situation reste terrible... Et terrible est un mot qui, comme ses synonymes, paraît si galvaudé – terrible, dramatique, atroce, affreux, barbare, cruel, féroce, horrible, ignoble. Combien de fois les as-tu lus, ces adjectifs à propos de n'importe quel conflit du monde de ces dernières années ? Nous, on a vécu le dernier génocide du XXe siècle et le vocabulaire qui s'y rapporte ne marque aucune différence d'avec les guerres de cette même décennie ! Ah, mon amie, je te le dis, parler d'aujourd'hui m'annihile plus qu'hier.

Au début de ce livre, j'ai parlé de notre volonté de veuves rescapées d'être «vivantes vivantes». Mais dis-moi, qui n'a pas envie d'être une survivante vivante ? Je suis bébête ou quoi, quand j'emploie cette expression ? Qui aurait survécu pour désirer se sentir encore morte ? Personne, je te le jure, personne de toutes les rescapées que je connais et oh ! combien j'en connais. Mais c'est tout simplement que si être survivante a été un hasard ou une chance, décider de rester vivante est un luxe. Pas un luxe comme tu peux l'entendre sans doute, en Europe. Au Rwanda, le luxe, c'est trente euros par mois pour une trithérapie, cent vingt euros pour un toit en tôle qui recouvre ta maison, cent euros pour l'achat d'une vache – le plus beau cadeau au Rwanda qu'on puisse faire à une veuve, sa source de revenus, sa dignité, son devenir – quatre-vingts euros pour une année de scolarité en primaire de l'enfant qu'elle a adopté et cinq euros pour l'uniforme sans lequel il ne peut pas se rendre à l'école à moins d'être identifié comme pauvre, donc sans parents, donc rescapé, donc…

Ah, j'entends déjà ce qu'on me répond : l'Afrique, la pauvreté, l'assistanat… Mais je ne suis pas en train de tendre la main ! Je réclame mon droit, non pas une assistance. On m'a violée, on m'a brûlé ma maison, ma vache, on m'a tué mes parents, freiné ma scolarité, et tout cela parce que les instances internationales m'ont abandonnée à mon sort ! Et aujourd'hui, je me fais traiter d'assistée si je demande réparation ?… Mais je dois m'en sortir comment ? Comment ?… Par ma force personnelle ? Mon immense foi en la vie et en l'autre ? Je sais, je sais, j'ai une grande capacité à vivre, j'ai reçu un amour salvateur de mes parents et de mon mari, un amour qui m'a modelée. Mais tu crois que Dafroza, Clarisse et Margarita, mortes du sida, n'avaient pas envie de vivre, elles aussi ? Tu crois qu'elles n'avaient pas le même désir que moi de s'en tirer ? Je te donne la réponse et, vraiment, je te demande de m'excuser si je deviens agressive : c'est oui. Oui, Divine et les autres auraient voulu vivre puisqu'elles ont survécu au pire. Comme moi. Mais je ne représente pas le Rwanda des rescapés à moi seule ! Je ne veux absolument pas qu'on pense que parce que je vais mieux, que je me suis reconstruite et que j'ai retrouvé des raisons de vivre, mon pays va mieux et s'est reconstruit ! Moi, Esther Mujawayo, je n'ai pas reçu un seul coup de machette sur le visage ni ai été coupée, je n'ai pas été violée ni contaminée par le sida, je n'ai pas eu faim ni été dans la pauvreté et surtout, surtout, je n'ai perdu aucune de mes trois filles… Voilà pourquoi j'ai pu, entre autres, tenir le coup : parce que j'en ai eu les moyens matériels. Oh, pardon, je me fâche et je m'emballe… Mais je ne suis ni coupable ni responsable de ce que j'ai vécu. Or ce que j'ai vécu n'est pas un tremblement de terre, pas une inondation ni une explosion d'usine à gaz. C'est un génocide qui a été déclaré comme tel par les Nations unies alors qu'il était encore en train de se dérouler, au vu et su du monde entier. Personne, en ce qui nous concerne, personne ne peut nous dire : on ne savait pas.

Aussi, si cette responsabilité politique est assumée, avec les conséquences qu'elle entraîne – soins aux femmes violées, restauration des biens mentaux et matériels des rescapés, scolarisation des enfants condamnés à jouer les chefs de famille à l'âge de huit ans – si cette responsabilité est assumée, alors, ça, je te le jure, je ne demanderai aucune aide à qui que ce soit et surtout, je t'assure que je serai, qu'on sera vraiment vivantes. Et si on n'y parvient pas, alors, cela ne regardera plus que nous.

22
L'impossible justice

Ah, ce chapitre sur la justice, qu'est-ce que je n'ai pas envie d'y arriver !... Tu sais ce qui m'est arrivé un jour ? J'étais allée près de Mwirute, ma colline où ma cousine Rachel, que je considère comme ma sœur adoptive puisqu'elle a été élevée à la maison, avait été tuée. Elle avait été jetée vivante dans des latrines où elle se débattait dans les excréments, et à force de se démener, elle a finalement réussi à se hisser sur le rebord en s'appuyant sur ses avant-bras. Alors, les tueurs les lui ont coupés. Les membres mutilés, elle est retombée dans les latrines et ah... tu t'imagines Rachel, asphyxiée toute la nuit dans cette puanteur... Ah... J'étais donc en route avec sa fille Chantal quand tout à coup, elle m'a désigné un homme, assis à un café : « C'est lui, Esther, c'est lui qui a coupé maman ! » J'ai freiné pile, je suis descendue. Je ne me souviens même plus de son visage ni rien de lui. J'ai envie de me rappeler qu'il portait une chemise déchirée mais je crois que je fantasme ce détail juste pour me dire qu'il était sale et misérable. Je me suis postée devant lui, il a tout de suite reconnu Chantal. Et là, tu sais ce que je lui ai dit, à ce tueur que je fixais droit dans les yeux comme je te fixe maintenant ? « Où sont les bras de ma sœur ?... » Au lieu de l'insulter, le faire arrêter, le frapper, je lui redemandais : «Où ils sont, dis-moi où ils sont...» En fait, j'étais comme dans un état second, je ne contrôlais plus rien de ce que je disais, sinon je n'aurais pas été si gourde en lui posant une telle question. Tu penses bien que le type ne se promène pas avec les bras de ma sœur dans sa poche !... C'était surréaliste car je répétais ma demande et lui, même pas menaçant, tentait de se défiler en jouant la surprise – mais enfin, de quoi je lui parlais, de quoi je lui parlais... Puis, il s'est discrètement levé et a filé par-derrière. Je ne lui ai pas couru après ni cherché à le retrouver plus tard. J'avais réagi trop à l'instinct.

Habituellement, lorsque tu reconnaissais un tueur, tu procédais à une enquête discrète. Tu prenais à part un voisin correct de la colline et, hors du regard des autres, lui demandais des détails. Puis tu aurais vérifié ses dires auprès d'autres témoins qu'il t'aurait suggérés et par recoupements, tu serais parvenu à la vérité. Mais il faut, dans ces cas, que tu saches garder ton calme si ce voisin t'envoie promener, ou s'il te ment, ou encore s'il te demande de lui payer à boire avant de te dévoiler quelque chose... Enfin, tu te serais rendu à la police où tu aurais signalé l'individu, avec le nom des témoins, mais en devant être sûr que ceux-ci ne se défileraient pas ultérieurement. Et moi, ce tueur-là, je lui tombe carrément dessus en lui demandant les bras de ma sœur ! Tu parles comme le type risque d'être arrêté de cette façon... De toute manière, je ne peux pas m'en vouloir, je ne serais jamais arrivée à me maîtriser parce que, devant lui, cette image des membres coupés de Rachel m'était encore plus intolérable... *(long silence)* Mais combien de temps ça a bien pu prendre avant qu'elle ne soit étouffée dans cette merde ?...

Ceci dit, je n'aurais pas pu agir autrement pour une autre raison : je n'ai jamais eu à gérer des conflits avant le génocide au Rwanda puisque tout ce qui touche aux relations extérieures relève des hommes, chez nous. Prends le cas d'un délit antérieur au génocide, comme le vol de régimes de bananes dans mon champ, par exemple : une même enquête aurait été menée, toujours en douce, auprès des voisins et le fauteur de trouble retrouvé. Puis, un conseil de sages, *gaçaça*, l'aurait appelé pour le confondre. Les *gaçaça* sont des tribunaux coutumiers, familiaux ou claniques, qui gèrent des affaires courantes de la vie quotidienne : vols, conflits de terre… L'accusé y comparait devant une assemblée de témoins, souvent voisins, et il est jugé par des anciens, des personnes reconnues comme sages et intègres. Mais, dans tous les cas, jamais cela n'aurait été ma mère, ni ma sœur ni moi qui aurions procédé à toutes ces démarches ! C'étaient des affaires d'hommes. Alors, face à ce tueur, je me suis sentie démunie et très minorée : plus personne de mon clan. sur ma colline, pour me protéger, alors que lui reste entouré de ses frères, sa famille. Quand je l'ai pris à partie, dans ce bar, il était attablé avec ses copains. Or je n'ignore pas qu'un rescapé osant demander des comptes est un rescapé de trop. Dans plusieurs endroits du pays, des Hutu en ont éliminé, même après le génocide, lorsqu'ils avaient témoigné contre eux… Les quelques rescapés qui demandaient des comptes – enfin, des comptes, tu parles… – c'était de la même façon que moi, instinctive, presque risible s'il ne s'agissait d'une tragédie. Entre 1994 et 1995, si tu marchais dans la rue et que tu entendais brusquement des cris, tu comprenais tout de suite ce qui se passait : un rescapé venait d'attraper un tueur et le prenait maladroitement à partie. C'est aussi arrivé à ma sœur, Marie-Josée : elle a rencontré le tueur de Stéphanie et de ses enfants. Et elle lui est tombée dessus à coups de parapluie et de chaussure qu'elle avait ôtée exprès. Des soldats du FPR, témoins de la scène, se sont mis à rire quand elle leur a expliqué son attitude. En hochant la tête, ils l'ont gentiment renvoyée : « À quoi bon régler son compte à ton tueur si c'est pour le frapper juste avec une savate ? » lui ont-ils dit...

Mais pourquoi je te racontais toutes ces histoires ?... Ah oui, je devais te parler de la justice. Avega a un département justice, avec un service d'information et d'assistance juridique mais, tout le temps de mon activisme au Rwanda, je m'en suis tenue à l'écart. Une vraie allergie. Je me disais toujours qu'en attendant que cette justice se fasse, les rescapés, eux, continuaient de mourir.

Chantal se rendait à chaque procès, moi, jamais. Notre association, au début, a d'abord encouragé les femmes à dénoncer leurs violeurs. Elles avaient très peur de le faire. Quand tu vas au tribunal, le tueur a sa famille, et la tienne, elle, a été exterminée. Cette différence d'environnement pose d'emblée un rapport de force qui te vulnérabilise. Mais on pensait encore, à l'époque, que la justice allait fonctionner. Rapidement, on a été très découragées. D'abord, une certaine corruption sévissait entre juges et accusés qui permettait à ces derniers de monnayer leur libération lorsqu'ils avaient de l'argent. Mais le pire était le moment de la déposition des victimes. On les attaquait toujours sur la faiblesse de leur témoignage – et puisque tu étais cachée, comment fais-tu pour savoir ce que tu nous racontes ? Et où sont donc les voisins qui t'auraient raconté les faits puisque aucun d'eux n'a voulu corroborer tes dires ? Et, et, et... très vite, on te trouve des contradictions considérées comme flagrantes. Le summum a été atteint au TPIR, à Arusha. Ah, cette histoire à Arusha ! Les premières femmes qui ont osé dénoncer là-bas les viols qu'elles avaient subis viennent d'Avega. Nous étions les seules à avoir avancé sur ce sujet, non seulement à en parler mais surtout à vouloir renverser la culpabilité des victimes en responsabilité des bourreaux. La plupart de ces femmes en revenaient exténuées : souvent, c'était la première fois qu'elles voyageaient, qu'elles montaient dans un avion, se retrouvant propulsées dans un contexte totalement étranger. Mais surtout, ces femmes ne connaissaient en rien le jeu établi entre avocats ; lorsqu'elles subissaient le déferlement de questions des uns et des autres, elles éprouvaient le sentiment d'une torture et en sortaient abattues. Parler en public avait été une humiliation pour elles, notamment à cause des termes qu'on venait de leur faire préciser. Elles n'allaient pas dire, tu imagines bien, que « son pénis avait tant de centimètres » ! Elles avaient été harcelées par la défense, qui ne posait plus des questions pour comprendre mais pour les déstabiliser et, fragilisées psychologiquement, elles perdaient les pédales. Alors du côté de la défense, on criait à la victoire, vous voyez bien, monsieur le président, que ça ne tient pas debout, et que mon client n'a rien à voir dans cette affaire, et, et, et… Elles étaient là à témoigner contre un homme qui se portait bien car on avait tout fait pour qu'il reste en vie, tandis qu'elles, victimes, n'étaient pas soignées. Elles rentraient au Rwanda, laminées, leur traumatisme plus que jamais à vif. Nous, on s'était battues pour que ces victimes puissent être accompagnées d'une thérapeute parce qu'on savait trop bien le risque d'une rechute traumatique. En vain.

Un jour, l'une de ces femmes de Butare était donc à Arusha, face à son violeur. L'avocat de la défense s'approche, lui pose des questions apparemment bénignes. «Vous dites qu'il n'y avait plus d'eau à Butare. Bien sûr, bien sûr. Donc, vous n'avez pas pu boire?... Ah, bien, bien, seulement très peu... Donc, vous n'avez pu ni boire ni vous laver, n'est-ce pas?... Et ce, pendant? Trois semaines! Hmmm... Mais si vous ne vous laviez plus depuis trois semaines, vous deviez donc sentir mauvais. Et vous dites qu'on vous a violée alors que vous sentiez mauvais?...»

À cette réflexion, toute la salle s'est mise à rire, dont le juge lui-même. Oui, le juge! Chantal a failli s'étrangler de rage. Personne, personne n'a réagi! Mais dis-moi, quel travail de reconstruction psychique tu peux prétendre faire après ça? Quel apaisement tu peux proposer? Non seulement, en thérapie, il nous faut suivre les rescapés traumatisés du génocide, mais en plus les récupérer en miettes après ces opérations de démolition. De qui se moque-t-on? De nous?...

Dans ces conditions, je préfère donc ne rien attendre d'une justice qui ne me calmera pas et, même, exacerbera ma souffrance. Même si, indiscutablement, je pense cette justice nécessaire; j'admire celles à Avega ainsi que tous les autres rescapés qui trouvent la force de s'engager dans cette bataille à fond, d'autant plus qu'ils y risquent leur vie. À l'automne dernier, en 2003, dans la province de Gikongoro, au sud-est du pays, et dans la province de Gitarama, au centre, quatre membres d'Ibuka, la plus importante organisation de rescapés, ont été tués après avoir manifesté leur volonté de témoigner devant les *gaçaça*, les juridictions traditionnelles du pays.

Des intimidations et règlements de compte poussent certains à quitter leur habitation et rendent encore plus courageux ceux qui persistent à vouloir déposer devant le tribunal. Je pense donc que, si elle effraie, la justice, aussi lente et pénible qu'elle puisse être, doit être. Mais je doute d'elle. Personnellement, j'avance sans compter dessus. Je n'ai pas vraiment de théorie, je le sens ainsi, c'est intime... Comme cette histoire de *gaçaça* revisités, par exemple... Parce que les prisons étaient pleines et qu'une majorité des magistrats avaient été tués pendant le génocide ou s'étaient enfuis, la justice rwandaise s'est retrouvée en panne et le gouvernement rwandais n'en assumait plus le coût. Il a donc décidé de réhabiliter, en 2002, ces tribunaux populaires en formant des personnes dites de moralité pour les diriger. Des tribunaux qui, hier, servaient à gérer des affaires de vol de vaches devraient désormais gérer des crimes de génocide ! Or je viens de raconter le prix que paient certains des témoins lors de ces assemblées où tout le monde connaît tout le monde et retient ce que l'autre dit... De toute façon, ces *gaçaça* ne sont qu'un pis-aller. Traditionnellement, ils sont dirigés par des sages... dont la plupart ont été exterminés ! Alors, on forme des « cadres » en quelques mois, comme si le génocide ne relevait pas d'un caractère exceptionnel...

Là où la justice classique se révèle une impasse, on prétend que la justice coutumière, elle, pourrait régler cette question cruciale des génocidaires ! Ah, ça, pour la mise en place des *gaçaça*, les donateurs internationaux ont été généreux, cette fois ! Sous prétexte de respecter les coutumes locales, leur aide cautionne, en fait, une fausse solution. *(hochement de tête discontinu. Long, long silence puis la voix, tout à l'heure véhémente, prend soudainement un ton très bas)*... Tu veux que je te dise? Je connais bien ceux qui ont commandé le groupe de tueurs de mon père, de ma mère et des quarante-cinq personnes réfugiées à la maison. Je sais que ce sont Kubgimana Silas et Rutuku, de notre colline. Comme Silas était un riche entrepreneur, il se cache quelque part à l'étranger; mais Rutuku, lui, a fini par être arrêté. Mais comme il n'y a pas eu un seul rescapé de ce massacre, où et comment trouver des preuves? Pourtant, tous savent sur la colline. Mais va-t-en le prouver juridiquement... Les seuls témoins fiables sont les épouses Hutu mariées à des Tutsi, comme celle de Kamilindi, un ami Tutsi tué avec mon père; elle était arrivée sur la colline avec lui et leurs dix enfants, persuadée qu'ils seraient épargnés une fois réfugiés chez ses frères. Tu parles... On a d'abord tué le père, puis on a découvert les enfants chez l'oncle et on les a massacrés aussi. La veuve a tout vu. Tout, de ses yeux. Elle a tout raconté et grâce à elle, on a eu quelques bribes de ce qui s'est passé. Elle en est morte de chagrin... Te retrouver sans un seul de tes enfants alors que ceux qui les ont tués sont tes propres frères, tes voisins, et avoir été épargnée par eux parce que tu es Hutu... Mais des témoins comme elle se comptent sur les doigts de la main. *(long silence)* Pourquoi est-ce que je te parlais de Rutuku? Ah, oui, on parlait de la justice... Écoute, je n'arrive pas à en parler, je ne peux pas, en fait. En janvier 2003, un décret présidentiel concernant les condamnés pour crime de génocide autorisait la libération de prisonniers âgés et malades[1],

---

1. Ce décret autorise également la libération conditionnelle avec travaux d'intérêt général plusieurs jours par semaine pour les condamnés de deuxième et troisième catégories, dont les aveux ont été acceptés et qui ont déjà écoulé la moitié de leur peine en prison. Il s'agit généralement de tueurs et complices de tueurs sans responsabilité particulière.

mais ces vieux, quel âge avaient-ils en 1959, en 1973, lors des massacres précédant le génocide?... En fait, ce sont des vieux, oui, mais des vieux rodés à la tuerie.

Je te le dis, c'est une justice impossible à mes yeux. Je n'y crois pas : les témoins ne parlent pas, les victimes sont suspectées et les coupables protégés. En attendant, ceux qui ont survécu s'éteignent. La justice ne les ressuscitera pas, et, d'une certaine manière, peut même parfois en tuer d'autres.

23
Témoigner, témoigner,
témoigner, témoig...

Elle arrive toujours à l'heure, ne sourit pas, avec un regard qui ne perd jamais son expression de bête traquée. Elle ne supporte pas que ses cheveux dépassent du foulard sans cesse noué sur la tête. Elle approche de la trentaine, s'appelle Marlène, vient du Liberia. Elle a peiné pour s'enfuir et parvenir jusqu'en Allemagne comme réfugiée. Puis, quelqu'un l'a amenée au centre psychologique pour réfugiés de Düsseldorf où j'exerce depuis trois ans.

Opposante très engagée, elle a été torturée et violée à maintes reprises. À la suite de ces violences, elle est incapable de tenir longtemps assise. Nos séances suivent un certain rituel: je lui aménage un coin par terre, tapissé de coussins; puis j'apporte un plateau avec du thé et la laisse m'en servir, depuis le jour où l'ayant fait moi-même, mon geste a déclenché sa parole pour la première fois: «Vous voyez, moi aussi, j'étais quelqu'un qui servait du thé aux gens et maintenant, je suis couchée, misérable» m'avait-elle dit. Le travail avec cette patiente est particulièrement long. Les premiers temps, j'ai éprouvé de la souffrance en la recevant à cause d'une phrase qu'elle prononçait souvent: «Je n'ai plus de vie», disait-elle, et chaque fois, me revenait aussitôt l'image d'Elisabeth, une de mes anciennes patientes au Rwanda, abusée elle aussi et à qui le soldat violeur avait dit : « Je ne te tue pas, je te laisse une mort bien pire. »

« Je n'ai plus de vie » : tu imagines ce que ça peut faire d'entendre un tel constat... Mais là où le génocide me sert, si j'ose dire, c'est précisément lorsque je rencontre ce moment où un patient me répète qu'il n'est plus possible de revivre. Celui qui a vécu une situation d'horreur pense, à chaque fois, qu'il est le seul à avoir vécu le pire. Il m'arrive alors de raconter d'où je viens, et avancer que, oui, on peut tout perdre et pourtant tout recommencer – puis, au fil des séances, ils finissent par m'entendre. Contrairement à l'Angleterre, mon travail dans ce centre de réfugiés de Düsseldorf est plus proche du contexte d'Avega. Mes patients sont des gens qui ont été brisés après un événement donné, précis et politique, et qui a fait que leur vie antérieure a été lâchée : ils ont quitté leur pays, leur langue, leur climat, leur sol, leur poussière... Je travaille donc beaucoup sur leur vie antérieure, ou plutôt sur des bribes de cette vie. Ceux qui ont fui une dictature, une guerre, un conflit civil, ils étaient quelqu'un avant. Mais ils n'ont plus idée des capacités de vie qu'ils détiennent en eux, et notre travail les ramène à la source de ce qu'a été leur force antérieure. Un autre élément rassure certains d'entre eux : le fait que je suis noire. Beaucoup disent après ce travail commun : « Je me suis reconnu comme être humain. » Voir un thérapeute noir en Europe, c'est la possibilité de se projeter dans un statut social proche de celui qu'ils avaient. Un Noir n'est pas qu'un immigré infériorisé.

Malgré moi, le génocide m'a désormais imposé d'endosser un rôle de «transmetteur» dans ma vie. Dans ma pratique professionnelle, comme dans le reste. On me convie régulièrement à des conférences internationales et j'accepte toujours de parler en public. J'ai l'impression, ainsi, de faire quelque chose de ma tristesse, de ma colère ou, tout simplement, de ma foi dans la vie, pour que, quand même, on ne sait jamais, peut-être que... «plus jamais ça»...? Je sais, j'ai dit que je n'y croyais pourtant plus, au «plus jamais ça». Et c'est vrai... Mais écoute, comment tenir si, chaque jour, je mesure lucidement que «ça» peut arriver à nouveau...? Que transmettre à mes filles si je m'en tiens uniquement à ma clairvoyance? Et puis, je crois encore à une certaine solidarité de la part d'un auditoire anonyme. Je n'attends pas grand-chose de ceux qui auraient dû intervenir en temps et en heure, mais davantage de gens comme toi, d'autres qui, après avoir écouté nos récits, me disent que c'est inacceptable et qui veulent faire quelque chose, non pas pour réparer quoi que ce soit à la place de je ne sais qui, mais à cause d'un lien qui relie les uns aux autres, humainement. Mais, bien sûr, tout dépend de la causerie et du public. En Europe, je suis toujours le même fil conducteur: il s'est passé un génocide au Rwanda entre avril et juillet 1994. Je peux comprendre que vous n'ayez pas été présents car, hormis les ambassades, encore une fois, on a cru et conclu à une affaire d'Africains. Aujourd'hui, cependant, j'ai la chance de vous parler et vous expliquer que non, ce n'était pas une tuerie intertribale mais une opération d'extermination, décidée par mon propre gouvernement, et très organisée. Soutenue par la France, observée dans l'indifférence par le reste du monde. Durant ce génocide, il y a eu l'ignorant et le lâche. Je peux admettre l'un comme l'autre. Le lâche aussi, oui : quand ce n'est pas ta vie et ta sécurité qui sont en jeu, difficile d'être un héros... Alors, j'admets, sans condamner. Mais je pense que maintenant, dix ans après, ignorants et lâches peuvent enfin réagir. Les rescapés qui ont survécu dans des conditions atroces ne vivent pas décemment et parviendraient à tenir avec peu de soutien de notre part, à tous. Il est encore possible d'agir, de faire soigner une femme sidéenne, de réparer un toit, scolariser un enfant, et tout ce que j'ai déjà tant répété.

Certes, le propos de ces conférences peut mettre mal à l'aise, ainsi que les récits qui l'illustrent. Mais je mets mal à l'aise à la hauteur du supportable. L'histoire de Rachel asphyxiée dans la merde, avant ce livre, je ne l'avais jamais racontée à personne. Par pudeur aussi : ce sont les miens qui sont salis dans ce génocide, alors pourquoi je raconterais aisément cette offense ? Et puis, je crains terriblement la pitié, je n'en voudrais surtout pas. En conférence, j'utilise très peu de chiffres, surtout ronds. Lorsqu'on dit qu'un million de personnes ont été exterminées, c'est énorme, c'est horrible, scandaleux, puis on ferme les yeux, on éteint la télévision et on reprend une vie normale le lendemain, sans avoir mémorisé le nombre cité. Or je voudrais déranger. Puisque tu es un preneur de décision, je ne veux pas que tu dormes tranquille ; tu as du pouvoir, joues-en. Et si tu n'es que simple citoyen, tu as quand même celui d'influencer tes décideurs puisque tu vas les élire.

Les réactions des publics sont souvent fortes, généreuses. À la suite de ces interventions, on a pu obtenir une trithérapie pour vingt femmes parmi les milliers d'infectées. Surtout, ne crois pas que j'ironise en te disant que c'est un beau palmarès. Bien sûr que j'aurais espéré plus mais en tout cas, ces vingt femmes sont la preuve flagrante que c'est possible de tenir le coup. Le financement de leurs traitements repose sur la solidarité de simples individus. Imagine le super palmarès si des organisations s'y mettaient... Quatorze de ces femmes malades ont été assez braves pour oser parler de leur viol et de leur maladie dans un documentaire de la BBC et, après sa diffusion, des anonymes ont accepté de les sponsoriser à vie pour leur traitement, via une organisation britannique. Les six autres doivent leur survie actuelle à la générosité des membres d'une ONG hollandaise qui a bravé cet interdit spécifique aux organisations humanitaires de ne s'engager que « sur-des-projets-rentables-et-durables ». Investir dans la survie d'une femme infectée, pas de doute, ce n'est ni-rentable-ni-durable. C'est « seulement » prendre le parti de lui redonner une dignité et lui rappeler ainsi que, si elle n'est pas productive dans le futur, elle l'a été dans le passé. C'est aussi allonger la période de sursis entre elle et les enfants qu'elle a adoptés – sursis d'un an, deux, cinq peut-être, et c'est toujours ça de pris, toujours ça en plus d'amour reçu, de conseils prodigués et de mémoire transmise.

Dans des causeries plus officielles, ma démarche n'est pas la même. Peut-être suis-je moins patiente ? En 2001, je suis intervenue dans un colloque à Kigali réunissant des rescapés de tous les génocides du monde : juifs de la Shoah, Indiens d'Amérique, Arméniens des deuxième et troisième générations ; seuls, les Cambodgiens n'avaient pas pu venir. Le temps se partageait entre visites sur les sites le long de la route de Kigali à Murambi, et débats publics. Nos convives étaient ébahis par la proximité des victimes et de leurs bourreaux dans leur vie antérieure. À la faculté de Butare, des professeurs avaient tué leurs propres élèves et collègues ; des fidèles, leurs prêtres qui les avaient baptisés et inversement, les prêtres qui avaient trahi leurs ouailles en les dénonçant ; des pères Hutu avaient achevé leur progéniture si la mère était Tutsi... Puis le colloque se poursuivait à l'hôtel des Mille Collines, celui-là même où je m'étais réfugiée pendant le génocide, et redevenu, en ces temps de paix, le plus luxueux de la ville. Chaque intervenant est passé, parlant de son expérience et de la transmission de la mémoire. Tous concluaient par la nécessité de témoigner. Quand est arrivé mon tour, j'ai éprouvé tout à coup une grande lassitude. La nuit précédente, un coup de téléphone de Chantal m'avait réveillée pour m'avertir du scandale survenu au tribunal d'Arusha, et du harcèlement subi par cette victime de viol et de génocide publiquement humiliée quand on a évoqué sa puanteur. Je pensais à tous ces rescapés, comme cette femme, comme des milliers d'autres, dont on était en train de parler dans ce colloque, alors qu'eux-mêmes n'y participeraient jamais parce qu'ils sont trop cassés, la tête cassée, le dos cassé, qu'ils sont trop traumatisés et sans quasiment plus aucune capacité à s'exprimer. Je pensais à ces enfants désormais seuls et devenus chefs de ménage à la tête de frères ou d'adoptés, des gosses qui ne concevraient pas de rater une heure de travail dans leur journée pour venir se raconter. Tiens, envie de leur parler de Jean-Pierre que je suivais en thérapie... Jean-Pierre est le premier à m'avoir parlé ouvertement des angoisses d'un gosse seulement âgé de onze ans lorsqu'il a la charge d'entretenir une famille de cinq enfants. Jean-Pierre a vu tous ses parents tués et a fui avec ses petits frères; tandis que je l'aiguillais sur ses cauchemars, lors d'une séance, il m'a répondu: «Esther, pour te dire la vérité, sais-tu le cauchemar qui m'obsède maintenant la plupart du temps? C'est de me demander ce que je peux donner à manger à mes frères et sœurs.»

Avant de monter à la tribune, mon témoignage m'a soudain paru vain. Pour tous ces rescapés qui ne peuvent se joindre à nous, ne possèdent pas d'autre langue que le kinyarwanda, on représente un groupe sincère mais luxueux, qui se retrouve dans l'hôtel le plus coûteux de Kigali... Pourtant, bien sûr, je suis moi aussi rescapée. Mais est-ce que je suis le prototype du rescapé qui doit raconter son vécu à cet auditoire? Je peux m'exprimer en anglais, en français avec des formules adéquates, mais les plus concernés, ceux qui continuent de périr en ce moment, ne sont pas dans la salle. Ils ignorent même qu'on puisse parler d'eux et qu'on le fait ensemble aujourd'hui... Quelques années plus tard, lorsque j'ai lu *Les naufragés et les rescapés* de Primo Levi[1], un passage m'a rappelé le sentiment éprouvé lors de ce colloque: «Je le répète: nous les survivants, ne sommes pas les vrais témoins. C'est là une notion qui dérange, dont j'ai pris conscience peu à peu. [...] Nous, les survivants, nous sommes une minorité non seulement exiguë, mais anormale: nous sommes ceux qui, grâce à la prévarication, l'habileté ou la chance, n'ont pas touché le fond. Ceux qui l'ont fait [...] ne sont pas revenus pour raconter mais ce sont eux [...] les engloutis, les témoins intégraux, ceux dont la déposition aurait eu une signification générale. Eux sont la règle, nous, l'exception.»

---

1. Primo Levi, *Les naufragés et les rescapés: quarante ans après Auschwitz*, Gallimard, 1989.

J'ai exprimé toutes ces interrogations à voix haute, sans aucune animosité ou agressivité; j'étais pragmatique avec, bon, peut-être juste un brin de provocation, à cause de l'histoire survenue à Arusha. On me reproche de toute façon assez souvent d'être trop terre à terre. Mais je savais que ce public comprendrait. Comme on parlait au nom de ces autres qui ne pouvaient être présents, il m'a paru juste de leur donner un visage et raconter leur histoire. J'avais préparé quelques diapositives, l'écran s'est illuminé sur l'image d'une maman qui ne pouvait plus se lever parce que des coups de gourdin lui avaient brisé la colonne mais qui, allongée, continuait à travailler dans son champ pour semailles et moissons. Image d'une autre qui essaie vainement d'enterrer les siens et ne trouve nul repos depuis leur mort car elle ne peut mettre une place ni un nom sur rien. Image de jeunes filles en train de danser pour un bref exutoire afin d'échapper provisoirement à leur situation d'orphelines. Enfin, dernière image: un écran blanc. On a cru à un incident technique, j'ai rassuré le public et ai dit: « Voilà l'image de celles qui ne veulent pas se montrer par honte de ce qui leur est arrivé. Voilà les rescapées violées par des génocidaires et pour lesquelles on se bat et qui ignorent encore qu'elles ont le droit de vivre. » Et j'ai enchaîné sur le scandale d'Arusha survenu la veille même, en proposant une position publique de notre part. On a adressé un communiqué au TPIR, signé par des rescapés des génocides du monde entier, qui a permis que l'affaire soit reprise par la presse. Enfin, j'ai demandé à l'auditoire s'il était d'accord de se passer d'un seul repas sur les cinq pauses de la journée – petit déjeuner, collation à dix heures, déjeuner, collation d'après-midi et dîner – afin d'en récupérer les bénéfices pour les enfants orphelins devenus chefs de ménage, équivalents à mille euros. Et dis, tu sais combien de repas on pouvait assurer pour des enfants, avec une telle somme ! En fait, j'avais déjà tout vérifié, il ne manquait que l'approbation de l'auditoire : j'avais calculé avec le cuisinier de l'hôtel le prix global de ces repas et je m'étais déjà arrangée avec le directeur pour savoir comment défalquer le montant. La proposition a été acceptée à l'unanimité.

L'une des intervenantes de ce colloque m'était particulièrement attachante : Heidi, rescapée des camps nazis et installée en Suède ; c'était une vieille maman, j'éprouvais de la tendresse pour elle parce qu'elle me rappelait tellement la mienne... Elle nous a raconté comment, depuis sa sortie du *Lager*, elle a consacré toute sa vie à témoigner dans les écoles, pour que « plus jamais ça » ne se passe, et son désespoir, vif, inconsolable était que « ça » s'était passé à nouveau, de son vivant. Je me rappelle m'être dit, à cet instant précis, qu'un génocide, ça te poursuit même cinquante ans après. Nous, on se battait et on se bat encore pour survivre au génocide et elle, elle l'a vécu il y a déjà cinquante ans, elle continue de militer pour cette mémoire et... J'ai pensé, de façon étrange et terrible à la fois, qu'à son âge, la soixantaine passée, je continuerai sans doute de témoigner, moi aussi. Je suis certaine que, toute ma vie, je vais continuer à témoigner – ne serait-ce que parce que tout le monde ne demande qu'à oublier... Oublier que « ça » s'est (re) passé, que les rescapés sont encore vivants, avec des mâchoires coupées, des trompes bouchées, des dos cassés. Nous, en revanche, on n'aura aucun moyen d'oublier.

Je parle donc du génocide dès que je le peux, parce que je sais qu'on n'en parlera jamais assez. L'opinion publique est plus sensible à la question des enfants génocidaires, par exemple. Parce que ce sont des enfants, et parce qu'on espère peut-être pouvoir en sauver quelque chose. Certaines organisations de femmes rwandaises s'en occupent; nous, à Avega, il était clair, d'emblée, qu'on n'approcherait pas le sujet, même s'il attire aisément des financements de la part des bailleurs de fonds, et beaucoup d'intérêt de la part des médias. Encore aujourd'hui, je me demande pourquoi. Ces enfants ont droit à une protection et une reconstruction psychique: je n'ai aucune ambiguïté sur ce point. Mais enfin, pourquoi intéressent-ils l'opinion tellement plus que les nôtres, rescapés, en train de mourir de faim ou de dépression? C'est comme si ces gosses tueurs étaient considérés comme paranormaux et qu'en revanche, ceux victimes du génocide s'inscrivaient davantage dans une norme: les uns sont donc des cas d'étude qui exigeraient plus d'attention, les seconds des cas normaux, assimilables à tout autre victime de tout autre conflit. On en revient donc toujours au même constat, plus cruel encore dix ans après: le statut de victime, dans le génocide que nous avons subi, n'est décidément pas pris en compte.

J'ai eu l'occasion de poser cette question à plusieurs reprises à Carla Del Ponte, procureur général du TPI, rencontrée à Kigali et à Bruxelles. Chaque fois, j'ai tenu d'abord à la remercier de son action: on lui doit d'avoir inscrit le délit de viol comme un crime. Puis je l'interpellais systématiquement sur les deux poids, deux mesures qui opposent victimes et bourreaux. D'un côté, les présumés coupables de génocide et de viol, qui ont

266

infecté leurs victimes mais bénéficient des meilleurs soins médicaux en détention. De l'autre, ces rescapées, contaminées par ces derniers, qui occupent souvent la place de suspecte sur les bancs de ce tribunal. L'intérêt de la justice n'était-il pas, pour son bon fonctionnement justement, de maintenir en vie les deux parties ? Carla Del Ponte ne s'est pas dérobée ; elle nous a reçues, écoutées. Mais sa réponse a été cruelle. Elle t'explique le fonctionnement du TPIR – c'est-à-dire son dysfonctionnement en fait. Puisque le tribunal lui-même est censé représenter la victime, il ne dispose d'aucun budget pour cette dernière et aucune organisation n'est admise à se porter partie civile pour elle. Elle-même admettait volontiers le non-sens de cette juridiction. Deux ans après, au cours d'une nouvelle rencontre, Carla Del Ponte a été encore plus claire, et m'a dit : « Vous vous trompez d'interlocuteur. Moi, procureur général, je pense comme vous mais ce n'est pas dans mes attributions. Je fais le même constat que vous ; mais seule la présidente du tribunal peut faire changer le statut du tribunal et exercer une pression sur la hiérarchie à New York pour modifier ces positions. » Je me rappelle l'accablement ressenti, après. Justice, respect des victimes, égalité de traitement entre les uns et les autres : tout ce que je croyais évident sombrait dans une bureaucratie loin, elle, d'être évidente. Comment tu veux te battre contre une administration de si haut niveau ? Et puis, tu me voyais débarquer dans le bureau de la présidente : « Vous savez, madame Carla del Ponte m'a conseillé de m'adresser à vous pour faire changer le fonctionnement du tribunal... »

Certains partagent mon sentiment amer, comme le général Dallaire, rencontré lors d'une remise de prix en

2000, ou le docteur Philippe Gaillard, employé du CICR qui n'a jamais lâché Kigali durant le génocide. Le général Dallaire allait si mal, lors de cet échange : il s'accusait de ne pas « avoir fait ». Je me suis approchée, lui ai dit : « Ne minimisez pas votre action ; pour quelques rescapés, vous avez fait beaucoup puisque certains d'entre nous vous doivent la vie. »

En plus des conférences officielles, que ce soit en Afrique du Sud, en Grande-Bretagne, en Suisse, en Suède ou ailleurs, je ne néglige jamais les petites assemblées, surtout féminines. La solidarité y est vraiment très importante : pour les rescapées, savoir que d'autres femmes pensent à elles, à l'autre bout du monde, les surprend et les réconforte. J'avais une amie allemande de plus de quatre-vingt-dix ans, dans le petit village allemand où j'habite. Lorsque je lui ai raconté le sort des vieilles mamans chez nous qui ont perdu leur famille, elle s'est engagée à adopter une vieille de son âge comme sœur. Elle a adopté Bibi et, chaque mois, lui a envoyé de quoi s'acheter du sucre et du lait. Madame Hoffman est morte cette année, sa fille Ruth a pris le relais ; Bibi a perdu une amie, en a retrouvé une autre.

Voilà… voilà comment de rencontres en rencontres, je tente de transmettre notre mémoire et d'agir concrètement, sous diverses formes. Formes burlesques parfois… Je pense à la journée du *Red Nose Day,* « la journée du nez rouge », organisée depuis quelques années par la célèbre association humanitaire britannique, *Comic Relief.* Dans des boutiques, des écoles, des hôpitaux, on vend des nez rouges de clown dont les bénéfices sont redistribués à des ONG britanniques, tel *Survival Fund.*

Cette dernière, à son tour, les investit dans des projets d'Avega. La BBC retransmet la nuit de gala soutenue par de grandes stars, qu'elle organise un an sur deux.

En signe de solidarité, on doit porter ce nez rouge, comme d'autres portent un ruban rouge contre le sida. Ce nez rouge ne tient pas sur le mien; au bout de deux minutes, il saute. Depuis plus de quatre ans, j'assiste à ces galas que je trouve très bien, avec un nez qui ne tient pas… Avec bonne humeur, les organisateurs ont admis qu'ils avaient été conçus selon un prototype européen. Mais surtout, avec une même bonne humeur, ils ont mesuré que cette histoire de nez, pour nous Rwandais Tutsi, était un peu… comment dire?… un peu délicate… En effet, Tutsi, on te «coupait», on te tuait à cause de ton nez identifié comme trop fin, trop long, donc trop «Tutsi». Et, durant ces soirées, il nous fallait jouer avec… Avec mes amies d'Avega, nous avons su en rire: on s'est dit que si on avait porté des gros nez rouges au Rwanda, que si leur forme avait été universelle, on n'aurait pas eu tous ces problèmes de discrimination à partir de notre physique.

24
Pour (ne jamais) conclure...

La grande majorité de l'universel se fiche du génocide. J'ai appris à l'admettre. Appris à admettre que cela n'intéresse pas l'Autre. Je continue pourtant de ne pas le comprendre puisqu'il y a quelque chose qui est du hasard total dans ce qui nous arrive aux uns et aux autres : toi l'Autre, tu aurais très bien pu naître de l'autre côté du Rwanda, et moi, j'aurais pu naître en Europe, aux États-Unis ou en Amérique latine. Et si ce n'est pas le cas, c'est juste du hasard. Hasard, ou chance que tu ne sois pas toi-même né dans ce pays, hasard ou chance que tu n'appartiennes pas à un groupe où on te coupe pour cette raison.

Mais ç'aurait parfaitement pu t'arriver. Et si ça m'est arrivé, à moi, je n'y suis pour rien. Même s'il y a des gens qui insinuent que je l'aurais cherché, comme si c'était ma faute. La bonne sœur qui m'a laissée m'enfuir de mon lycée, ce fameux soir où j'ai décidé de le faire pour ne pas être chassée à coups de bâton, elle aurait pu protester contre ces ratonnades, et me protéger. J'étais une bonne élève, disciplinée, elle n'avait aucune raison de me blâmer. Mais elle a accepté la situation. Comme si elle trouvait cette chasse à l'homme normale ou même, peut-être, comme si elle la trouvait *juste*, elle a laissé faire. Et m'a ainsi confirmé dans l'idée que j'étais en tort d'être Tutsi.

Toute ma vie, j'ai éprouvé ce sentiment: être en tort d'exister. Toute leur vie, les Tutsi ont éprouvé ce sentiment. Puis, un génocide a voulu définitivement nous en convaincre, en voulant définitivement nous exterminer. Nous, Tutsi rwandais. Comme c'est arrivé aux Arméniens, aux juifs, aux Cambodgiens.

Et comme je n'espère pas à mon pire ennemi que ça lui arrive demain.

À personne au monde, je ne souhaite ce tragique hasard.

J'accuse tous les Rutuku – du nom du tueur de ma colline – qui, avec leurs machettes, ont versé du sang innocent.

J'accuse tous ces intellectuels Hutu qui ont utilisé leur intelligence pour planifier, préparer l'extermination des Tutsi, « l'Itsembabwoko : le génocide ».

J'accuse tous les biens pensants, chrétiens en tête et pas des moindres – pape, messeigneurs, prêtres et pasteurs, nonnes – pour leur silence assourdissant.

J'accuse vous tous qui avez fermé les yeux pendant qu'un innocent se faisait tuer, qu'une femme se faisait violer.

J'accuse vous tous qui avez dénoncé les cachettes des pauvres hères au bout de la course contre la mort.

J'accuse ceux qui nous ont abandonnés. Obligeant les nôtres à nous abandonner, malgré eux, dans la vie.

Liste des membres de la famille d'Esther exterminées lors du génocide de 1994

Il s'agit des ascendants et descendants directs. À titre comparatif, dans une famille européenne, ces membres porteraient le même nom de famille.

Du côté de mon père : 85 personnes. J'ajouterai les 45 amis et voisins tués en même temps que lui et jetés dans la même fosse commune.
– Mfizi, mon père,
– Monika, ma mère,
– Stéphanie, ma sœur, Ildéfonse, son mari, Tika, Kinini et Babu, leurs trois enfants,
– Rachel, ma sœur adoptive, ainsi que son mari Jonas et son frère Buseni,

– Charles, mon beau-frère, époux de ma sœur Marie-Josée, ainsi que leur fils aîné Marcel,
– Rwangabgoba, le frère de mon père,
– Maria, la tante de mon père,
– Le pasteur Gafalinga Édouard, son fils spirituel.

Du côté de ma tante paternelle Madalina : 4 personnes.
Dinah, sa fille, ainsi que Cyrille son mari, et leurs deux enfants.

Du côté de mon grand-oncle Daniel Ndaruhutse (frère de mon grand-père paternel) : 28 personnes.
– Ndaruhutse Daniel,
– Habimana Richard, son fils, ainsi que Buhinjori, son petit-fils,
– Benimana, son fils, ainsi que Maria, sa belle-fille et leurs huit enfants,
– Bizimana, son fils, ainsi que ses deux enfants,
– Niyibizi, son fils, ainsi que son épouse et leurs trois enfants,
– Kazanenda, son fils,
– Nabayo, son fils,
– Nsengiyumva, son fils, ainsi que Ndayambaje, son petit-fils,
– Sarah, Uwiragiye et Niyongira, ses trois filles.

Du côté de mon oncle Migambi (frère de mon grand-père paternel) : 19 personnes.
– Migambi, mon grand-oncle,
– Hitimana, son fils, ainsi que Nsengiyumva, son petit-fils,
– Mukarugina, sa fille, ainsi que son mari, leur fils et leur belle-fille avec leurs deux enfants,
– Sarah, sa belle-fille, ainsi que ses trois enfants,
– Jeannette, sa petite-fille, ainsi que son mari Amoni et leurs quatre enfants.

Du côté de mon grand-oncle Sindambiwe (frère de mon grand-père paternel) : 21 personnes.
– Sakumi, son fils, ainsi que Immaculée, sa femme, et leur nièce Léonie,
– Épiphanie, sa fille, ainsi que Munana et Gaston, ses beaux-frères,
– Mugabo, son fils,
– Gabriel, son fils, et sa fille Sella,

- Mufupi, son fils, ainsi que sa femme Victoria et leurs quatre enfants,
- Schola, sa fille, et Mukeshimana, sa petite-fille,
- Rurangwa, son neveu,
- Kankindi Sicilia et Bikoramuki Tharcisse, ses beaux-parents âgés de plus de 90 ans, ainsi qu'un de leurs fils et deux de leurs petits-enfants.

Pour mes oncles Petero, Zefaniya, Mitsindo, Mpumuje, Gasongo et Habakurama, je n'ai pas encore pu répertorier tous les disparus.

Du côté de ma mère : 48 personnes.
Rwagaju, le frère de ma mère,
- Nyirambibi, son épouse,
- Iyakaremye, sa fille (d'un premier mariage) avec ses deux enfants,
- Nyampinga, sa fille,
- Ngimbanyi, son fils,
- Rubayiza, son fils, avec ses deux enfants,
- Rucamubugi, son fils,

Rwandenzi, mon oncle maternel ainsi que sa femme Lydia,
- Simoni Hitimana, son fils,
- Innocent Mbonimpaye, son petit-fils,
- Cléophas Dushiminmana, son petit-fils,
- Daniel Niyibizi, son petit-fils,
- Ndikubwayo Purusikilla, sa petite-fille,
- Pierre Ntereye, son cousin, ainsi que sa femme Alexia et leurs trois enfants,
- Daniel Ikwene, son beau-frère, avec ses six filles,
- Ancilla Nyirankware, sa nièce, ainsi que ses deux enfants et ses petits-enfants,
- Namakobga, Kayishugi et Samuel Numugabo, ses cousines.

Valeria, ma tante maternelle
- Gadi, son fils, ainsi que sa femme,
- Maria, sa fille, avec ses deux enfants,

Monika de Gaculiro, mon autre tante maternelle,
- Eugène, son petit-fils,

Kamondo de Bugesera, autre tante maternelle,
- Yohana, son fils, ainsi que sa femme, et Jeanne et Bosco, leurs deux enfants,

Rosata, autre tante maternelle,
– Kaliniya, sa fille, ainsi que son époux et leurs trois enfants.

Dans la famille de mon mari : 86 personnes.
– Innocent Seminega, mon mari,
– Karera, son père,
– Cesaria, sa mère,
– Ngabo, son frère, Alphonsine, son épouse, ainsi que leurs deux enfants, ainsi que le père, la mère et les six frères et sœurs d'Alphonsine,
– Cyemayire, son petit frère,
– Umudeli et Umutesi, ses petites sœurs,
– Muragwa, son grand-oncle, ainsi que Kabayiza, son fils, et Kabeho, son petit-fils,
– Kanyabugoyi, son beau-fils, avec ses deux enfants,
– Odetta Nyiraburanga, sa grande cousine, ainsi que ses deux enfants dont ma filleule, Claudine,
– Florida, sa cousine,
– Ruzagiliza, son cousin, avec sa femme Léa,
– Nyoni, son cousin et ses petits frères et Gustave, son fils,
– Gakwaya et Candida avec leurs dix enfants,
– Donatilla, sa tante paternelle, avec ses trois enfants,
– Doanata, son autre tante paternelle, ainsi que son mari et leurs huit enfants,
– Kangabe, autre tante paternelle, ainsi que ses quatre enfants,
– Madamu, dernière tante paternelle, ainsi que ses deux enfants,
– Suzanna, tante maternelle, ainsi que ses deux enfants et ses quatre petits-enfants,
– Maritha, tante maternelle, ainsi que son mari et leurs quatre enfants,
– Maria, tante maternelle, ainsi que son mari et leurs huit enfants.

**Liste des personnes tuées avec mon mari
au lycée Notre-Dame de Cîteaux
la nuit du 30 avril 1994**

- Innocent Seminega, professeur,
- Gustave Rugamba, professeur,
- Jean Nzigira, professeur,
- Justin Kayibanda, professeur,
- Jean de Dieu Mucundanyi, professeur,
- Charles, fils de professeur,
- Mao, fils de professeur,
- Alexandre, frère aîné de Mao,
- Médard Mwumvaneza, mari de Félicité, professeur,
- Michel Mucundanyi, frère de Jean de Dieu, professeur,
- Grâce, cousine de Claire, professeur (Claire a été tuée avec sa famille à Kibungo),
- Raymond, blessé et échappé de l'hôpital CHK pour se cacher avec nous,
- Lando (surnom parce qu'il boitait), arrivé du quartier Gitega pour se cacher avec nous,
- Rukundo, fils de maman Ami, étudiant à l'université, arrivé de Gitega pour se cacher avec nous.

Entretien croisé entre
Simone Veil et Esther Mujawayo

À *plusieurs reprises au cours de la rédaction de ce livre, certaines observations d'Esther Mujawayo m'ont immanquablement rappelé des propos de madame Simone Veil sur son retour de déportation que j'avais lus il y a plus d'une dizaine d'années. En France comme au Rwanda, chacune des rescapées de l'Abomination s'est heurtée à la même indifférence « après », et en a éprouvé d'abord de la stupéfaction, puis de l'amertume. Alors que, comme le dit Esther avec une certaine ironie, « On croyait qu'on allait être noyée sous la compassion ».*

Très vite, j'ai eu le désir de faire rencontrer ces deux femmes, pour plusieurs raisons. Simone Veil dit volontiers d'elle-même : « Je ne laisse rien passer. » Esther non plus. D'un détail du quotidien aussi bien que des plus grandes causes, toutes deux – l'une comme femme d'État, l'autre comme thérapeute engagée auprès des traumatisés de génocide et de guerre – ont hérité, malgré elles peut-être, d'un grand sens de l'humanité. Un grand sens de l'humanité et de la justice. Je savais depuis longtemps que le parcours de madame Veil ne se résumait pas à la loi qui porte aujourd'hui son nom ni à sa déportation. J'ai personnellement été témoin, à Alger, en mars 2000, d'étranges retrouvailles : lors d'un colloque, une femme, âgée d'une soixantaine d'années, lui est littéralement tombée dans les bras, très émue. Arrêtée et détenue dans une prison française durant la guerre d'Algérie, cette ancienne militante du FLN *n'a jamais oublié qu'elle lui devait sa survie : Simone Veil défendait alors, inlassablement, l'amélioration des conditions pénitentiaires et le respect de la justice, au nom de principes démocratiques qu'à ses yeux aucune raison d'État ne pourra jamais remettre en question.*

Tout à coup, ce jour-là à Alger, un bout d'Histoire se révélait, une Histoire méconnue, rarement écrite et pourtant essentielle – comme souvent l'est l'Histoire lorsqu'elle concerne les femmes. Ce jour-là, à Alger, j'ai mesuré que le parcours de Simone Veil répondait depuis bien longtemps à une grande cohérence et, surtout, que l'abomination qu'elle a traversée lui avait légué un sens de la justice qui dépassait toutes frontières et rejoignait l'universel. Cette rencontre s'inscrit dans cette même cohérence. Pour Esther, il s'agissait aussi de réunir deux paroles qu'elle sait communes, au-delà de tout continent, à tant d'autres survivants.

Cet entretien – qui date du 4 février 2004 –, entre Simone Veil, membre du Conseil constitutionnel et présidente de la Fondation pour la mémoire de la Shoah, et Esther Mujawayo, porte la tristesse infinie de ce dernier génocide du XXe siècle.

On lira chez ces deux femmes la monstrueuse universalité des plus grandes tragédies de notre histoire récente.

S. B

(Cet entretien a été relu par madame Simone Veil.)

Souâd Belhaddad —*Avant tout, je tiens à expliquer le pourquoi de cette rencontre entre vous, mesdames Simone Veil et Esther Mujawayo. Madame Simone Veil, vous êtes une des rescapées de la Shoah. Française, vous avez été déportée en camp de concentration à Auschwitz puis à Bergen Belsen parce que vous étiez juive, il y a de cela presque soixante ans. Ce génocide, qui visait principalement à l'extermination des juifs, en a éliminé six millions.*
Madame Esther Mujawayo, vous êtes une des rescapées du génocide contre les Tutsi survenu au Rwanda il y a exactement dix ans et dont la date de commémoration vient d'être officialisée par l'Onu comme étant celle du 7 avril. Planifié par le gouvernement rwandais de l'époque, exécuté par l'armée gouvernementale et les milices extrémistes Hutu relayées par une grande majorité de la population civile, ce génocide a fait plus de huit cent mille morts en seulement trois mois. Vous, Esther, appartenant à la minorité des Tutsi condamnée à cette extermination, vous en avez réchappé. Reconnus chacun par l'Onu, ces deux génocides ne se ressemblent pas dans leur forme, ni dans leur contexte, mais portent la même idéologie et visaient le même but : exterminer absolument et jusqu'au dernier ceux dont on avait décrété qu'ils n'auraient jamais dû naître. Rien, d'un point de vue géographique, culturel ou générationnel, ne vous rapprochait a priori. *Mais votre parole de rescapée d'un génocide cependant est la même, et ce de façon frappante.*

*C'est-à-dire que toutes deux, dans vos propos écrits ou oraux
– je rappelle qu'en plus d'être thérapeute, Esther Mujawayo
est également conférencière internationale sur la situation des
rescapés Tutsi –, toutes deux vous établissez le même constat :
« Notre parole de rescapé dérange. » Pour confirmation, je
citerai une réflexion de l'une et de l'autre. Au cours de l'écriture
de notre livre, Esther m'a répété : « Dès la fin du génocide,
on s'est tout de suite tus. On sentait qu'on dérangeait. » En
écoutant cette phrase, j'ai eu un déclic : je me suis aussitôt
souvenue d'une interview de vous, madame Veil, que vous
aviez donnée il y a quinze ans et où vous disiez : « Quand
on dit que les déportés n'ont pas parlé, c'est faux. On ne
voulait pas les écouter. » Je voulais vous demander, madame
Veil, pourquoi vous avez si spontanément accepté cette
rencontre croisée avec Esther ?*

Simone Veil — Vous savez, rien que de vous entendre
maintenant, j'ai des frissons d'émotion. D'émotion par
rapport à ce passé commun je dirais, et cette similitude
de nos situations à près de cinquante ans de distance.
Pour moi, le Rwanda, c'est une page particulièrement
douloureuse de toutes ces années, depuis le retour du
camp. Nous avions vraiment espéré qu'une telle barbarie
ne se reproduirait pas... Les génocides dont nos familles
ont été victimes sont survenus, l'un comme l'autre, dans
des contextes qui n'étaient pas ceux d'un conflit militaire. Les travaux des historiens montrent bien que la
volonté d'Hitler d'exterminer les juifs est antérieure à
la Seconde Guerre mondiale et que, déjà inscrite dans
Mein Kampf, elle était prioritaire par rapport à l'objectif
de gagner la guerre. C'est d'ailleurs le sentiment que
nous avions, nous, dans les camps : priorité était donnée
aux transferts des déportés pour pouvoir les exterminer.

Jusqu'au dernier jour, pour éviter que nous soyions libérés par l'Armée rouge ou par les Alliés, nous avons été poussés sur les routes, devant marcher pendant des dizaines de kilomètres, voire davantage, ou transférés dans des trains comme des bestiaux. Au Rwanda, il y a eu aussi une volonté absolue d'exterminer toute une population : les Hutu avaient décidé que les Tutsi n'avaient pas le droit de vivre, quel que soit leur âge. Bien que les moyens aient été totalement différents à cause du contexte local – j'ai lu dans plusieurs récits que des femmes qui avaient emmené leurs enfants dans les marécages ou les forêts pour se cacher ont été massacrées avec eux. Ce n'était pas des chambres à gaz, mais l'objectif est le même. Que cela se soit passé cinquante ans après la Shoah, c'est insupportable. C'est non seulement insupportable, mais c'est aussi un remords affreux. Il y avait eu auparavant le génocide cambodgien – certes différent, puisqu'il s'agissait de l'extermination d'une classe sociale, d'une élite intellectuelle et sociale que pour des raisons politiques, les Khmers rouges voulaient ainsi éliminer... Le génocide des Tutsi, au Rwanda, c'est un génocide ethnique perpétré avec les moyens sommaires des criminels, essentiellement des machettes. Et dans des conditions atroces. Certains récits, comme le vôtre ou ceux rapportés par le journaliste Jean Hatzfeld, montrent combien ce fut horrible... On a coupé les gens en morceaux. Enfin, je ne veux pas l'évoquer davantage... Mais mon émotion vient aussi du fait qu'ayant survécu alors qu'une grande partie de votre famille avait disparu, vous vous êtes heurtée à ce même mur du silence que celui que nous avons rencontré, et pour les mêmes raisons. Vous avez utilisé les mêmes mots que les nôtres sans jamais avoir su ce que nous-mêmes avions dit, et avec les mêmes détails. Je pense à ce refus de nous écouter parce qu'on ne nous croyait pas et parce que c'était insupportable pour les gens de penser à ce que des hommes sont capables de faire à d'autres hommes...

Esther Mujawayo — Les gens n'arrivent pas à écouter parce que c'est trop incroyable – et toi-même, d'ailleurs, tu te demandes si ça s'est vraiment passé comme ça... C'est tellement horrible... Nous tuer, à la limite d'accord – enfin, c'est une façon de dire... – mais pourquoi rajouter à l'horreur ? Une fois qu'ils étaient fatigués de tuer, les génocidaires coupaient les tendons des pieds pour que tu ne t'enfuies pas durant la nuit et qu'ils puissent venir t'achever le lendemain. C'est ce sentiment d'horreur inouïe avec lequel il est difficile de vivre... Mais dès qu'on se mettait à raconter, on nous coupait toujours la parole. On nous disait: «Arrête, arrête...»

S. V. — Les gens se disent: «L'humanité n'a pas été capable de ça!» Alors on met en doute la parole des survivants. D'où ce besoin que vous avez, que nous avions et dont personnellement je me souviens, de nous retrouver avec des petits groupes de camarades et d'en parler d'une manière qui... *(hésitation)* Ça m'intéressera de savoir comment vous en parlez, si c'est de la même façon, que l'on peut prendre pour du cynisme ou pour une certaine indifférence, mais qui, au fond, est la seule façon de surmonter notre émotion. Avec quelquefois même un humour noir terrible...

E. M. — C'est exactement ça. Souvent, après le génocide, n'importe quel survivant qui réapparaissait te faisait un effet terrible parce que tu croyais être le seul à avoir survécu. Alors, s'il t'arrivait de retrouver quelqu'un, tu ne lui demandais pas: «Ah, tu es vivant?» mais toujours, sous la forme négative: «Mais tu n'es pas mort?»! Nous, nous avons fondé une association de veuves, au départ de façon très, très informelle. On l'a fondée parce que tu parlais, tu parlais de ce que tu avais vécu, mais à part un autre rescapé, dès qu'on racontait, soit on nous coupait la parole soit on nous disait: «Tu exagères...» Mais quelquefois, tu te demandes toi-même: «Est-ce que ça s'est passé comme ça?»... parce que c'est tellement incroyable, horrible. Et c'est ce sentiment d'inouï qui fait peur... Alors, on s'est retrouvées entre veuves, parlant avec ce cynisme que vous dites, mais qui nous aidait à survivre...

S. V. — C'est vraiment extraordinaire de constater que bien que le contexte et les méthodes aient été très différents, nos réactions sont les mêmes... En vous lisant, ou en vous écoutant maintenant, je me dis que c'est tellement ce que je ressens. Vous avez parlé des veuves; parmi nous, il y a eu peu de veuves rescapées, puisque les mères sont souvent restées avec leurs enfants et donc immédiatement sélectionnées avec eux pour la chambre à gaz. À la différence du Rwanda, les juifs n'ont pas été assassinés là où ils habitaient; on nous emmenait dans des camps les plus isolés possible pour que l'on ne sache pas ce qui s'y passait. En outre, personne n'osait en parler. C'était le silence L'état d'esprit des bourreaux semble par ailleurs avoir été très différent. L'endoctrinement des SS nazis était tel qu'ils n'avaient même pas besoin d'éprouver une haine personnelle, ils exécutaient les ordres sans se poser de questions: les juifs étaient un peuple maudit, l'Europe ne devait plus en avoir, donc, il fallait les pourchasser et les exterminer tous, sans exception. Mais, au Rwanda, individuellement, d'après ce que j'ai lu du moins, il me semble que les exécutants de ce génocide tuaient leurs victimes avec encore plus de cruauté. Il y avait une haine individuelle terrible, les incitant à faire souffrir le plus possible leurs victimes: leur coupant les bras et les jambes, sans parfois les achever. Aussi mettaient-elles parfois plusieurs jours à mourir. Et on se dit: voilà, ça s'est passé en Afrique, il y a dix ans. Qu'est-ce qu'on pouvait faire, est-ce qu'on aurait pu agir?... On ne refait pas l'histoire, mais je pense que c'est auparavant qu'on aurait dû intervenir, pour au moins tenter de faire quelque chose... On a laissé se développer, nous Européens, une situation de tensions et conflits qu'on aurait dû savoir éviter.

E. M. — Absolument! Rien que l'histoire de la carte d'identité!... Avant 1994, il y était inscrit si tu es Tutsi ou Hutu, et aux barrières des tueurs, selon ton ethnie, on te coupe le cou. Et si l'ethnie était barrée, on commence à spéculer sur ton aspect physique... Mais souvent, de toute façon, chacun connaissait chacun. Ce que vous dites sur l'individualité des tueurs, c'est ce que je trouve horrible dans le génocide des Tutsi: les planificateurs ont fait en sorte que les exécutants soient ceux avec qui tu as toujours vécu. Nos tueurs n'étaient pas des étrangers, mais nos propres voisins; on avait étudié ensemble, vécu ensemble... Et maintenant, je les connais, ils me connaissent, nous savons ce qui s'est passé et nous voulons faire comme si de rien n'était...

S. V. — C'est très important parce que c'est différent de ce qui s'est passé en Europe avec les juifs. En France, même s'il y a eu une acceptation et une complicité dans l'arrestation des familles juives – je pense à la rafle du Vel d'Hiv –, ceux qui y ont effectivement procédé ont pu dire par la suite qu'ils ne savaient pas et qu'ils croyaient qu'ils allaient dans des camps pour travailler ; car je crois vraiment que beaucoup d'entre eux, parmi les policiers et les gendarmes, ne pouvaient pas imaginer qu'il y avait des chambres à gaz et que ceux qu'ils arrêtaient seraient pour la plupart assassinés dès leur arrivée. Mais à propos de ces actes épouvantables, là où tout de même il y a quelque chose de similaire et d'intéressant à souligner, si j'ose dire, sur l'espèce humaine, c'est le fait que ces crimes ont été perpétrés par des citoyens ordinaires. Le livre d'un journaliste américain, Richard Browning, *Les hommes ordinaires*, porte sur l'attitude de gendarmes retraités, mobilisés à un moment où l'armée elle-même était trop occupée pour procéder aux arrestations, et chargés des regroupements de population en Biélorussie, en Ukraine et autres territoires de l'Est. Au début, la Gestapo a demandé des volontaires et plusieurs ont refusé ; puis, peu à peu, tous ou presque se sont habitués. Des gens qui étaient de braves pères de famille et qui, en définitive, ont accepté de regrouper ces juifs dans les villages, de leur faire creuser des fossés, de les obliger à se déshabiller avant de les exécuter dans ces fossés. Cela montre bien comment dans un certain environnement, les gens acceptent de faire n'importe quoi. La propagande, une sorte d'endoctrinement et puis la peur aussi de désobéir ont fait qu'ils se sont très vite habitués à massacrer des innocents, y compris des bébés et des vieillards.

S. B. — *Comment transmettez-vous cette mémoire à vos enfants, l'une et l'autre ?*

E. M. — Je devais absolument en parler avec mes trois filles car on a survécu ensemble. Anna, l'aînée, avait alors cinq ans, Amélia, trois ans, et Amanda, six mois. J'ai été toujours d'avis d'en parler. De toute façon, elles le vivent quelque part et si je ne leur parle pas, elles essaient toujours d'écouter ce que nous disons. Or comme nous ne faisons que parler de ça, je préfère encore qu'elles entendent une version qui est plus... plus acceptable. Je leur dis clairement que leur papa et presque toute notre famille ont été exterminés parce qu'ils étaient Tutsi. Mais ce que j'essaie de ne jamais développer chez mes filles, c'est la haine... Là-dessus, je suis catégorique. Je leur montre que c'est complexe au Rwanda : elles sont Tutsi mais elles ont des cousines Hutu, donc tu ne peux pas leur dire, comme ça, sans nuances, que tous les Hutu sont des criminels. C'est donc essentiel pour moi de les prévenir de comment on peut se faire manipuler. Et ce dont je suis quand même fière maintenant, c'est qu'aujourd'hui, elles réagissent à l'injustice de façon pas possible ! À l'école, si un professeur leur semble injuste, elles lèvent le doigt pour intervenir. Et je leur ai dit : « De cela, jamais, je ne serai fâchée. » Parce que ça commence avec les petites injustices, et les petites amènent les grandes, et les grandes amènent à un génocide.

S. V. — Votre récit est extraordinaire de courage, de lucidité... Moi, j'étais dans une situation très différente : je suis rentrée, je n'avais pas encore dix-huit ans, je me suis mariée très jeune et j'ai eu des enfants après. C'est donc tout à fait autre chose que d'avoir des enfants qui ont vécu ces atrocités. Pour mes enfants, ça a fait partie de leur vie très vite de savoir que j'avais été déportée, mais c'est tout. J'ai toujours le souvenir de mon second fils : il avait sept ou huit et il est rentré de l'école communale du quartier, ému, en me disant : « Oh, maman, heureusement que nous ne sommes pas protestants ! Quand je pense à ce qui s'est passé pendant les guerres de religion ! » *(rire général)* Dans les années cinquante, on ne parlait que peu de la Shoah, et les guerres de religion prenaient une grande place dans l'histoire de France. Tout de même, cela a fait partie de notre vie d'en parler, les enfants savaient que mes parents, mon frère n'étaient pas rentrés ; mais je ne donnais pas beaucoup de détails. Ce n'était pas tellement pour les ménager mais, alors que j'en parlais devant eux avec d'autres anciens déportés de notre entourage, notamment ma belle-sœur, je pensais que c'était à eux de m'interroger. Je ne voulais pas les forcer à m'écouter. Un des trois a manifesté un grand intérêt, un autre ne supportait absolument pas d'en entendre parler ; ça le rendait tellement malheureux qu'il ne supportait pas de m'entendre en parler. Nous avons depuis longtemps le projet avec mon mari d'aller à Auschwitz ensemble, avec nos petits-enfants – enfin ceux qui le souhaitent ; il faut vraiment qu'ils en aient le désir. Par ailleurs, j'observe, faisant très souvent des conférences sur la déportation, que si mon mari m'accompagne, en définitive, il ne reste pas dans la salle lorsque je parle. Ça lui est trop pénible d'entendre ce que j'ai vécu. Et pourtant il y a des choses qui restent totalement occultées, dont on ne parle jamais. Il s'agit de situations exceptionnelles mais qui ont existé. J'ai vécu quelques mois dans un petit camp à quelques kilomètres d'Auschwitz, qui était dans une situation tout à fait atypique. Les récits que j'ai lus sur ce camp n'en parlaient pratiquement pas. Je l'ai évoqué une fois, sans avoir prévu de le faire, c'est tout.

S. B. — *Peut-être pourriez-vous préciser quelles étaient ces situations ?*

S. V. — Non. *(brève hésitation)* Oh si, je peux le dire. C'était au cours de la longue marche... Pendant quelques mois, j'avais été dans un camp qui était très privilégié, tout près de Birkenau ; c'est comme ça qu'avec ma mère et ma sœur, nous avons survécu à cet hiver très froid. Nous étions très peu nombreux, on y mangeait mal et on travaillait beaucoup, certains comme moi à des travaux de terrassement, mais enfin, nous n'étions pas battus et il n'y avait pas ces appels qui duraient des heures, pas d'épidémie. Hommes et femmes travaillaient ensemble. Il y a eu quelques belles histoires d'amour, platoniques ou non. Puis, avant l'arrivée de l'Armée rouge à Auschwitz, on a fait la longue marche, des dizaines de kilomètres à pied, et nous nous sommes retrouvés ensemble dans un immense camp, quelques dizaines de femmes et des milliers d'hommes – dont certains détenus depuis des années. Et c'est devenu une espèce d'Enfer de Dante. La plupart étaient épuisés, voire mourants. Il n'y avait rien à manger ni à boire. On voyait au loin la lueur du Front, on entendait les canons. Nous pensions tous que nous allions mourir. Mais certains avaient mieux résisté, notamment d'anciens kapos et responsables. Ils auraient fait n'importe quoi à ce moment pour avoir une femme dans leurs bras, peut-être même l'embrasser.

C'est la seule fois où la question d'un viol éventuel a pu se poser. Il a fallu cette situation très particulière pour que certains en aient la tentation. Dans les camps, cette question ne se posait pas parce que la plupart était dans un tel état... Alors que là, même pour les SS et même pour certains déportés...

Ceux qui, pour une raison ou une autre, avaient eu des responsabilités au camp et avaient encore un peu de force, vous faisaient une espèce de chantage : « Je n'ai pas vu de femmes depuis des années... » Et, en même temps, il y avait dans une autre partie du camp où s'opérait une sélection, les SS poursuivant leur œuvre de mort... Cela avait quelque chose d'effrayant. C'est pour cela que nous ne pouvons pas en parler, parce que c'est une situation très particulière, dans une situation de mixité particulière et où la mort était présente. Nous sommes peu à l'avoir vécue, mais cela a existé et il nous est très difficile d'en parler.

S. B. — *Au Rwanda, de nombreuses rescapées sont aujourd'hui atteintes du sida : leurs génocidaires les violaient volontairement.*

E. M. — C'est notre grand drame. La majorité des rescapées qui ont pu survivre sont en train d'en mourir, dix ans après. Quand on a fait une enquête à Avega, on a dénombré que sur cent rescapées, quatre-vingts ont pu survivre parce qu'elles ont été violées par un des génocidaires de leur famille : c'était la seule façon de pouvoir rester en vie. Elles vivent avec cette culpabilité. À Avega, nous avons encouragé les femmes à témoigner, malgré leur honte, au Tribunal pénal international du Rwanda qui reconnaît le viol comme crime ; les peines sont vraiment très élevées pour ce délit. Mais on est tombées des nues ! Pour qu'ils puissent être jugés, les détenus à Arusha qui ont infecté ces femmes reçoivent la trithérapie. Mais les victimes, elles, meurent parce que nous n'avons aucun moyen financier pour les traiter ! Les victimes sont en train de périr alors que les tueurs sont soignés aux frais de l'Onu, s'il vous plaît...

S. V. — Ce qui est fou dans ce que vous dites, c'est que de toute façon, ne serait-ce que pour les nécessités de la justice, il faudrait tout faire pour garder aussi en vie les victimes afin qu'elles puissent témoigner... Pour nous, cette question du viol a été fondamentalement différente parce que, dans les camps, c'est au contraire la haine raciale qui a protégé les juives. Et pourtant c'est un sujet tellement sensible pour les femmes d'avoir à évoquer cette question que lorsque je suis rentrée et qu'un vieil ami d'enfance m'a dit : « Sûrement, toutes les femmes ont dû être violées », j'ai été très choquée ! D'autant que ce n'était pas le cas. D'ailleurs, si j'ai évoqué tout à l'heure cette situation, c'est justement parce qu'elle a été très particulière et qu'en définitive, nous avons échappé à ces violences. Mais, bien que cela ne se soit pas passé, on ne supportait quand même pas que les gens puissent penser que cela avait pu nous arriver. On se disait : « Si en plus, ils nous voient comme ça, maintenant », en plus du reste, ce n'était pas supportable. Alors je peux imaginer ce que cela représente pour des femmes qui ont effectivement subi un viol et qui sont amenées à en témoigner et donner des précisions souvent superfétatoires et de façon humiliante...

S. B. — *Un jour, Esther, en comptant tous vos disparus qui s'élevaient à presque deux cents personnes, vous vous êtes dit :*

« Esther, Si tu veux tenir le coup sans devenir folle, tu dois regarder ce que tu as gardé plutôt que compter ce que tu as perdu. » Et vous décidez, dites-vous, qu'à ce moment-là, il ne fallait plus être une survivante, mais une vivante, tout court...

E. M. — Au début, dans l'impuissance de les punir, je me suis dit, presque méchamment: « La seule punition que tu peux infliger à ceux qui ont voulu te voir morte, c'est d'être vivante. » Mais si tu vis en étant morte dedans, en te traînant, ils ont encore gagné. Alors, entre veuves, on puise de la force ensemble pour être des « vivantes-vivantes ». Pour qu'en nous voyant dans la rue, ils se disent: « On aurait voulu les voir achevées et elles ne le sont pas. On n'y est pas arrivés! »

S. V. — Je crois que c'est le cas de la plupart des déportés qui ont survécu. On entend souvent certains faire état des problèmes psychologiques que nous aurions de notre mal de vivre, qui justifieraient des prises en charge psychothérapeutiques. Ce n'est pas le cas de mes camarades. Au contraire, ils ont fait preuve de beaucoup de force et d'énergie à leur retour. En revanche, la vie a souvent été très difficile pour les enfants qui ont été cachés et dont les parents ont été déportés. L'angoisse permanente d'être découverts, le fait de cacher leur identité, de mener une vie clandestine et d'avoir à supporter dans le silence l'angoisse du sort réservé à leurs parents dont la plupart ne sont d'ailleurs pas rentrés... Eux ont été très marqués. Plus le temps a passé, plus j'en ai pris conscience. Aujourd'hui, ils vivent encore en se posant beaucoup d'interrogations, et même avec un sentiment d'incrédulité à cet égard. Au contraire, les déportés disent: « On a gagné, on a survécu.» J'ai perdu récemment une amie qui avait un moral formidable; déportée, elle n'a jamais cru qu'elle en reviendrait, et puis elle a survécu, retrouvé ses enfants cachés en France. Jusqu'à la veille de sa mort, elle me disait combien, chacun d'entre eux, ainsi que chacun de ses petits-enfants, a été un cadeau de la vie. «C'est formidable d'avoir eu tout cela alors qu'on n'espérait pas survivre», me disait-elle dans le même esprit de ce que vous dites. L'impression d'une victoire sur ceux qui avaient voulu nous exterminer.

S. B. — *Toutes deux, vous continuez de croire en l'humanité. Je le sais par vos écrits et vos conférences respectives. On ne peut pas s'empêcher de se demander comment vous faites… (silence. Elles se regardent, aucune n'ose répondre en premier. Puis, dans un souffle de voix…)*

E. M. — Sinon, on est foutues!… *(rires de toutes les deux)*

S. V. — Oui, exactement! Il faut y croire. Vous venez de dire exactement ce que j'ai ressenti… Très vite j'ai pensé que si on ne se réconciliait pas, on ne songerait qu'à la vengeance et que ce serait la pire des situations. Si l'extermination des juifs a été la tragédie la plus monstrueuse qui a marqué la Seconde Guerre mondiale, ce conflit s'est inscrit dans des siècles au cours desquels les Européens n'ont cessé de se combattre dans des guerres fratricides. J'appartiens à une génération élevée dans le souvenir la guerre de 14-18, au cours de laquelle chaque famille a eu des proches tués sur le Front. Aussi, je pensais que pour éviter qu'il y ait à nouveau une autre guerre, il fallait tenter de faire l'Europe pour se réconcilier. C'était un acte de foi, difficile mais… Lors d'une rencontre à Berlin, le 27 janvier dernier, jour de la commémoration de la Shoah, j'ai prononcé un discours autant sur la réconciliation franco-allemande que sur la Shoah. Les deux sont liés pour moi : mon engagement européen est né de cette terrible expérience. Mais la réconciliation n'est possible – et c'est très important – qu'à condition de ne pas oublier le passé. Il faut connaître les faits, ne pas les occulter. Il faut que les pays et les populations concernées assument pleinement leur responsabilité. Ce qui est le cas pour l'Allemagne.

E. M. — Récemment, j'étais à Stockholm pour un colloque intitulé « Prévenir les génocides » organisé par l'Onu. D'ailleurs, à propos de l'humour noir des rescapés dont on parlait tout à l'heure, je n'ai pas pu m'empêcher de penser : « Prévenir ? Merci bien, mais chez nous, c'est déjà passé ! » Lorsque je suis intervenue, j'ai dit : « Mais au moins, reconnaissez d'abord votre responsabilité ! Les États-Unis et la Belgique se sont plutôt excusés, mais l'Onu n'a pas reconnu sa grande responsabilité, et la France non plus. Aussi, qu'ils réparent ! Et là, on pourra rebâtir quelque chose pour les enfants. Car chez nous, en plus des veuves, il y a des enfants qui sont chefs de famille. J'ai eu un petit patient, alors âgé de onze ans, qui devait élever ses quatre frères rescapés. Comment voulons-nous qu'il se réconcilie avec quoi que ce soit, s'il n'y a pas un minimum réparé par ses voisins, par l'international et le gouvernement ? Il faut qu'il soit d'abord réconcilié avec son enfance, avec la vie ; alors seulement, on pourra espérer que ça aille mieux plus tard…

S. V. — Ce que vous dites est tellement important… Il est d'ailleurs nécessaire de rester vigilant car avec le temps, les choses peuvent changer. Après des générations qui ont assumé l'histoire et qui en ont tiré la leçon, d'autres cherchent à l'occulter. Aussi il appartient à tous de veiller à ce que l'on n'oublie pas.

E. M. — J'ai une amie, Heidi, âgée de quatre-vingts ans, rescapée d'Auschwitz et venue au Rwanda, qui nous a dit: «Ma grande peine a été de voir un autre génocide de mon vivant, car je croyais que ça n'arriverait plus.» Mais l'avoir rencontrée m'a donné du courage parce que, partout, elle parle toujours de «ça». Parce que, parfois, tu es quand même découragée, tu penses que tu parles dans le vent, que rien de ce que tu fais ne sert à quoi que ce soit... Aussi, madame Veil, quand je vous vois continuer de témoigner depuis presque soixante ans, quand je vois que cette mémoire n'est pas complètement oubliée, que cette bataille n'est pas complètement inutile, ça me redonne du courage et de l'espoir et, de cela, je vous remercie.

S. V. — Et moi, je vous remercie de m'avoir donné cette occasion de vous rencontrer: j'en suis vraiment très bouleversée. Et d'avoir pu parler avec vous de la tragédie du Rwanda, dont la seule évocation me pèse énormément: nous avions espéré pouvoir, par nos mises en garde, éviter de nouveaux génocides et nous n'avons pas su le faire. Mais je dirais aussi qu'il faut faire attention de ne pas tout confondre. À toutes les époques, il y a eu des guerres et la guerre s'accompagne toujours, hélas, d'atrocités. Les droits de l'homme y sont souvent bafoués... Mais il faut prendre garde de ne pas parler de génocide à tout propos, sauf à en minimiser et banaliser la réalité et la spécificité.

S. B. — *C'est là un des contre effets de la défense des droits de l'homme – pour lesquels nous nous battons, cependant – celui du « tout vaut tout » : tous les conflits se valent, toutes les victimes se confondent, donc tous les coupables aussi ; et en définitive, personne n'est plus vraiment coupable. Et, de façon volontaire ou irresponsable, confondre un génocide avec un conflit, aussi barbare soit-il, et en détourner ainsi le terme, c'est aussi une façon de relativiser. Avec Esther, cette distinction était un principe de base absolu dans notre travail. Il y en a eu un autre : ne pas vouloir chercher de « pourquoi » au génocide. Comprendre ce qui s'est joué, comment, dans quel contexte, oui, mais pas de raison à son essence. Nous ne voulions pas tenter de comprendre.*

S. V. — Parce que c'est de la haine, et qu'il n'y a pas d'explication à une telle haine.

Repères

Que s'est-il passé au Rwanda ?

Extrait du livre de Marie-Odile Godard,
Rêves et traumatismes ou la longue nuit des rescapés, éd. Erès, 2003

Le Rwanda est un tout petit pays, grand comme la Bretagne, coincé entre le Congo, l'Ouganda, la Tanzanie et le Burundi. Pays des mille collines, le climat y est serein mais le sous-sol sans aucune richesse capable d'alimenter l'économie du pays. Le Rwanda est un pays de petites agricultures : le thé est sa principale production. La guerre, le génocide et le mouvement des populations réfugiées ont favorisé l'extension du sida et celui d'un autre fléau, plus ancestral : la malaria.

L'historiographie[1] fait remonter la fondation du Rwanda au XIVe siècle. Trois strates de population existent : les Tutsi sont des éleveurs, une majorité de Hutu sont des cultivateurs et les Twa, des chasseurs et artistes. Dans les faits, Hutu et Tutsi associent bien souvent l'agriculture et l'élevage.

Le Rwanda est alors un royaume unifié autour d'une langue unique : le kinyarwanda. Tous ses habitants ont une même culture, une même vision du monde. Ils obéissent aux mêmes règles, croient au même dieu, Imana.

Avant la colonisation, la société rwandaise est dirigée par les Tutsi. Les vaches que possèdent ces derniers représentent richesse et pouvoir. Rien d'immuable à cette organisation de la société : lorsqu'un fils de Hutu s'enrichit, il peut devenir Tutsi ; lorsqu'un fils de Tutsi s'appauvrit, il peut devenir Hutu.

---

1. Kagame A, *Un abrégé de l'ethno-histoire du Rwanda*, Butare, 1972.
Vanzina J., *L'évolution du royaume Rwanda, des origines à 1900*, Bruxelles, 1962.

299

Dans les années vingt, le colonisateur belge choisit d'encourager cette différenciation sociale et d'en faire une affaire quasiment « raciale »[1]. Ils associeront ainsi les Tutsi au mythe des Hamites, peuple de nomades venus du Nord, venus de l'Inde. Bref, « la race des seigneurs », des « pratiquement blancs ».

Tenants de la société, les Tutsi deviennent les contremaîtres, les Hutu, les manœuvres. Les premiers soutiendront les Belges et accéderont aux études, les seconds occuperont des postes subalternes. À la fin des années cinquante, les Tutsi, en position de force face aux colonisateurs, commencent à organiser le mouvement d'indépendance de leur pays. Les colons belges les accusent alors d'être responsables de l'oppression des Hutu et stimulent l'organisation de leur révolte. En 1959, puis en 1973, des massacres de Tutsi historiques obligeront un grand nombre de ceux-ci à s'exiler. En 1994, survient le génocide qui fera un million de morts. Notons d'emblée la particularité de ce génocide des Tutsi au Rwanda : dans le cas des génocides des juifs et des Arméniens, il aura fallu des années avant que ce terme ne soit reconnu officiellement. Le génocide des Tutsi, lui, a été annoncé et, chose extraordinaire, reconnu alors même qu'il se perpétrait. Pour autant, il s'est déployé sans que la communauté internationale ne bouge.

Dates clés

1959 : c'est la « révolution sociale » et la création du Parmehutu, parti exclusivement composé de Hutu. Les premiers massacres de Tutsi ont lieu : vingt mille périront. Des survivants fuient : c'est le premier exode vers les pays limitrophes (Burundi, Ouganda, Tanzanie, Zaïre).

1962 : le Rwanda est indépendant. Année après année, les Tutsi sont massacrés et chassés à l'extérieur du pays.

1973 : des milliers de Tutsi sont soit emprisonnés, soit tués et chassés de leur pays. Coup d'État militaire du major Juvenal Habyarimana qui, en 1978, sera élu président.

---

1. Selon le registre de la raciologie héritée de l'anthropologie physique du XIXᵉ siècle et du début du XXᵉ.

1990 : l'armée du FPR, Front patriotique rwandais, composée de Tutsi exilés, attaque dans le nord du Rwanda ; c'est le début de la guerre qui se terminera par le génocide.

1994, avril : le 6 avril, l'avion d'Habyarimana, le président Hutu, s'écrase. Les Tutsi sont accusés de l'attentat. C'est le début du génocide sur listes. La radio des Mille collines[1] se fait l'écho de la propagande génocidaire : [...] elle déshumanise les Tutsi, ce sont des « cancrelats ».

Les *Interahamwe*, milices du parti d'Habyharimana, circulent depuis des années en toute impunité. Au mois de juin, la France organise l'opération Turquoise[2], « intervention militaro-humanitaire », dit-on. Dans les faits, cette intervention protège l'armée rwandaise en déroute, et les milices.

4 juillet : le FPR[3] libère la capitale Kigali. Le génocide est passé (entre huit cent mille et un million de morts en quelque quatre mois[4]).

Mi-juillet : Fuite massive de dizaines de milliers de Hutu, dont de nombreux génocidaires, vers le Zaïre (actuel Congo) par peur des représailles, et regroupés dans des camps de réfugiés. Un exode des plus rares et qui a créé une malheureuse confusion dans l'opinion publique entre victimes du génocide et victimes de ces camps de réfugiés.

17 juillet : le FPR déclare la fin de la guerre : le génocide est terminé.

3 octobre : le Conseil de sécurité avalise un rapport qui qualifie les massacres au Rwanda de génocide.

7 avril 2004 : l'Onu officialise cette date comme journée de réflexion.

1. Se référer au livre de Jean-Pierre Chrétien, *Rwanda, les médias du génocide*, Karthala, 1995.
2. Consulter le *Rapport d'information de l'Assemblée nationale* n° 1271, D.I.A.N., 55/98.
3. Front patriotique rwandais, armée formée des fils des exilés.
4. Colette Braeckman, *Rwanda. Histoire d'un génocide,* Fayard, 1994.

Remerciements

à Pierre Bogoratz, Marie-Odile Godard, Andrée Zana Murat, Sophie Ionesco, Erik Kawalkowski, José Kagabo, Cathy Calvet, Anne Ulpat, Isabelle Solal, Patrick Zachman, Ofer Bronchstein, Boubacar Boris Diop, Anna, Amélia, Amanda, Helmut, Consolatrice, Illuminée, Roger, Ann Macintosh, Nanou Calvet, Martine Delahaye, Karin Roeslgaard et Mme Simone Veil.

Remerciements particuliers d'Esther
à Chantal Kayitesi, pour son indestructible complicité malgré la distance et pour la force que cela me donne,
à toutes les autres amies d'Avega dont les constants échanges nous valent de longues nuits blanches (et des notes de téléphone faramineuses) ainsi qu'aux rescapées d'Avega qui, avec confiance, ont accepté que je dise leur histoire.
Je veux aussi remercier, tout spécialement, mes sœurs de sang Joséphine, Marie Josée, Christine, Beata et ma sœur de cœur, Françoise.

À la force de vie et l'ironie d'Esther qui font qu'on a (aussi) beaucoup ri, au lieu de (seulement) pleurer.

Table des matières

303

Achevé d'imprimer en mars 2004
sur Cameron par Bussière Camedan Imprimeries,
Groupe CPI, à Saint-Amand-Montrond (Cher)
pour le compte des éditions de l'Aube
Le Moulin du Château, F-84240 La Tour d'Aigues

Numéro d'édition : 894
Dépôt légal : mars 2004
N° d'impression : 041272/4

Imprimé en France